Koerner, Friedrich

Die Luft : ihr Wesen, Leben und Wirken

Koerner, Friedrich

Die Luft : ihr Wesen, Leben und Wirken

Inktank publishing, 2018

www.inktank-publishing.com

ISBN/EAN: 9783747793978

Die Luft,

ihr Wesen, Leben und Wirken,

mit Beziehung auf die geographische Verbreitung

der

Pflanzen, Thiere und Menschenrassen.

Auf Grundlage der zuverlässigsten Forschungen

dargestellt von

Prof. Friedr. Körner.

———

Ergänzungsband

zu

„Die Erde, ihr Bau und organisches Leben."

———

Jena,

Hermann Costenoble.

1876.

Vorwort.

～～～

Die günstige Aufnahme, welche „die Erde" gefunden hat, veranlaßt mich, derselben als Abschluß „die Luft" nachfolgen zu lassen, welche nach denselben Grundsätzen bearbeitet ist. Die Erscheinungen und Wirkungen des Luftlebens verdienen ganz besondre Aufmerksamkeit, da wir in und von der Luft leben, unsre Gesundheit wie unser Kulturleben von der Luft beeinflußt werden. Die Luft als Trägerin der Wärme und des Lichts wird Verbreiterin der Temperatur, beherrscht das Klima, schreibt dadurch Pflanzen und Thieren ihre Verbreitung, den Menschen ihre Lebensweise, Beschäftigung, Industrie, Verkehr und Kultur vor. Wer es liebt, die Natur zu beobachten, dem bietet grade die ihn umgebende Luft mit ihren Wolkengebilden, Nebeln, Winden, Gewittern und Temperaturveränderungen stete Gelegenheit, die nicht nur zum Nachdenken über den Grund der Erscheinungen anregt, sondern auch die Phantasie ergreift durch die großartigen Scenen, welche sie vorführt.

Den Stoff zu dem vorliegenden Buche entnahm ich den Schriften bewährter Forscher (Dove, Mühry, Behm, Griesebach, Schmarda, Seligmann, Buff, Kabsch, Wittwer, Mohn, Arago, Reclus u. A.), indem ich das streng Wissenschaftliche ausschied, um dasjenige auszuwählen, was Eigenthum der höheren Bildung sein, und was daher jeder Gebildete wissen sollte. Dabei kam es mir auch darauf an, genau das zu betonen, was als erwiesene Thatsache gelten darf, und was nur Hypothese oder wahrscheinliche Ursache ist, wobei ich mich bemühte, die Gründe anzugeben, welche zu solchen Hypothesen berechtigen. In den gewöhnlichen Handbüchern wird so Vieles als Thatsache hingestellt, was in Wahrheit noch Gegenstand widersprechender Behauptungen ist. Dies betrifft namentlich die Pflanzen= und Thiergeographie und die Lehre von den Menschenrassen, die man den Lesern für und

fertig vorlegt, obschon wir erst mit den Vorarbeiten zu solchen
Lehren beschäftigt sind. Bietet mein Buch daher in mancher
Beziehung statt der erwarteten Gewißheit nur Zweifel und
Bedenken, so halte ich dies für einen Gewinn. Denn jede un-
erwiesene Meinung, die man als unbestreitbare Thatsache hin-
nimmt, wird zum Vorurtheil, welches das unbefangene Urtheilen
und Weiterforschen hindert. Man meint dann eben, mit der
Sache fertig und im Klaren zu sein.

Schließlich kann ich nicht umhin, ein Curiosum mitzutheilen,
welches unsre literarischen Zustände und die vielgepriesene Humanität unsres literarischen Verkehrs charakterisirt. Wer ein
Buch schreibt, also vor dem Publikum das Wort ergreift, fordert
damit die Kritik heraus und muß darauf gefaßt sein, gelobt
oder getadelt zu werden. Er muß es sich als nothwendiges
Uebel gefallen lassen, auch wenn er sieht, daß der Kritiker das
abgeurtheilte Buch nicht gelesen oder gröblich mißverstanden hat.
Wie viel sich dabei mancher Anonymus erlaubt, das zeigt „die
Gäa". Ein Kritiker derselben spricht über Verfasser und Verleger „der Erde" summarisch ein Verdammungsurtheil aus,
„ohne auf das Einzelne einzugehn", wie er sehr naiv sagt. Nur
einen Fehler rügt er besonders: das Buch, welches die Erdrinde
und das Wasser behandelt, bemerkt beiläufig — in einer
Zeile —, daß man muthmaße, die uns abgewandte Seite des
Mondes müsse Meer enthalten. Als Gewährsmann wird Dr.
Klein genannt, was insofern ungenau ist, als damit nur eine
Notiz der „Gäa" gemeint war. Dies betrachtet der Kritiker
als Beleidigung des Dr. Klein, und dieses einen Fehlers
wegen verurtheilt er Buch und Verleger. Daß Zech in „Himmel
und Erde" auch jene „grundlose Vermuthung" ausspricht,
scheint der Kritiker nicht zu wissen; doch wenn sie ein Mann
wie Zech für möglich hält, ein Hansen sie berechnet, so kann sie
doch wohl nicht ganz grundlos sein. Wegen dieses, eine Neben-
sache betreffenden ungenauen Citirens der Autorität werden Verfasser und Verleger ausgescholten, und dieses summarische Ver-
dammen druckt man als Recension ab!

Dresden, im März 1876.

Der Verfasser.

Inhaltsverzeichniß.

Sachen- und Namensverzeichniß.

14

Luft und Leben.

Einleitung.

Wer betrachtet nicht gern die Wolkengebilde, diese phanta-
stischen Dichtungen des Luftgeistes! Bald dehnen sich Wolken=
haufen im blauen Ocean der Atmosphäre aus wie Inseln mit
Buchten und Vorgebirgen, bald steigen sie wie Alpengebirge mit
silberglänzenden Firnen oder goldigbrennenden Rändern und
Hörnern empor oder schimmern in rosigem Anhauche des Alpen=
glühens. Hier schwimmen schneeweiße Wolkenflöckchen traumhaft
durch den unendlichen Himmelsraum, dort wogen dunkle Wolken=
massen gleich fluthenden Meeren über die fernen Berge. Welches
lebendige Spiel der Farben, Lichter und Beleuchtung! Stundenlang kann man diesem stets wechselnden Treiben zusehn, welches
uns wie in einem Spiegelbilde das Unstäte des Menschenlebens
versinnlicht.

Wenige denken daran, daß wir in jenen wandelbaren Spielen
eine Weltkraft vor uns haben, welche alles Leben auf der Erde
beherrscht und das unsrige bedingt. In jenen Luftgebilden tragen
Winde die Wasserdünste der Oceane über Berg und Thal, aus
warmen Erdstrichen nach kalten Landstrecken. Jene Wolken sind
schwimmende Meere, werden aber auch zu nährenden Brüsten,
an denen die Gebirge saugen, oder zur Speise für Wälder und
Fluren, wenn sie als Regen niederfallen. Dabei wechseln jene
luftigen Dunstmassen wie ein Proteus stets ihre Gestalt, denn
bald sinken sie als Regentropfen nieder, bald funkeln sie als

15

wie ein wildes Heer über Flächen und Berge, bald stürzen sie
als verheerender Wolkenbruch oder als zerschmetterndes Hagelwetter nieder, bald endlich führen sie vor den erschrockenen
Menschen die Zauberoper eines dröhnenden Gewitters mit leuchtenden Blitzen und rollenden Donnern auf oder gaukeln dem
Polarländer das wunderbare Farbenspiel des Nordlichtes vor.

Luft ist ein Ueberall und Nirgends. Sie wirkt überall,
zerstört und vernichtet, um Neues zu schaffen, ist nirgends zu
greifen, auch wo sie sich den faßbaren Stoffen innig anschließt,
denn stets ist sie bereit, unter irgend welcher Verkleidung wieder
zu entfliehen. Die Luft dringt im Wasser bis hinab auf den
Meeresgrund, wo Pflanzen und Seethiere von ihr gespeist, andere
vorhandene Stoffe zu chemischen Verbindungen und Scheidungen
veranlaßt werden. Durch Mithülfe der Luft entstehen in der
Meerestiefe neue Gesteinarten, besonders Kalke und Sandsteine.
Auch in das Innere der Gebirge dringt sie ein, wobei ihre
Kohlensäure gewisse Gesteine zersetzt oder umwandelt, welche dann
entweder anschwellen oder zusammensinken, so daß an der Erdoberfläche weite Landstrecken und Gebirgsmassen langsam und
andauernd steigen oder sinken. Die Luft benagt mit ihren Gasen
die Oberfläche der Gebirge, entlockt ihnen gewisse Bestandtheile
und lockert den Bau der Gesteine, welche dann zerfallen, was
man das Verwittern nennt, worauf die Trümmer der Felsen
vom Regen in Bäche gespült, von diesen durch Weiterrollen zer-
kleinert werden und sich dann im Flusse zu Inseln und Kies-
bänken ansammeln, oder vom Strome als Sand und Schlamm
ins Meer geführt werden. Die Gebirge sind daher in Folge
ihrer Zerstörung durch Luft und Regen auf einer steten Wanderung begriffen und bedienen sich des Wassers als Reisegelegen-
heit. Dies geschieht aber so unmerklich, daß wir es nicht be-
achten, obschon die dunkle Farbe des Flußwassers darauf aufmerksam machen sollte.

Selbst den Kalkanwurf unserer Häuser benagt die Luft,
zehrt das Balkenwerk an, bringt mit dem Athem und durch die
Hautporen in den Pflanzen = und Thierkörper und erzeugt die
sogenannte thierische Wärme, indem sich der eingeathmete Sauerstoff mit dem Kohlenstoffe, welchen die Nahrungsmittel enthalten,
zu Kohlensäure verbindet, was die Chemiker das Verbrennen nennen,

wobei man freilich an keine helle Flamme zu denken hat. Mit großer Begierde saugt die Pflanze die ausgeathmete Kohlensäure auf und verwandelt sie in Pflanzenstoffe, namentlich in Kohlenstoff. Den Sauerstoff dagegen nimmt sie nicht auf, und da wir denselben beim Einathmen in Lungen und Blut bringen und uns dadurch lebendig und gesund erhalten, so reinigen Bäume die Luft und legt man in den Städten Promenaden an, um die mit ungesunden Stoffen verunreinigte Stadtluft zu verbessern. Winde verrichten denselben Dienst, indem sie schädliche Dünste wegtreiben oder zerstreuen, und Sumpffieber entstehen durch verdorbene Luft.

Die Luft geht als ein Engel des Todes und Lebens durch die Welt, verflüchtigt die Wassertropfen zu Dunstbläschen, die sich dann zu elektrischen Wolken ansammeln, die in Gewittern Blitze erzeugen, im hohen Norden die wunderbaren Farbenspiele der Nordlichter schaffen und in geheimnißvolle Wechselwirkung mit dem Magnetismus treten. Die Luft trägt Feuchtigkeit und Wärme über die Erde, wirkt ein auf Klima und Temperatur, von denen wieder das Dasein und die Arten von Pflanzen und Thieren bedingt sind. Sie erfreut uns aber auch als Trägerin der Schallwellen, der Töne und der Farben, wodurch sie auf unsern Kunstsinn einwirkt. Ohne Luft würden wir keinen Vogelgesang, kein Rauschen des Waldes, kein Brausen des Meeres vernehmen, würde die Musik eine unmögliche Kunst sein, würden wir nicht reden und unsere Gedanken durch Sprechen ausdrücken können.

Die Luft trägt uns allerlei Gerüche zu, welche Menschen und Thieren als Wegweiser zur Nahrung oder als Warner vor Gefahr dienen. Sie hebt und senkt den fliegenden Vogel, wie den schwimmenden Fisch, dreht als Sclave die Flügel der Windmühle, schiebt keuchend den schwerbeladenen Dreimaster über den breiten Ocean und schleudert im Zorn die Meereswogen als schaumspritzende Brandung gegen das Felsenufer. Auf der Aeolsharfe phantasirt sie in wunderbaren Weisen, um Felsen, Hausgiebel und Schornsteine stöhnt und heult sie in schauerlichen Tönen, rüttelt zornig an Fenstern und Thüren, an Dächern und Thürmen und kühlt uns im Sommer als sanfter Windhauch, wogegen sie im winterlichen Norden die Kälte tödtlich

töbtlichen Brand, heilt ihn aber als frische Luft unter der freien
Baracke des Lazareths. Ohne Luft gäbe es keine Strahlen=
brechung des Lichtes und keine Farben; ohne sie läge die bunte
Erbe vor uns als ermübendes Einerlei, und ohne Luft würden
wir in wenig Minuten sterben. Sie erweist uns also eine
Menge Wohlthaten, denn sie ist die Trägerin des Lebens und
verdient es daher, daß wir ihre Natur und ihre Werke kennen
lernen.

Erstes Kapitel.

Was ist die Luft?

~~~

Luft, Licht und Wärme.

Die atmosphärische Luft ist die Trägerin der Wärme, des Lichts und der Gase, welche sie zu einander führt, woburch Scheidungen, neue Verbindungen und Stoffe entstehen. Man nennt diese Wandelungen, welche endlich wieder zur Urform der Stoffe zurückführen, den Kreislauf der Stoffe, welcher in der That die Erhaltung und Fortdauer des Lebens bedingt. Sie hindert oder mäßigt als Wolke die Ausstrahlung der Wärme und erzeugt dadurch gemäßigte Temperaturen; sie milbert den einfallenden Lichtstrahl und wandelt ihn in Wärme und Farbe um, die uns erfreut als Himmelblau, als Abend- und Morgenröthe, als Regenbogen und Luftspiegelung. Durch die Luft wird das Licht für die Erde erst wirksam und wohlthätig.

Das Licht ist ein wunderbarer Vorgang im Weltall, dessen Natur man erst in neuester Zeit etwas genauer kennen lernte. Man hält es nicht mehr für einen unwägbaren Stoff, sondern für eine besondere Bewegungsart der Aetherwellen. Was nun der Aether ist, das vermochte man bis jetzt noch nicht zu erforschen. Herschel zerlegte den Lichtstrahl in sieben Farben, in benen Frauenhofer später zahlreiche schwarze Linien von verschiedener Breite entdeckte. Chemiker behaupten ferner, daß es auch dunkle Lichtstrahlen gebe und zwar über dem Violet eine lavenbelgrüne, nach außen dagegen dunkelrothe Strahlen. Man

Strahlen. Mit Hilfe der Spectralanalyse ist es gelungen, an dem Lichte brennender Gase die Natur und Bestandtheile der im Gase enthaltenen Stoffe zu erkennen und dabei Farben aufzufinden, welche unser Auge wahrzunehmen nicht vermag. Uns erscheinen die Gestirne wie weiße Punkte, doch der Astronom sieht sie in anderen Farben, so daß der Sternenhimmel einer Fläche voll bunter Blumen gleicht, deren Pracht den Sternforscher entzückt.

Das Licht ist aber über die Erde ungleich vertheilt, und da es auf das Gedeihen der Pflanzen und Thiere stark einwirkt, so bringt es große Verschiedenheiten derselben hervor, besonders in Betreff der Farbe und Gestalt. In Edinburg z. B. giebt es keine wirkliche Nacht vom 6. Mai bis 7. August, in London vom 21. Mai bis 22. Juli, in Paris im Juni. Es treffen von 1000 Sonnenstrahlen auf die Tropenländer nur 378, auf die gemäßigte Zone 288, auf die Polarzone 110, und in England ist das Licht im Sommer um 65 Procent stärker als im Winter. Auch sehen wir zuweilen nicht das eigentliche Licht, sondern nur dessen Strahlenbrechung, welche dasselbe vorher verkündigt. Als Parry 93 sonnenlose Tage auf der Melvilleinsel verbrachte, erschien in Folge der Lichtbrechung das Sonnenbild 3 Tage früher, ehe die wirkliche Sonne am Horizonte auftauchte, und Barentz sah auf Novaja Semlja gar 15 Tage Sonnenlicht früher, ehe die Sonne über den Horizont stieg. Weiter auf dieses Thema einzugehen, würde zu weit von der Hauptsache abführen. Ich erinnere aber schließlich daran, wie die Fülle und Art des Lichtes den Landschaften ihre besondere Färbung verleiht, eine gewisse Stimmung des Gemüthes hervorruft und mächtig auf den Farbensinn der Völker einwirkt. Sogar die Hautfarbe des Menschen hängt jedenfalls mit der stärkeren oder schwächeren Bestrahlung derselben durch die Sonne zusammen. Diese bräunt ja auch unsere Landleute und Soldaten.

Licht wirkt als Lebensreiz, Wärme dagegen als Trieb- und Bewegungskraft. Wärme drängt das Blut durch die Adern, treibt Wasser und Luft auf weite Wanderungen, verwandelt Wasser in riesenstarken Dampf, Gesteine in flüssige Lava, reckt Pflanzen- und Thierkörper zum Wachsen aus und erscheint in andrer Form wieder als Electricität, Magnetismus, Licht.

Wärme ist das große Welträthsel und Weltwunder, von welcher wir hier nur einige übersichtliche Andeutungen geben, welche zum Nachdenken über manche Erscheinungen anregen.

Man hat durch Berechnungen gefunden, daß die Sonnenwärme auf der südlichen Halbkugel um den fünfzehnten Theil stärker wirkt als auf der nördlichen, weshalb der Boden Südafrikas und Australiens zuweilen 70½ Grad C. Wärme hat und ein auf den Boden geworfener Zunder sich entzündet. Unter dem Aequator Afrikas beträgt die Temperatur 29°, in Asien 28°, in Amerika 27°, weil die Erhebung des Landes milbernd auf die Hitze einwirkt. Es besitzt selbst der Stille Ocean 1¼° Wärme mehr als der atlantische! In der nubischen Wüste steigt die Hitze bis auf 65½°, im Schatten bis 53½° C., und Griffith mußte in der Ebene des Euphrat sogar eine Wärme von 65° C. aushalten, wogegen Gmelin zu Kilinga in Sibirien 84° C. Kälte zu ertragen hatte. In Guyana verändert sich die Jahrestemperatur nur um 1°, in den gemäßigten Zonen um 34°, in Jakutk um 63°. Quebeck hat einen Sommer wie Paris und einen Winter wie Petersburg und der Weltraum soll 45—140° Kälte besitzen.

Die Luft behält ein Drittel der Wärme der Sonnenstrahlen zurück, und die übrige Wärme saugen Wasser und Erdrinde auf. Natürlich kann die größte Hitze nicht Mittag eintreten, sondern als Nachwirkung der Besonnung erst gegen 2—3 Uhr, und ist August der heißeste Monat, Februar dagegen der kälteste, wie auch die geringste Temperatur sich vor Sonnenaufgang einstellt, wenn aller Wärmevorrath verbraucht ist während der Nacht.

Wärme dehnt aus und macht dadurch leichter. Die weniger warme Luft ist schwerer und dringt in sie ein, oder verdrängt vielmehr dieselbe von ihrem Platze. Dadurch entsteht ein Windzug. Daher kann man sagen: Wärme erzeugt und beschleunigt die Winde, weshalb diese unter den Tropen zu Orkanen werden. Wenn ein frischer Wind in einer Stunde 8 Meilen durcheilt, ein Sturm 12 Meilen, so durchfliegen tropische Orkane in derselben Zeit eine Strecke von 12—20 Meilen, wobei sie über dem atlantischen Meere in einer Breite von 130—300 Meilen eilen und dabei ¼—1 Meile Mächtigkeit (Dicke) be-

Meilen weit hinaus ins Meer und in der Sahara heben Orkane
Sandpfeiler 200—300 Fuß hoch. Der südamerikanische Steppen=
sturm Pampero erniedrigt das Wasser der Mündungsbucht des
Laplata um 13—18 Fuß, indem er das Wasser ins Meer
peitscht, wogegen Südwinde durch aufgethürmte Meeresfluthen die
niedrigen Küsten von Texas und Louisiana verheeren. Südost=
monsuns verstopften die Südpassage des Missisippi durch
Schlammbänke und zwangen den Strom, seinen Hauptausfluß
nach Südwest zu verlegen, wie der Sevennenwind Mistral der
Rhone einen Lauf nach Südost anwies, wohin er ihre Fluthen
drängte. Die Wüstenwinde der Sahara zehren alle Feuchtigkeit
der Luft auf und machen die Länder, durch welche sie ihren
Weg nehmen, zu Wüsten und Steppen, wogegen die dunstbela=
denen Westwinde des atlantischen Meeres die Küsten Portugals
und Norwegens, wo sie anprallen, in Nebel und Regen hüllen.
Denn die Winde werden Regensammler und Regenvertheiler.

Jeder Windzug folgt zwar allgemeinen Gesetzen, bleibt aber
trotzdem ein Einzelwesen, welches sich nach den einwirkenden
Wärmeverhältnissen richtet, je nachdem er über Meer, Sumpf,
Wald, Steppe, Getreide oder Berge streicht. Wir urtheilen
falsch, wenn wir die Luft für ein todtes Element halten, denn
sie folgt ihren eigenen Lebensgesetzen, welche wir aber nur theil=
weise kennen. Luft und Wind fügen sich in die Eigenthümlich=
keiten der Oertlichkeiten, innerhalb welcher sie wehen und weben,
beeinflussen aber wiederum Pflanzen und Thiere, wodurch die
große Mannigfaltigkeit in der Schöpfung entsteht und die Men=
schen besondre Lebensweise, Kleidung, Nahrung, Bauart, Be=
schäftigung, Verkehr u. s. w. annehmen müssen. Es giebt in
Südamerika einige Küstenstrecken, wo Wolken und Regen so selten
erscheinen, daß viele Bewohner sterben, ohne je eine Wolke ge=
sehen zu haben. Zieht ja einmal eine solche Dunstmasse am
Himmel herauf, so staunt die Bevölkerung über dieses wunderbare
Gebilde, dessen Natur und Bedeutung sich dieselbe durchaus nicht
erklären kann. Gewaltiges Entsetzen aber ergreift die Gemüther,
wenn aus der dunklen Wolke Wasser fällt, denn nun fürchtet
man allgemein, der ganze Himmel werde herabstürzen. Weil
Regen so ungeheuer selten fällt, daß er zu außerordentlichen
Naturereignissen gehört, wie etwa bei uns Sturmfluthen und

22

Wolkenbrüche, so baut man die Häuser nur als Schutz gegen die Sonnenstrahlen, nicht aber gegen den Regen, welcher dann natürlich überall herein bringt und Alles durchnäßt.

So wenig unterrichtet ist der Mensch noch über die Natur, in deren Mitte er lebt, und welche ihm zum Theil sein Thun und Denken vorschreibt. Vorläufig mögen diese kurzen Uebersichten genügen, weil weiter unten die einzelnen Lebensthätigkeiten der Luft eingehender besprochen werden.

Wie groß ist der Luftraum?

Von den alten griechischen Forschern haben wir viel Wahres und Gutes, aber auch manches Vorurtheil angenommen, welches wir unter großer Anstrengung loszuwerden suchen. Zu solchen falschen Ansichten gehört die Lehre von den vier Urelementen oder untheilbaren Stoffen, wie sie wohl noch in manchen Schulen gelernt werden. Jene Elemente sind aber sehr zusammengesetzte Stoffe, wogegen die Chemiker über 60 untheilbare Stoffe als Urelemente aufzählen. Erst im Jahre 1774 gelang es dem französischen Chemiker Lavoisier, die atmosphärische Luft in ihre Bestandtheile aufzulösen, indem er in 100 Gewichtstheilen (Atomen) derselben 23 Atome Sauerstoff und 77 Atome Stickstoff nachwies außer dem Kohlen- und Wasserstoff und andern beigemischten Gasen.

Diese wichtige Entdeckung ist von andern Forschern bis ins Einzelne hinein weiter verfolgt, wobei man fand, daß sich jene Gase in der Luft zwar mengen, aber nie verbinden. Namentlich füllt der Sauerstoff, Lebensluft genannt, gern leer gewordene Räume aus, und obschon er sich nie mit dem Stickstoff vereinigt, übt er mit demselben dennoch nach außen hin einen Druck aus. Berechnet man den Luftraum, so ergiebt sich, daß er 1094 Trillionen und 396,300 Billionen Tonnen Sauerstoff enthalten muß, und der Kohlenstoff, von welchem 1000 Theile Luft je 4—5 Procent enthalten, eine Masse von $1^8/_{10}$ Kubikmeilen Steinkohle bilden würde.

Was einen Raum einnimmt, muß auch ein Gewicht haben,
so daß sich die Schwere der Luft und der von derselben ausgeübte
Druck berechnen lassen. Obschon ein Liter Luft 770 Mal leichter
ist als dasselbe Maaß Wasser, so drückt sie doch auf uns, die
wir auf dem Grunde eines hohen Luftoceans uns bewegen, als
eine Last von 30,000 Pfund oder 15,000 Kilogramm. Nach
Herschel's Berechnung wiegt die Luftmasse nur soviel als der
1,200,000 Theil der Erdmasse oder wie eine Kupferkugel von
100 Kilometer Durchmesser. Von großem Einflusse auf uns ist
dagegen der Stoffgehalt der Luft. Frische reine Luft ist das erste
Erforderniß der Gesundheit, wo aber die Luft viel feuchte Wärme
in sich aufnimmt, wie es unter den Tropen der Fall zu sein
pflegt, beschleunigt sie die Verwesung organischer Stoffe, welche
dann als tödtliche Miasmen in die Luft eintreten, Sumpffieber
und Tod bewirken und manche Strecken unbewohnbar machen.
In manchen Anbenthälern, in denen die Hitze bis auf 42° C.
steigt, fühlen sich Europäer schon nach einigen Stunden matt
und kraftlos, wogegen die Eingeborenen von solchen Wirkungen
nichts empfinden. Uebrigens sammelt sich diese verderbliche
Kohlensäure als leichterer Stoff mehr in den oberen Luftschichten
an als in den unteren, noch mehr im Meere, dessen Wasser 32
Procent Sauerstoff, die Luft nur 21 Procent enthält.

Man hat nun auch wissen wollen, wie hoch etwa die Atmosphäre ist. Da man sich nicht hoch in dieselbe erheben kann, so
hat man sich scharfsinnige Methoden erdacht, nach denen sich die
Lufthöhe berechnen läßt. Doch sind die Ergebnisse solcher Berechnungen sehr verschieden, denn sie schwanken zwischen 6½, 27
und 5862 Meilen. Gewöhnlich nimmt man an, daß unsere
Atmosphäre 9—10 Meilen hoch ist, 9½ Trillionen Pfund wiegt
und viele Trillionen Kubikmeilen füllt, so daß sie für den Ver-
brauch noch auf 2½ Millionen Jahre reicht.

Wenn man in Büchern ganz bestimmte Angaben über Verhältnisse, wie die angegebenen, findet, so darf man dieselben also
nicht für ausgemachte Thatsachen, sondern nur für Theorien und
Wahrscheinlichkeiten halten. Denn unsere Gelehrten möchten über
gar viele Dinge Aufschluß geben, wenn auch die ausreichende
Zahl sicherer Thatsachen fehlt. Außerdem haben die Instrumente, deren man sich bedient, namentlich das Thermo - und

Barometer, noch nicht die wünschenswerthe Vollkommenheit. Aber auch in dem Falle, daß sie fehlerlos sind, bedürfen sie eines umsichtigen Beobachters und tüchtigen Rechners, welcher allerlei Nebenumstände und Nebeneinflüsse in Abzug zu bringen versteht. Man wird also begreifen, daß die Zahl der stimmberechtigten Forscher eine beschränkte bleibt, auf deren Urtheil man sich vorläufig verlassen muß, bis Forscher mit verbesserten Instrumenten und Methoden die bisher giltigen Ansichten berichtigen. Man findet, wie überall, scheinbare Ausnahmen des Gesetzes vom Barometerstande, weil jeder Ort denselben je nach seiner Eigenthümlichkeit verändert. Am Gleichmäßigsten verhält er sich über dem Meere, aber auch hier finden sich Abweichungen, denn unter den Tropen beträgt er 758 Millimeter, unter dem 30—35. Grade 762—764, unter dem 50. Grade 760, worauf er weiter nach Norden auf 756 Millimeter sinkt. Außerdem steht er über dem Meere der nördlichen Halbkugel höher als über dem der südlichen, wo die Wärmecurven weniger anschwellen als in der landreichen Nordhälfte der Erde.

Endlich hat man auch versucht, die Abplattung der Luftkugel an den Polen, welche doch der Eindrückung der Erdkugel entsprechen muß, zu berechnen, und sie auf den $1/_{264}$—$1/_{177}$ Theil abgeschätzt. Die Ab- und Zunahme dieser Lufthöhe wirkt natürlich auch auf unsern Körper ein. Wir würden von der ungeheuren Last, die wir tragen müssen, zerquescht werden, wenn die Luft selbst uns nicht schützte. Da sie nicht nur unsern Körper von allen Seiten umgiebt, hebt und trägt, sondern auch in allen unsern Organen, in Haut, Fleisch, Knochen, Blut u. s. w. vorhanden ist, so hebt sich der gegenseitige Druck auf. Wir empfinden denselben nur bei heftigem Winde, beim Bergsteigen und Laufen. Die Luft hält das Blut in den Adern zurück, nimmt ihr Druck aber ab, so fließt das Blut aus Ohren, Nase, Augen und Poren. Die Luft dumpfer Zimmer wirkt auf's Gehirn und betäubt uns, auf hohen Bergen befallen uns Schwindel und Ohnmacht, und durch den Luftdruck allein werden die Arm- und Beingelenke in der Pfanne fest gehalten. Auf hohen Bergen ermatten wir daher, Maulthiere stehen oft still, um öfter und tiefer zu athmen oder stürzen todt nieder, und Hülsenfrüchte kann man

verdünnten Luft die erforderliche Siedehitze nicht erreichen kann.
Wenn Luftschiffer in großer Höhe eine Wasserflasche öffneten, so
sprang der Kork mit großer Gewalt empor, weil die in der
Flasche eingeschlossene Luft kräftiger war als die dünne atmo-
sphärische Luft. Ueberall begegnen wir daher dem wunderbaren
Leben der Luft!

Was schließlich die Bestandtheile der Luft und ihre Einwirkung auf den Kreislauf der Stoffe anlangt, so hat Bischof dieselben am Gründlichsten untersucht und erklärt: „Die Bestandtheile der atmosphärischen Luft sind im Ganzen in ihrem Zahlen-
verhältniß unveränderlich, an ihren Grenzen aber durch mannigfache
Prozesse steten Schwankungen unterworfen. Denn sie verbrauchen,
verzehren und verwandeln einzelne Stoffe, gehen dabei verschiedene
Verbindungen und Formen ein und kehren endlich wieder zu ihrer
Urform zurück, um den Kreislauf von Neuem zu beginnen. Dabei
wirken ein das Athmen der Thiere, die Verwesung der Pflanzen,
die Oxybation anorganischer Stoffe, da die Industrie ungeheure
Massen von Steinkohlen verbrennt. Liebig schätzt den Kohlenstoff,
der als Kohlensäure in der Luft schwebt, auf 2800 Millionen
Pfund.

„Es scheint ein beständiger Kreislauf des Sauerstoffes statt
zu finden. Denn die Oxybationsgase entziehen denselben der Luft,
setzen ihn gewissermaßen in Umlauf, bis er in gewissen Perioden
zur Atmosphäre zurückkehrt. Das Mineralreich liefert Sauerstoff,
wenn bei der Eisenkiesbildung Kohlensäure zur Atmosphäre geführt wird und der Kohlenstoff nun ein Träger des Sauerstoffs
im Mineralreiche wird. Den Kohlenstoff der organischen Wesen
dagegen zersetzt der Vegetationsprozeß, welcher den Sauerstoff
verdrängt, der dann in die Luft zurückkehrt, wogegen nun der
Kohlenstoff vorzugsweise Eigenthum des Pflanzen- und Thier-
reiches bleibt.

„Der Stickstoff bildet die größere Menge der Luft und gehört zu den unzersetzbaren Urstoffen; doch vermag man seine
Unentbehrlichkeit im Haushalte der Natur nicht nachzuweisen.
Die Gewässer nehmen nur eine geringe Menge von Stickstoff
auf und halten ihn fest, bis Temperatur und Druck sich ändern.
Sobald der Druck abnimmt, die Temperatur aber steigt, so
entweicht das aufgesogene Stickgas, namentlich in warmen Quellen.

In brennenden Gruben und faulendem Wasser ist Stickgas ent=
halten und bei völligem Zersetzen der Pflanzen wird Stickstoff
frei und tritt in die Luft zurück.

„In sehr geringer Menge enthält die Luft Ammoniak und
Schwefelwasserstoffgas. Denn 1 ☐Fuß Luft enthält 4³/₄ Gran
Ammoniak und 4 Gran Stickstoff, und um 1 ☐Fuß Buchenholz
zu erzeugen, braucht der Baum 3 Gran Stickstoff und ¹/₄₀ Pfund
Kohlenstoff.“

Man nennt dieses Wandern der Gase den Kreislauf der
Stoffe, welcher hier nur sollte angedeutet werden, um Nach=
folgendes verständlich zu machen.

Luftschifffahrten.

Unsere Kenntniß von der Luft ist also noch eine beschränkte,
weil wir nur die unteren Schichten derselben beobachten können,
in denen wir uns befinden. Ueber die oberen urtheilen wir nur
nach mathematischen Berechnungen. Um das Leben und Wirken
der Luft näher kennen zu lernen, hat man an vielen Orten
meteorologische Stationen errichtet. Auf denselben beobachten
sachkundige und mit geeigneten Instrumenten versehene Männer
regelmäßig Wind, Wetter, Luftfeuchtigkeit u. s. w., tragen ihre
Bemerkungen in Tabellen ein und senden dieselben an einen
Gelehrten, welcher dieselben zusammenstellt, um aus ihnen all=
gemeine Gesetze abzuleiten. In neuester Zeit hat man sich aber
auch der Luftballons bedient, um von den oberen Luftschichten
persönlich Kenntniß zu nehmen. Indessen sind solche Unter=
nehmungen einestheils sehr kostspielig, anderntheils hängen ihre
Ergebnisse oft vom Zufalle des Windes und Wetters, von Luft=
strömungen und Persönlichkeiten ab, so daß die wissenschaftliche
Ausbeute den übernommenen Unkosten und Gefahren nicht immer
entspricht.

Schon vor Jahrtausenden haben es waghalsige Menschen
versucht, sich dem Vogel gleich in die Luft zu erheben. Die

legten, um zur Sonne aufzusteigen, aber ins Meer stürzten. Archytas soll 400 v. Chr. zu Tarent hölzerne Tauben haben fliegen lassen durch einen Mechanismus und der Magier Simon in Rom gar von einem Hause zum andern geflogen sein. Dagegen begnügten sich die wenigen Physiker des Mittelalters damit, Theorien für den Menschenflug zu ergrübeln. Nur Wenige dachten an praktische Ausführung, welche gewöhnlich übel ausfiel. Denn als z. B. Danti über den trasimenischen See fliegen wollte, fiel er herab auf eine Thurmgallerie und brach ein Bein, ja einem englischen Mönch kostete der Versuch sogar das Leben. Alle Theorien und Versuche blieben deßhalb vergeblich, weil der Mensch ja mehr als 100 mal schwerer ist als die Luft. Erst seit Cavendish 1766 das Wasserstoffgas entdeckte, welches leichter als die atmosphärische Luft ist, hatte man ein Mittel gefunden, um sich emportragen zu lassen, und nun stellte Professor Black in Edinburg 1767 eine Theorie der Luftschifffahrt auf, welche Tiberio Cavallo 1782 mit einigen wasserstoffgefüllten Seifenblasen praktisch ausführte, um nachzuweisen, daß man mit solchem Gase schwerere Stoffe in die Luft könne aufsteigen lassen.

Zu gleicher Zeit versuchten die Fabrikanten Gebrüder Mongolfier auf andere Art einen solchen Feuerball, wie man diese ersten Luftballons nannte, herzustellen, indem sie eine Papier= oder Leinwandkugel mit erhitzter Luft füllten und steigen ließen, und in Lyon baute ein Andrer einen solchen thurmartigen Ballon, der 126 Fuß Höhe und 100 Fuß Durchmesser hatte. Ganz Frankreich staunte über das Wunderwerk der beiden Mongolfier. Auf Kosten einer Nationalsubscription ließ Professor Charles vom Marsfelde zu Paris unter Kanonendonner einen mit Wasserstoffgas gefüllten Ballon steigen, der zum Entsetzen der Bauern dann bei Gonesse niederfiel, sich lange am Boden krümmte, so daß die Bauern sich nicht heranwagten, bis sie in heiliger Wuth endlich das still gewordene Teufelswerk in Fetzen rissen. Ludwig XVI. ließ sich von Mongolfier zu Versailles das Kunststück vormachen und in die Gondel ein Schaf, eine Ente und einen Hahn setzen. Glücklich sanken Ballon und Reisende in einem Walde nieder, wo man Schaf und Ente fressend fand, doch der ungeduldige Hahn hatte sich den Kopf eingestoßen. Nach vielen Bitten erhielten zwei Menschen die Erlaubniß vom Könige,

die Luftreise bei einer zweiten Luftfahrt in der Gondel mitzu-
machen, kamen mit heiler Haut davon, und seitdem wiederholte
man solche Luftreisen öfter. Bis jetzt mögen in Europa und
Amerika 3500 solcher Fahrten unternommen sein, wobei 15
Reisende verunglückten.

In Frankreich nahm man sich dieser neuen Erfindung lebhaft an und suchte sie zunächst zu Kriegszwecken zu verwenden,
um mittelst angebundener Ballons die Stellung der feindlichen
Armee zu erforschen, wie man bereits den optischen Telegraphen
erfunden hatte, um die Correspondenzzeit zwischen dem Heere und dem
Kriegsminister in Paris zu kürzen. Aber auch als Volksbelustigung
benutzte man das Aufsteigen von Ballons. Als daher Napoleon
1804 zu Paris seine Kaiserkrönung feierte, durfte eine Ballonfahrt nicht fehlen. Abends am 16. Dezember stieg das Luftschiff
in Paris auf und fiel am nächsten Morgen in der Campagna
bei Rom nieder, um dort die Krönung durch Papst Pius VII.
zu verkündigen. Dieser Ballon trug eine aus 3000 bunten
Gläsern gebildete Krone, und Napoleon hielt es für ein schlimmes
Vorzeichen, als sie bei Rom an Nero's Grabmale anschlagend
zerbrach. Auch Ludwig XVIII. ließ bei seinem Einzuge in Paris
(1814) ganze Schwärme von Ballons steigen, um die Pariser in
gute Laune zu versetzen.

In andern Ländern dagegen verwendete man den Ballon dazu,
um im Interesse der Wissenschaft die oberen Luftschichten, deren Temperatur, Winde und Feuchtigkeit zu studiren. Robertson und A.
stiegen am 18. Juli 1803 in Hamburg auf und flogen 19 Meilen
weit bis Hannover, wobei sie eine Höhe von 23,500 Fuß erreichten
und dort oben eine Kälte von 5 Graden empfanden. Aehnliche
Luftreisen veranstalteten die Academien zu Petersburg und Paris,
und Gay-Lussac brachte aus einer Höhe von 23,000 Fuß einige
Flaschen Luft mit herab, welche er in seinem Laboratorium
analysirte und fand, daß dort oben die Luftmischung dieselbe ist
wie auf der Erdoberfläche. Dagegen zeigte die Temperatur einen
Unterschied von 37°, und die Feuchtigkeit sowie die Luftströmungen wechselten, da man bald durch feuchte, bald durch trockene
Luftschichten kam. Bei einem andern Versuch, den Barral und
Bixio 1850 unternahmen, denn von 1815—50 ruhten alle

heftig aus, der Ballon stürzte pfeilschnell herab, und nur wie durch ein Wunder kamen die Reisenden in einem Weinberge an und mit dem Leben davon.

Mitunter kommen bei solchen Fahrten allerdings grause Abenteuer vor. Zuweilen wird der Luftschiffer aufs Meer getrieben und versinkt dort mit seinem Fahrzeuge, oder der Ballon läßt sich auf Baumgipfel nieder oder verbrennt oder wird gesprengt, so daß die Reisenden 6—8000 Fuß herabstürzen. Auf einer ihrer Luftreisen waren die Engländer Coxwell (1862), Glaisher u. A. 39,000 Fuß hoch gestiegen. Er und seine beiden Reisenden wurden blau, die Finger erstarrten, die Adern an den Schläfen schwollen an, Ohrensausen und Herzklopfen stellten sich ein. Da ward Glaisher ohnmächtig, und auch Coxwell konnte kein Glied rühren, die Sinne vergingen ihm, und es zog ihm wie ein dunkler Traum durch den Kopf. Der Dritte saß auf dem Ballonreifen und wollte das Ventil öffnen, aber die Hände versagten den Dienst. Mit Mühe gelang es, das Ventilseil mit den Zähnen zu fassen und das Ventil zu öffnen. Hierauf kletterte er in die Gondel herab zu seinen leblosen Gefährten, die er durch Schütteln und Anreden wieder zu sich brachte, während der Ballon sank und sie in angemessenere Luftschichten führte. Die kühnen Männer hatten vier Fünftel der ganzen Atmosphäre durchflogen, und waren nur noch um ein Fünftel von deren Grenze entfernt. Während der Belagerung von Paris ließ man bekanntlich viel Ballons steigen und zwar des Nachts, um sie gegen feindliche Kugeln zu schützen. Da geschah es einst, daß ein Ballon im Finstern fortgetrieben wurde, ohne daß die Reisenden wußten, wohin. Endlich hören sie ein Rauschen, welches sie für das eines Eisenbahnzuges halten, dann aber bemerken, daß sie über einem weiten wogenden Meere schweben. Sie erwarten den Tod, fliegen aber weiter und weiter, sinken tiefer und tiefer, sehen endlich Schnee unter sich, springen 40 Fuß tief herab und sind gerettet. Aber weit und breit ist keine Wohnung. Nach langem Umherirren finden sie eine Schlittenspur, folgen ihr und gelangen zu einer Hütte, deren Bewohner eine fremde Sprache reden. Die Franzosen waren in Norwegen gelandet und kehrten über Christiania nach Brest heim, um ihre Depeschen abzugeben.

Dem Unkundigen erscheint übrigens eine Luftschifffahrt viel

gefährlicher als sie wirklich ist, denn man vermag viel Sicherheits=
maßregeln gegen Unglücksfälle zu treffen. Man verfertigt die Ballons
aus Streifen von Seide oder Leinwand und bestreicht die Nähte
mit Oelfirniß, um sie luftdicht zu machen. Oben bringt man
einen hölzernen Reifen von 1 Fuß Durchmesser an, in welchem
sich die beiden Klappen des Ventils befinden, die man durch ein
Seil regiert, welches mitten durch den Ballon herab hängt und
bis zur Gondel reicht. Will man sinken, so öffnet man das
Ventil, das Gas strömt aus, und der Ballon verliert an Leich=
tigkeit. Ueber den ganzen Ballon, dessen unterer Ausgang ge=
öffnet ist, damit das Gas freien Austritt hat und den Ballon
nicht sprengt, legt man ein Netz von dichten festen Maschen,
welches dem sich aufblähenden Ballon seine Form vorschreibt.
Bescheint und erwärmt ihn die Sonne, so dehnt er sich mächtig
aus, wogegen er bei feuchter Luft, Thau und Regen Falten
wirft. Unten am Ende des Ballons trägt das Maschennetz einen
zweiten hölzernen Ring von 4—5 Fuß Stärke, an welchem
durch Taue und Eisenringe die aus Weidenruthen geflochtene
viereckige Gondel befestigt wird, die also 8—12 Fuß unterhalb
des Ballons schwebt. Sie trägt die Reisenden, die natürlich still
sitzen müssen, um die Gondel nicht zum gefährlichen Schwanken
zu bringen. Auf einem Querbrett sind die physikalischen In=
strumente befestigt, und am Boden liegen Sandsäcke verschiedenen
Gewichts, welche man Ballast nennt. Der Ballon steigt nemlich
so lange, bis er mit der erreichten Luftschicht gleiche Schwere
hat. Will man höher steigen, so wirft man Ballast aus und
erleichtert dadurch das Gewicht des Ballons. Mit Hilfe des
Ventils und des Ballastes regiert der Luftschiffer das Auf= und
Absteigen, dagegen die Richtung der Fahrt hängt von der Strö=
mung der Luftschichten ab, in welche er eindringt. Will man
landen, d. h. zur Erde sinken, so öffnet man das Ventil. Sieht
man aber unter sich ungeeigneten Boden, Wasser, Wald oder
Stadt, so wirft man Ballast aus. Der Ballon hebt sich dann
wieder und treibt weiter, bis man eine passende Landungsstelle
findet. Um ihn dort festzuhalten, wirft man einen Anker an
langem Taue aus, welcher am Boden hinschleift, bis er irgendwo
faßt oder von herbei eilenden Menschen ergriffen und der Ballon
festgehalten wird. Denn da in diesem sich immer noch Gas be=

Körner, Die Luft.　　　　　　　　　　　　2

findet, so strebt der Ballon wieder aufzusteigen, namentlich sobald ihn die Reisenden durch ihr Aussteigen erleichtern. Er wälzt sich dann noch eine Zeit lang wie ein Besessener am Boden hin und her, weshalb grade das Landen und Aussteigen das Gefährlichste ist, was die Reisenden zu fürchten haben.

Um den Ballon mit leichtem Gas zu füllen, bedarf man besonderer Apparate, und es dauert diese Arbeit oft lange. Ein Ballon Fonvielle's brauchte 100 Fässer voll Wasserstoffgas, von denen jedes 300—350 Quart Wasser, 120 Pfd. Schwefelsäure und viel Eisenspäne faßte, so daß die ganze Füllung außer einer ungeheuren Wassermenge 60,000 Pfd. Schwefelsäure und 30,000 Pfund Eisenfeilspäne nöthig hatte. Während dieser Zeit des Füllens halten Menschen an Seilen oder Eisenklammern den Ballon fest, bis „Los" kommandirt wird. Gewöhnlich steigt der Ballon schräg und sich drehend davon, wobei er mitunter an Schornsteine, Bäume und Thürme anstößt, dann aber fliegt er senkrecht empor, 20—30 Fuß in einer Secunde, und folgt den Winden. Die Reisenden merken nicht, daß sie steigen, sie meinen vielmehr stille zu stehen, wogegen die Erde unter ihnen tiefer und tiefer sinkt. Auch wenn sie vom Winde getrieben werden, fühlen sie keinen Windzug, denn sie befinden sich ja mitten in der Luftströmung, und ihr Ballon ist ein Theil desselben.

Während der Fahrt beobachten die Reisenden unausgesetzt ihre Instrumente, notiren ihre Bemerkungen und berechnen daraus, wie hoch sie sind, und wohin sie getrieben werden. Um sie her herrscht öde Stille, doch hören sie bis 10,000 Fuß das Pfeifen der Locomotiven, in geringerer Höhe Vogelgesang, das Krähen der Hähne und Kinderstimmen. Schauerlich dagegen ist es, wenn sie lange durch dichte finstre Wolken steigen. Sehen sie aber zur Erde, so verwandelt sich dieselbe immer mehr zu einer Fläche, je höher sie steigen, und scheint endlich eine Mulde mit aufge= richteten Rändern zu sein. Die Gebirge verschwinden, Flüsse werden zu Silberfäden, Städte schrumpfen zu Punkten zusammen, Kirchthürme zu Stiftchen, und die Umgegend breitet sich aus wie ein Situationsplan. Schaut man auf die Wolken unter sich, so erkennt man deren große Unebenheit. Man sieht Wolkenberge, Wolkenschluchten, Thäler und Hügel, Alpenhöhen mit weißer Decke und meint, ein wildes wirres Gebirge unter sich zu haben.

Oft sieht man auch über die Wolken oder die Erde den Schatten des Ballons schweben, den zuweilen farbige Ringe umgeben. Erhebend ist es, die Sonne noch einmal auf= oder untergehn zu sehn oder die zahllosen Lichtfunken der Straßenlaternen zu beobachten, welche wie ein Sternenhimmel von unten herauf glitzern und blinken. Dies Alles kann man mit Behagen und sitzend beobachten und vergißt dabei, daß man zwischen Himmel und Erde Tausende von Fuß hoch schwebt.

In neuester Zeit haben sich die Franzosen der Luftschiffahrt besonders angenommen und Männer, wie Flammarion, Jonvielle, Tissandier u. A. erwarben sich durch ihre kühnen Luftreisen einen Namen. Während der Belagerung von Paris ließ man 65 Ballons steigen, um mit ihnen eine Menge Briefe (centnerweise), die man mikroskopisch klein photographirte, Regierungsdepeschen, Brieftauben und Personen zu befördern und sich mit den übrigen Provinzen in Verbindung zu erhalten, denn die Brieftauben sollten Antwort zurückbringen. Man organisirte einen Ballon=Postdienst. In den großen Sälen der Bahnhöfe saßen Frauen und nähten Leinwandstreifen zu Ballonhüllen zusammen, Matrosen überstrichen diese mit Firniß, Männer flochten Maschennetze, und Photographen nahmen Briefe auf. Dragon, der Erfinder dieser Kunst, entfloh mit einem Ballon aus Paris, um auch in den Provinzen Briefe photographiren zu lehren. Man machte aus durchsichtigem Papier Streifen von 1½ Zoll Länge und 1 Zoll Breite, steckte deren 20 in einen Federkiel, so daß dieses Gepäck nur ⅜ Quentchen wog. Depeschen wurden am Orte der Ankunft durch ein photoelektrisches Mikroskop riesengroß an einer Wandfläche abgespiegelt und gelesen. Man druckte außerdem sämmtliche Briefe auf Bogen des allergrößten Formats, 15,000 Buchstaben auf jeder Seite, verkleinerte diese Bogen 800 mal, barg diese Kopie in einen Federkiel und band sie unter das Gefieder der Tauben, namentlich an die unbewegliche mittlere Schwanzfeder. Manche Taube hatte 20 solcher Blättchen, also 300,000 stenographische Zeichen bei sich. Doch kehrten von den 363 ausgesandten Tauben nur 57 nach Paris zurück. Außerdem wurden im Ganzen 91 Personen und 180 Centner Correspondenzen (3 Millionen Briefe) befördert. Manche fielen den Deutschen in die Hände, welche auf jeden Ballon schossen und Gambetta bei dieser Gelegenheit an der Hand verwundeten, aber die meisten fielen in Frankreich nieder. Die Briefe wurden dann versandt und die Empfänger mußten sie mit Hilfe eines Vergrößerungsglases zu lesen suchen. Jacquard stieg mit den Worten „Ich werde eine weite Reise machen" in die. Gondel und ist nirgends wieder gesehen. Seine Depeschen fischte man im Kanal auf. Kurz nach · ihm stieg Jules Favre auf, ward auch aufs Meer getrieben, rettete sich aber aus einer Höhe von 2000 Fuß auf einen Vorsprung der Belle-Isle-Insel. Andere Luftschiffer sprangen 40 Fuß herab, um von den Preußen nicht gefangen zu werden, entgingen aber diesem Schicksale selten. Andre verunglückte Luftsegler wurden von einem französischen Schiffe noch lebend auf dem Atlantischen Ocean aufgefischt, und Janssen entwich auf einem Ballon aus Paris auf Anordnung der Regierung, um in Algerien eine Sonnenfinsterniß zu beobachten. Selbst Hunde schickte man aus Paris auf Ballons ins Land, damit sie mit Depeschen beladen zurückkehren sollten, aber sie blieben aus.

Die Schnelligkeit des Ballons, welche etwa derjenigen eines Eisenbahnzuges gleich kommt, hat Veranlassung gegeben, Schnelligkeiten überhaupt zu vergleichen, wie folgende Tabelle zeigt:

Ein rüstiger Mann legt in 1 Stunde zurück	5,600 Meter.
Die Post in Frankreich und England	12,964 „
Ein gutes Segelschiff	22,264 „
Ein Dampfer	27,580 „
Ein englischer Renner	46,300 „
Eine Locomotive in mittlerer Schnelle	55,560 „
Dieselbe in größter Schnelle	111,120 „
Eine Kanonenkugel	955,632 „
Die Erde	137,344,329 „
Das Licht	1,440,670,800,000 „
Die Elektricität	2,040,163,200,000 „

Die Schnelligkeit der Flügelschläge der Insecten berechnet man nach dem hervorgebrachten Tone, oder man schwärzt einen Cylinder, spießt das Insect auf eine Nadel und läßt die Flügelschläge den Cylinder streifen. Dabei fand man, daß die gemeine Fliege in einer Secunde die Flügel 330 mal hebt, die Biene

290 mal, die Hummel 240 mal, die Wespe 140 mal, der Wolf=
milchsschwärmer 75 mal, die Libelle 28 mal, der Weißling
8 mal.

Obschon der Luftschiffahrten viele unternommen wurden,
so haben sie doch in Betreff der Kenntniß der höheren Luft=
schichten nur vereinzelte Beobachtungen ermöglicht. Das dicke
Buch, welches Franzosen über ihre Reisen geschrieben haben, lang=
weilt sehr bald, weil sich die einzelnen Reisen so ähnlich sind,
daß man sie alle gelesen hat, wenn man eine las. Um eine ge=
nauere Vorstellung von solchen Luftreisen zu geben, theile ich
einige Züge mit. Einst hörten die Reisenden, als sie 3000 Fuß
hoch von dichten Wolken eingehüllt waren, plötzlich eine wunder=
volle Musik, ein polnisches Nationallied, so deutlich, als ob es
aus den Wolken hervorquölle. Jedenfalls war unten auf der
Erde Concert. Nebel sammeln ja die Schallwellen viel stärker
als reine Luft. Daher konnte man oft von den Wolken herab
den Leuten auf der Straße zurufen, aber sie hörten schlechter=
als die Luftschiffer, ja zuweilen schauten angerufene Bauern nach
allen Seiten verwundert umher, da sie nicht ahnten, daß die
Stimme von oben komme. Wunderbar wirkt es, wenn die Erde
unter Wolken versinkt, und die Reisenden in schauerlicher Wolken=
einöde schweben, still zu stehen meinen, und endlich an weit ent=
fernten Orten wieder aus den Wolken heraustreten. Unter sich
sehen sie nur Hügel, Thäler und Lager weißlichen Wolkendunstes,
über sich das unermeßliche Himmelblau, in dessen Tiefen oft
leichtes Federgewöll schwimmt. Dabei fliegt das Luftschiff in der
Stunde 4—7 Meilen. Einer der Luftschiffer unternahm zwei
Nachtreisen, indem er die ganze Nacht durch dunkle Wolken
dahinzog, das einemal von Paris bis jenseit Orleans, das an=
deremal bis über Köln hinauskam. Zu den stillen Schauern der
Wolkeneinsamkeit kamen das Dunkel der Nacht und die Trug=
gestalten der Finsterniß. Um kein Licht anzuzünden, was sehr ge=
fährlich ist, bediente er sich einer kleinen hohlen Krystallkugel, in
welche er Leuchtkäfer gesteckt hatte, damit er bei deren Scheine
die Zahlen an den Instrumenten ablesen konnte. Brennende
Weiler glichen Leuchtthürmen, und in das Quaken der Frösche
mischte sich das dunkle Brausen der Wälder und das Rauschen

wagten sich Luftfahrer gegen Abend bei stürmischem Wetter bei Calais auf die Reise, wurden auf die Nordsee getrieben, suchten aber einen Gegenwind, der sie nach Calais zurück und an der Küste entlang führte, bis sie es doch für gerathen hielten, auf einer Düne zu landen, was ihnen nach vieler Mühe mit Hilfe eines Leuchtthurmwächters und einiger Hirten gelang.

Wenn ein Ballon über ein Dorf hinzieht, begrüßen ihn Hühner, Enten und Gänse mit lautem Geschrei, und die Hunde heulen, Schwalben und Störche dagegen weichen scheu zurück, wogegen ihn Schmetterlinge in einer Höhe von 3—7000 Fuß umgaukeln. Oft hat man Tauben in große Höhen mitgenommen; dann werden diese Thiere betäubt und starr, und wirft man sie hinaus, so fallen sie wie Bleiklumpen hinab. Manche versucht zu flattern, aber stürzt dabei abwärts. Eine war so klug, sich auf den obersten Ring des Ballons zu setzen und kam wohlbehalten auf der Erde an. Regen, der im Sonnenschein fällt, sieht vom Ballon aus wie schräge weiße Streifen auf dunklem Hintergrund, der im Schatten fallende aber zeichnet sich wie graue Linien auf dem helleren Gewölk des Horizontes ab. Menschen benahmen sich oft sehr fanatisch gegen solche Ballons. Als 1783 bei Gonesse der Ballon des Professors Charles niederfiel, strömten die Bauern herbei, denen die Mönche erzählten, dieses Ding sei ein Riesenthier aus der andern Welt. Da liefen die Bauern davon, Gebete und Beschwörungsformeln murmelnd. Beherzte dagegen bewaffneten sich mit Heugabeln, Aexten und Dreschflegeln, griffen das Ungethüm an, verwundeten es durch Schüsse, daß nun das Gas ausströmte, hieben dann in siegberauschter Wuth das Ungethüm in Fetzen, banden es an den Schweif eines Pferdes und schleiften dasselbe über Felder und Wiesen. Die Regierung nahm Veranlassung, durch eine besondere Bekanntmachung die Bauern und Mönche zu belehren, daß jenes Ungeheuer nicht vom Himmel stamme, sondern in Paris aus Taffet gemacht und bestimmt sei, den Menschen wichtige Dienste zu leisten.

In England liebt man das Colossale, und so verfertigte man einen Ballon „Gefangener", der 37 Meter Höhe und 312,000 Kubikmeter Raum einnahm. Das Kabel, welches ihn festhielt, bis er sich losriß, maß 650 Meter Länge, wog 60 Centner und hatte eine Spannung von 400 Centnern auszuhalten. Der Stoff des Ballons wog 56 Centner und seine Nähte waren zusammen 1/2 geographische Meile lang. Er trug 3000 Pfund Ballast und 28 Passagiere. Als einst in Paris ein Ballon davon flog, glücklicherweise leer, blieb er in einem Walde hängen. Bauern eilten herbei, um ihn zu erobern, dabei kletterte ein kecker Junge in das Netz, doch siehe der Ballon hebt sich wieder und der im Tauwerk verwickelte Junge brüllt nach Hilfe. Bald darauf sank der Ballon wieder, worauf der Vater seinen Sohn befreite, sich aber beim Heraustreten aus dem Netz in das Tauwerk verwickelte, heftig niederstürzte und einen Arm brach. Ein Nachbar sattelte ein Pferd, um aus der nächsten Stadt einen Arzt zu holen, rannte aber im Finstern gegen einen Wagen, der quer auf der Straße stand, so daß das Pferd todt zusammenstürzte und der Reiter einen Fuß brach. Beide Verwundete erhoben einen Prozeß gegen den Balloninhaber, weil die Luftschiffer stets den Schaden ersetzen mußten, den ihr wühlender Anker auf den Feldern, oder der gelagerte Ballon auf Saaten und Wiesen angerichtet hatte. Die Regierung verbot daher die schädlichen Ballonfahrten, bis eine 100jährige Frau sie eines Andern belehrte. Diese, im Armenhause lebend, bat den Inspector zu ihrem 100sten Geburtstage, der mit Napoleon's Geburtstage zusammenfiel, eine Ballonfahrt mitmachen zu dürfen. Man bewilligte diese Bitte: sie bestieg mit einigen Freundinnen wirklich die Gondel. In Paris wurde es zuletzt ein Vergnügen vornehmer Damen, Ballonfahrten zu unternehmen, wie es Eugenie und mehrere Prinzessinnen und Herzoginnen thaten, nur Prinz Napoleon wagte es nicht, sondern gab seiner Frau einen Adjutanten als Begleiter mit.

An Gefahren fehlt es bei Ballonfahrten trotz aller Vorkehrungen nicht. Als Zambeccari 1803 mit 3 Freunden um Mitternacht in Bologna aufstieg, erfroren sie in der Höhe die Finger, dann trieb sie ein Sturm aufs adriatische Meer, der Ballon sank, die Gondel schwamm im Wasser, und sie wären ertrunken, wenn nicht Fischer sie bemerkt und gerettet hätten. Trotzdem stieg Zambeccari 1812 wieder auf. Aber als ein Baumzweig die Gondel berührte, warf er die mit Weingeist gefüllte Lampe um, die Gondel gerieth in Brand, gräßlich ver-

Begleiter an einem Baumzweige fest klammerte und sein Leben rettete.

Diese Luftreisen haben uns mancherlei Belehrung über das Wesen der Luft eingebracht. Nach oben zu wird sie dünner und bildet Schichten, von denen jede ihre besondere Strömung und Temperatur hat, so daß über einander hinziehende Wolken oft ganz verschiedener Richtung folgen, noch höhere Wolkenschichten stille stehen und über dem Erdboden gleichfalls Windstille herrscht. Bis 5600 Meter Höhe verliert die Atmosphäre bereits die Hälfte ihres Gewichts, weshalb man mit dem Barometer die Lufthöhe messen kann, wie es Perrier 1648 auf Pascal's Rath zuerst auf dem Puy de Dome bei Clermont versuchte. Dieser Forscher bemerkte dabei, daß mit je 75 Fuß Steigen das Barometer um 1 Linie sank, und später lehrte Halley die Logarithmen für solche Berechnungen anwenden. Doch erkannte man bald die Unzulänglichkeit dieser Methode und konnte deren Ergebniß nur für ohngefähre Schätzungen halten, weil man dabei Temperatur, Luftfeuchtigkeit, Winde u. s. w. mit in Rechnung ziehen müßte, was nicht immer thunlich ist. Da nun der Siedepunkt des Wassers vom Luftdrucke abhängt, so wollte man diesen als Maßstab für Berghöhen benutzen, erhielt aber nur unsichere Ergebnisse.

Gelangt der Mensch bis zu einer gewissen Höhe, so bekommt er Schwindel, Ohnmachten, Mattigkeit, Augen- und Ohrenbluten. Am Höchsten stieg Schlagintweit, als er den Gipfel des ostasiatischen Berges Jbi-Gamin (6704 Meter) erkletterte, wo das Barometer nur 339 Millimeter Druck anzeigte. Luftschiffer stiegen höher: Gay-Lussac 1804 bis 7016 Meter, Barral und Bixio 1851 bis 7049 Meter, Rush und Green 1838 bis 8143 Meter, Glaisher und Corwell flogen 1862 so hoch, als es ihre Lungen erlaubten.

Solche Dienste also vermag die Luft als freier Verkehrsweg zu leisten, wenn der Mensch sie zu benutzen versteht. Der Mensch bewährt sich überall als Herr der Natur, so weit er sie kennt, weshalb wir uns bemühen müssen, immer tiefer in die Geheimnisse ihrer wunderbaren Kräfte einzudringen.

Zweites Kapitel.

Die Winde.

~~~~~

Was ist und wie entsteht der Wind?

Seit Jahrtausenden haben Winde geweht und Wetter gemacht, weil Trockenheit oder Regen, überhaupt das, was man Witterung und Wetter nennt, von dem vorherrschenden Winde abhängt. Der vorsichtige Landwirth hängt daher in seinem Zimmer Thermo- und Barometer auf, d. h. Wärme- und Schweremesser der Luft. Beide zeigen aber nur auf einen oder einige Tage den Witterungswechsel im Voraus an, auf längere Zeit vermögen selbst die tüchtigsten Wetterforscher (Meteorologen) denselben nicht zu bestimmen. Für den Seemann hat die Wetterkunde große Wichtigkeit, daher meldet man es durch Telegraphen von Hafen zu Hafen, wenn ein Wetterumschlag bevorsteht, damit die Schiffe nicht auslaufen aus dem Hafen oder diejenigen zurückgerufen werden, welche den Hafen vor Kurzem verlassen haben und wieder einlaufen können, ehe der Sturm herbei eilt.

Winde entstehen durch ungleich erwärmte Luftmassen, welche auf einander stoßen und den Unterschied ihrer Erwärmung auszugleichen suchen. Es wirken hierbei aber so viel Nebenumstände ein, daß das allgemeine Gesetz vielfach abgeändert wird und uns eben die Witterung sehr launenhaft erscheint. Dringen z. B. Polargletscher als schwimmende Eisberge bis in die gemäßigte Zone vor, um hier zu schmelzen, so verbreiten sie beim Zerrinnen Kälte, kühlen die Luft ab, machen sie feucht und schwer und regnerische Winde. Da ferner Ostwinde über Schneeflächen wehen, weil sie vom eis- und schneereichen hohen Norden stammen, so sind sie kalt und trocken; Westwinde dagegen kommen aus den Tropen, streichen über ein weites Meer, dessen Verdunstung sie bewirken, bringen daher Feuchtigkeit, Regen und Wärme. Der Nordostwind heitert den Himmel auf, kühlt im Winter, weil er Feuchtigkeit in sich aufnimmt, wärmt im Sommer, weil er aus erwärmtem Binnenlande kommt, dagegen bewölkt der Nordwest als feuchter Seewind den Horizont, schützt im Winter gegen Abkühlung und mäßigt durch seine Feuchtigkeit im Sommer die Hitze. Solche Erfahrungen sind jedem Landwirthe bekannt, aber man vermag die bewirkende Ursache nicht aufzufinden, weshalb das Sprichwort sagt, man weiß nicht, woher der Wind kommt, und wohin er weht.

Es geht uns Menschen gar oft so, daß wir das Nächste und Nothwendigste nicht verstehen. Erst seit etwa 200 Jahren haben wir z. B. Kenntniß vom Blutumlauf, den man jetzt in jeder Schule erklärt, aber der Entdecker dieser Thatsache, ein Arzt, fand schlechten Lohn für seine Forschungen. Man hielt ihn für einen gefährlichen Neuerer, und er verlor seine Praxis, so daß der Mann vor Kummer und Elend starb. Jener Physiker, welcher behauptete, man könne den Wasserdampf als Triebkraft benutzen, galt für wahnsinnig, ward gewaltsam in ein Irrenhaus gesperrt und ist dort gestorben. Die gescheidtesten Menschen sind nicht immer die geehrtesten. Auch die Natur des Windes hat man erst in neuester Zeit erforscht. Um die Geschwindigkeit des Windes zu messen, benutzt man das Anemometer (Windmesser). Dieses besteht aus einem rechtwinkligen Kreuz, dessen vier Armenden in einer hölzernen Halbhohlkugel endigen. Die Arme sind an einem Stabe befestigt, der auf einem Kasten mit einem Uhrwerk steht, welches die Menge der Umdrehungen des Kreuzes zählt und an einem Zifferblatte verzeichnet. Den Winddruck berechnet man mittelst einer Platte mit Federn, die hinter der Windfahne angebracht sind, und nach einer Scala von 12 Graden schätzt man die Windstärke ab. (S. Mohr S. 119.)

Bekanntlich werden die Körper durch Wärme ausgedehnt, nehmen dadurch einen größeren Raum ein und verlieren natürlich an Gewicht für die einzelnen Raumtheile. Da nun die Erde in Folge ihrer schiefen Achsenstellung und Umdrehung um sich und die Sonne unter den verschiedenen Zonen von der Sonne nicht gleichmäßig beschienen wird, so erwärmt sich die Atmosphäre in sehr verschiedenen Graden. Auf die Tropen brennt die Sonne den ganzen Tag mit senkrechten Strahlen nieder und erwärmt Luft und Wasser sehr stark, wogegen die Pole von Eis und Schnee starren und in monatelanger Nacht gehüllt liegen. Daher muß sich um den Aequator ein Ring von warmer leichter Luft legen, auf die Polarzone eine schwere kalte Luft drücken und zwischen beiden Schichten kalter und heißer Luft sich Ringe von verschieden erwärmter Luft einschieben, deren Wärmeunterschiede an den Grenzen in einander übergehen. Es streben aber Wasser und Luft als elastische flüssige Körper nach Ausgleichung der Unterschiede ihrer Theile, wodurch eine Bewegung derselben gegen einander angeregt wird. Man nennt dieselbe daher Strömung, welcher durch die Erdumdrehung ein ganz bestimmter Weg zugewiesen wird.

Die schwere Luft der kalten Zone drückt auf diejenige der gemäßigten und drängt dieselbe nach den Tropen zu, wo die Luft am dünnsten und leichtesten ist. Da nun von beiden Polen her der Druck sich gegen die Tropen richtet, so müßte deren Luft zusammengepreßt werden; doch duldet dies die Tropenhitze nicht. Mithin kann die leichte Luft nur dadurch dem Drucke ausweichen, daß sie aufwärts steigt, wodurch also ein senkrecht sich erhebender Strom entsteht. Weil aber mit der Höhe die Wärme abnimmt, so muß sich die aufsteigende Tropenluft in einer gewissen Höhe soweit abkühlen, daß sie der angrenzenden Luftschicht gleicht und zu sinken beginnt. Während nun die kalte Luft nach den Tropen vordringt, gelangt sie in immer wärmere Breitengrade, wird durch die einwirkenden Sonnenstrahlen leichter, lockert sich dabei auf und bildet eine nach dem Aequator aufsteigende schiefe Ebene, auf welcher der abgekühlte Strom der Tropenluft nach den Polen hinabgleitet. Von dem aufsteigenden und dann schräg herabgleitenden Luftstrome werden wir nichts gewahr, wohl aber bestätigen sein Dasein die Asche und mikroskopischen Thierchen, welche von den Anden und der Sahara stammen, aber in entfernten Gegenden gefunden werden, wohin sie der niederfließende Strom der Hochalpen in solcher Menge bedecken, daß sie ganze Strecken roth oder schwarz färben, aus mikroskopischen Kieselthierchen der Tropen bestehen. Wo endlich der aufsteigende tropische Strom und der andringende Polarstrom auf einander stoßen, hat sich der letztere bereits so stark durchwärmt, daß er keinen Druck ausüben kann, sondern sich gewissermaßen vor der Wand des aufsteigenden Luftstromes aufstaut, wodurch auf jeder Seite des Tropengürtels ein breiter Streifen stillstehender Luft entsteht, welchen der See- mann als den Gürtel der Windstillen oder Calmen fürchtet. Die Engländer nennen diese verrufenen Gegenden die Pferde- breiten, weil sie hier oft aus Mangel an Wasser die Pferde über Bord werfen müssen.

Indem also unter dem Aequator ein aufsteigender Luftstrom sich bildet, rückt von den Polen her die kalte Luft nach, wird er- wärmt und steigt unter den Tropen endlich mit dem warmen Strome aufwärts. In der Höhe aber kühlt dieser sich ab, sinkt, weil er bei der Abkühlung sich verdichtet und schwerer wird, von Breitengrad zu Breitengrad tiefer, bis er in der Polarzone ankommt, um nun wieder mit dem kalten Polarstrome nach dem Aequator zu fließen. Dadurch entsteht ein großer Kreislauf, welcher etwa dem Golf- strome des Atlantischen Meeres entspricht. Man nennt den Aequatorialstrom, wenn er auf dem schräg aufsteigenden Polar- strome wie auf einem Flußbett nach den Polen abfließt, den zurückkehrenden oder oberen Passat oder Gegenpassat (Antipassat). Endlich kommt dieser Strom in Breitengrade, wo er mit dem Passate, der von den Polen kommt, fast gleiche Temperatur hat. Fortan kann er nicht mehr auf dessen Rücken abwärts fließen, sondern strömt vielmehr neben demselben hin. Stoßen diese Ströme, die an Kraft und Richtung verschieden sind, grade auf einander, so suchen sie sich aus dem Wege zu drängen oder ein- ander zu durchbringen und ihre Temperaturunterschiede auszu- gleichen, wodurch Stürme verursacht werden. Diese sind also entgegengesetzte Luftströmungen, die um die Oberherrschaft käm- pfen, bis sie sich endlich ins Gleichgewicht setzen, worauf dann Windstille eintritt.

Dieses einfache Gesetz der Luftbewegung erleidet durch die Erdumdrehung eine Veränderung. Denn indem sich die Erde von Westen nach Osten um ihre Achse schwingt, kann die weiche

Luft dem Schwunge der festen Erdmasse nicht folgen, bleibt daher scheinbar zurück, wie etwa vor dem Reisenden im Eisenbahnwagen die Umgegend rückwärts davon zu fliegen scheint, und der aufsteigende Aequatorialstrom wird zu einem von Ost nach West fließenden, welcher das ganze Jahr hindurch um den Aequator kreist und den zufließenden Polarstrom hinter sich her zieht, indem er denselben gewissermaßen aufsaugt. Man nennt diesen beständigen Kreislauf der Luft den Passat kurzweg, oder den unteren Passat, welcher des Columbus Schiffe von den Azoren aus nach Amerika führte.

Da indessen die Bewegung der Erdumdrehung unter den verschiedenen Breitengraden eine verschiedene ist, so wird dadurch die Richtung der Luftströme von ihrer graden Bahn in eine schräge abgelenkt. Denn unter dem 60. Grade z. B. durchläuft die Erde in der Stunde 835 Kilometer, unter dem Aequator aber 1670 Kilometer. Die Luft der Tropen strömt daher mit viel größerer Schnelligkeit als die unter den höheren Breiten, eilt also ihrem Ziele, dem Pole, voraus, wobei sie eine schräge Bahn von Westen nach Osten annimmt und nach und nach aus einem Südwest in einen West übergeht. Dagegen verspätet und verschiebt sich der langsamere Nordwind zu einem Nordost, der endlich zu einem Ostwinde wird. In Folge dieser stehenden Windströme schwellen die Baumstämme der Urwälder auf der Windseite an, wo auch die Baumflechten am üppigsten wachsen und den Indianern als Wegweiser dienen, wogegen die nach Norden fließenden Ströme in Folge der Erdumdrehung heftig an das Ostufer anschlagen und dasselbe benagen und zerstören. Sogar an Eisenbahnzügen hat man den Einfluß der Erdumdrehung bemerkt, da man beobachtete, daß sie vorzugsweise nach einer bestimmten Seite zu entgleisen Neigung haben.

Natürlich verfolgen diese oberen Passate der Tropen entgegengesetzte Richtungen insofern, als der eine den Nordpol erreichen will, der andere aber den Südpol. Der Raum, welchen der den Aequator umkreisende Strom einnimmt, läßt sich aus der Ausdehnung ersehen, welchen die Gegenströme erlangen. Der Nordostpassat bestreicht z. B. den Atlantischen Ocean bis zum $28-35°$ n. Br., den Großen Ocean nur bis zum 25° n. Br., der Süd-

Sommer bringt jener weiter nach Norden ein, dieser aber mehr
nach Süden zu der Zeit, wenn wir Winter haben. Da ferner
der Umfang der Erde nach den Polen zu kleiner wird, so verengt sich auch der vom Aequator herabgleitende Anti-Passat,
wird schmaler und schmaler, senkt sich bei den Komoren bis
10,000 Fuß, berührt den Brocken als Südwest, durchstreicht
aber das Flachland um dasselbe als Nordwind und kehrt, ohne
den Pol erreicht zu haben, als Passat nach den Tropen zurück.

Eine weitere Folge dieser Verhältnisse ist die, daß in der
gemäßigten Zone, wo kalte und warme Luftströme auf einander
stoßen und um die Herrschaft streiten, stetig fortschreitende Stürme
vorkommen, unter den Wendekreisen dagegen verheerende Wirbelwinde. Denn hier fließt die von der Hitze aufgelockerte Luft
seitlich ab und hindert dadurch den polaren Passat, nach den
Wendekreisen vorzubringen. Um sich Raum zu schaffen, bringt
der obere in den unteren Passat ein, und während dieser von
Ost nach West vorrückt, schreitet auch die Stelle weiter vor, in
welcher er durch den Gegner bricht. Die Wirbelwinde des karaibischen Meeres führen oft seinen Gebirgsstaub mit sich, und häufig
wird der Pik von Teneriffa von solchem amerikanischen Staube so
dicht eingehüllt, daß die Sonne unsichtbar bleibt.

Sehr faßlich stellt Mühry die Luftbewegungen dar und
weist deren Einfluß auf Temperatur und Klima nach. Er nennt
jede Luftströmung einen Aufsaugewind, weil seine Ursache in einer
Leere liegt, die vor demselben entsteht. Denn eine verdünnte Luft
veranlaßt nothwendig das Nachrücken der schwereren, welche die
Leere vor ihr füllt, um die Gleichmäßigkeit des Luftdruckes herzustellen. Da die Luft über der Erdoberfläche am schwersten ist,
so entstehen hier große horizontal streichende Strömungen. Es
wirkt aber von unten auf auch die Wärme, welche die untersten
Schichten ausdehnt und zum Aufsteigen zwingt. Dadurch entsteht
eine ausgleichende senkrechte Strömung nach oben, die sich besonders längs des Aequatorialgürtels bildet und die zufließende
Luft nach sich zieht. (Passat und Antipassat oder Polar- und
Antipolarstrom.) Wo die Aufsaugung mit großer Heftigkeit vor
sich geht, wozu oft Oertlichkeiten Veranlassung geben, da toben
Stürme. Weil diese sehr schnell strömen, so vermindern sie den
Luftdruck und erzeugen plötzlichen Temperaturwechsel. Oft aber

schiebt sich die Bahn der fortschreitenden Stürme seitwärts und schwankt an den Breitengraden auf und nieder; doch lassen sich nicht immer die Ursachen dieser Schwankungen angeben, weil gar viele Nebeneinflüsse mit einwirken.

Die Calmengürtel schlingen sich als unabänderliche Ringe um die Mitte des Erdballs herum, begrenzt von dem 10—14,000 Fuß hohen Polarstrom, welchen ein veränderlicher Grenzwall von 600—900 Fuß von dem herabgleitenden Luftstrome scheidet. Wo beide Strömungen auf einander stoßen, bilden sie einen breiten Gürtel mit veränderlichen Grenzen rings um die Erde, erzeugen einen stärkeren Luftdruck und bringen Regen, weil der Aequatorialstrom viel Wasserdampf enthält. Die Gegend, wo derselbe zu dem Polarstrome herabsteigt, liegt im Sommer dem Pole natürlich näher als im Winter, und dann herrscht der untere Passat vor und bringt mildes Wetter ohne tropischen Regen, wogegen der heruntergestiegene Antipassat winterlichen Regen zuführt.

In den höheren Breiten streichen diese beiden Winde in entgegen gesetzter Richtung neben einander hin in graden Bahnen und einander gleichbleibend in Betreff der Geschwindigkeit und Luftmenge, verschieden aber von einander an Temperatur, Schwere und Wasserdampfmenge. Indessen verschieben sich diese Bahnen fortwährend seitwärts und bewirken dadurch die Veränderlichkeit des Wetters. In Nordasien und Nordamerika befindet sich aber je ein Witterungspol, nemlich ein Raum mit der größten Kälte (die beiden Kältepole), der größten Schwere und Dampfarmuth. Passat = und Antipassatbahnen umkreisen, fächerartig gestellt wie die Speichen eines Rades, jeden dieser Witterungspole und schwanken bei den Drehungen dieses Rades bald nach rechts, bald nach links. Die Breite dieser Windbahnen beträgt 150 bis 400 Meilen. Auf der Westseite herrschen Südwestwinde mit ihrer Wärme und Feuchtigkeit vor, im Innern des Festlandes aber Nordostwinde, und auf der östlichen Erdhälfte wehen vorzugsweise kalte, dampfarme Nordwestwinde. Um vom Aequator nach den Polen zu gelangen, bedarf die Luft eines Zeitraumes von 36 Tagen, wenn sie in der Stunde zwei Meilen zurücklegt.

Im mittleren Europa erlebt man alljährlich 5—6 Stürme,

Antipolarstromes liegen, dagegen hat Asien seine Winterstürme, z. B. die Burans, wenn der Polarstrom die Oberherrschaft errang, und das atlantische Nordamerika wird von Nordweststürmen heimgesucht. Diese Winde beherrschen das Barometer, denn die warme aus den Tropengegenden abfließende Luft mildert die Kälte und verringert den Luftdruck, geht also vom Antipolarstrome aus. Dagegen verursacht der Polarstrom den größten Luftdruck, weil Kälte die Luft verdichtet.

So regellos also auch die Winde zu entstehen und vergehen scheinen, so haben sie doch ihr unabänderliches Gesetz, welches in Umrissen so eben vorgezeichnet ward. Faßlicher treten diese Regeln des Naturlebens hervor, wenn man die einzelnen Winde genauer beobachtet, wodurch man einen Einblick in die Bedingungen des Natur- und Menschenlebens gewinnt. Die Erfahrung lehrt, daß der Wind in Gebirgen den Thälern folgt, in Schluchten zu Sturm wird, in Ebenen langsamer, in Tiefländern gleichmäßiger und frischer weht, über dem Meere seine Kraft am freiesten entwickelt, daß jede Gegend ihre vorherrschenden, jede Jahreszeit ihre charakteristischen Winde hat.

Die Passatwinde.

Diesen Namen führen die Winde, welche das ganze Jahr hindurch zwischen den Wendekreisen von Osten nach Westen wehen. Den Alten waren sie unbekannt, weil diese selten große Oceane befuhren. Erst die Portugiesen und Spanier lernten sie kennen, als sie über den Atlantischen Ocean den Weg nach Indien suchten, und geriethen in Schrecken, denn sie meinten, diese Winde würden sie an der Heimkehr hindern oder in den Abgrund führen, welcher am Ende der Welt sich aufthut. Indessen wurden sie bald mit diesem Winde vertrauter und begriffen die Vortheile, welche er bei der Hinfahrt brachte. Fortan nannten sie den Atlantischen Ocean das Damenmeer, weil der Wind die Schiffe ohne Zuthun der Menschen nach Amerika treibt, sodaß sogar Mädchen das Steuerruder führen könnten. Will man von

Acapulco an Mejico's Westküste nach den Philippinen fahren, sagten scherzhaft die Matrosen, so braucht man nur vom Lande abzustoßen und kann dann die ganze Reise über schlafen, weil der Wind das Fahrzeug von selbst nach jenen Inseln treibt. Auch die Engländer wissen diese Hilfe zu schätzen und nennen den Passat den Handelswind (Trade-wind), die Franzosen aber gaben ihm den Namen vent alizé, d. h. beständig gleichbleibender Wind, obschon er sich ändert je nach der Jahreszeit, und je nachdem an den Küsten Hitze und Kälte schnell wechseln. Selbst auf hohem Meere wehen die Passate Morgens und Abends stärker als am heißen Tage, und im Stillen Meere treten ihnen Inseln ablenkend entgegen. Regelmäßig wehen sie hier nur von den Gallopagos bis Nukahiva und den Niedrigen Inseln und zwischen den Marianen und Revillagigedo-Insel.

Bereits oben wurde der Unterschied zwischen oberem und unterem Passat angegeben, welchen man in Folge aufmerksamer Beobachtungen entdeckte. Im Jahre 1812 nemlich verdunkelte vulkanische Asche Barbados und bedeckte bei starkem Nordost= winde deren Boden zollhoch. Niemand konnte sich erklären, woher dieser Aschenstaub komme. Man vermuthete, er müsse von den Azoren stammen; doch war er aus dem Krater von Morne Garu auf St. Vincent entstiegen und 200 Kilometer weit von einem West herüber getrieben. Als man nemlich nähere Erkundigungen einzog, erfuhr man, daß die Azoren = Bulkane zu jener Zeit sich ruhig verhielten. Da mußte man denn auf die Vermuthung kommen, daß die Asche eines mittelamerikanischen Bulkans in den oberen Passat und mit ihm nach Osten geführt sei. Diese An= sicht fand bald auch ihre Bestätigung, denn man beobachtete später, daß die Asche des mittelamerikanischen Feuerberges Cose= guina bei einem Nordost 1300 Kilometer weit bis Jamaica flog.

Seitdem achtete man sorgfältig auf die rothen oder gelben Staubregen, von den Seefahrern Schwefelregen genannt, welche zuweilen an der Nordwestküste Afrika's und selbst an Süditaliens und Malta's Küsten niederfallen oder das Verdeck der Schiffe bedecken. Humboldt hielt die Staubkörnchen für Saharasand, als sie Ehrenberg aber unter dem Vergrößerungsglase betrachtete, erkannte er in diesen Stäubchen Kieselthierchen von Arten, welche leben. Solche Infusorienwolken werden daher Wegweiser nach der Heimat der Luftströmungen, und Mühry fordert die Seefahrer auf, die Rauchwolken hoher Vulkane scharf zu beobachten, weil die Richtung derselben den Weg des oberen Passates bezeichne. Mit solchen kleinen Mitteln kann man oft große Wahrheiten entdecken!

Man hat diesen Rath des berühmten Forschers befolgt und gefunden, daß der Gegenpassat unter den Tropen hoch über den Corbilleren entsteht, in einer Höhe von 3675 Meter den Pic Teydr auf Teneriffa streift, bis Portugal im Winter vordringt, aber dabei in Teneriffa bis 2740 Meter tief herabgeht. In dieser Höhe spaltet sich die ganze Luftströmung in zwei Arme, zwischen denen sich ein azurblauer wolkenfreier Zwischenraum ausbreitet. Naht aber der Winter, dann gerathen die beiden Ströme (Passat und Antipassat) in heftigen Streit um die Oberherrschaft, wobei der untere Passat bald bis zu den Bergspitzen sich erhebt, bald niedergedrückt wird und mit seinen Regengüssen die Insel überfluthet. Aehnliche Beobachtungen hat man an dem Vulkan Mauna Loa auf der Sandwichsinsel gemacht. Denn der Tropenpassat geht wegen seiner Geschwindigkeit auf der nördlichen Halbkugel in einen Südwest und West über, auf der südlichen Erdhälfte in einen Südost. Unter ihm hin gleitet der eigentliche Passat, und läßt eine Schicht Luft als Grenze frei, wo sich dann gelegentlich Stürme und Gewitter ausbilden.

Mit den Jahreszeiten rücken die unteren Passate am Aequator auf und ab, im Herbste und Frühlinge gehen sie vom Breitengrade Guinea's aus, beschreiben im Winter einen kleineren Bogen und beginnen im Sommer 20 Grade südlicher. Im Sommer breiten sie sich bis Lissabon und Brest aus und streifen über Norddeutschland bis Petersburg. Der wasserreiche, schwere Oberstrom erkaltet aber leichter als sein Gegenstrom, welcher sich beim Vorrücken immer mehr erwärmt. Daher bringt der Oberstrom Wolken und Regen, der Unterstrom Trockenheit und Kälte. Cirruswolken (Schäfchen) bezeichnen den Weg des Oberwindes, welcher tiefer gehend die Schiffahrt hemmt, so daß man von Europa nach Amerika 46 Tage braucht, für den Heimweg aber nur 23 Tage. Der Seemann nennt daher den Westwind Bergfahrtswind, den Passat aber Thalfahrtswind. Ueber das Meer der füdlichen Halbkugel wehen vorzugsweife Nordweftwinde. Der Südoftpaffat des Stillen Meeres geht in einer Breite von 3300 Kilometer, der Nordoftpaffat des Atlantifchen Meeres in einer Breite von 2000—2200 Kilometer über den Ocean.

Wenn fich die Luftftrömungen über den Meeren uferlos aus= breiten können, fo erleiden fie dagegen vielfache Abänderungen, wenn fie an Infeln und Feftländer anftoßen, an Gebirge anprallen, über Schneeflächen oder Wüften, über trockene Hochebenen oder feuchte Tiefebenen gehen. Das Land ftrahlt die empfangene Sonnenwärme fchnell zurück und erwärmt dadurch im Sommer die Luft, das Meer aber faugt Wärme auf und kühlt im Sommer, um im Winter dann zu wärmen, indem es feinen Wärmeüber= fchuß an die kältere Luft abgiebt. Infeln haben daher kühlere Sommer und wärmere Winter, als die Breitengrade erwarten laffen. Da nun die Luftfchichten um Infeln größerer Veränder= lichkeit unterworfen find als die über dem Meere, fo ändern die Winde oft die Richtung und werden gar zu Stürmen.

Ein Zeugniß für den Einfluß der Paffate auf Fruchtbarkeit oder Unfruchtbarkeit eines Landes geben die Wüftenwinde· der Sahara. Diefelben kommen trocken aus Sibirien als Nordoft= paffate und gehen 2700 Kilometer weit bis zum Niger. Unterwegs geben fie wenig Feuchtigkeit ab, da nur hier und da auf Berg= gipfeln Regen fällt oder felten einmal eine Wolke den Himmel trübt. Auch der brennendheiße Harmattan, welcher die Weftküfte der Sahara heimfucht, ift nichts als ein Nordoftpaffat. Erft an der Nordgrenze Sudans (7.° n. Br.) bilden fich wieder Wolken und treten ergiebige Regen ein, worauf fich ein üppiger Pflanzen= wuchs entwickelt. In Südafrika wehen, wie Livingftone beob= achtete, Südoftwinde regelmäßig von der Zambefemündung bis Angola, und in Südamerika bringen erfrifchende Südoftwind, fruchtbare Regen von der Laplatamündung bis Bolivia, Peru und Columbia. Ja diefer Paffat bringt fogar als Oftwind in die Thäler des Amazonenftromes hinein, überfteigt die Anden, ftreicht auf deren Höhe weiter und ift den Schiffern auf der Südfee als Oberwind bekannt, welcher 200—1000 Kilometer weit hoch über ihnen hinweht, fodaß kein Windhauch ihre Segel fchwellt, wenn fie nach Auftralien fegeln wollen.

3*

Die Region der Windstillen oder die Calmengürtel.

Diese gefürchtete Gegend des Weltmeeres, auf welcher Windstillen mit fürchterlichen Gewittern wechseln, diese Wetterhöhlen der Erde, wie sie der Seemann nennt, hat Schleiden anschaulich geschildert. „Nähert man sich dem Aequator, so wird der Wind schwächer und schwächer und schweigt endlich gänzlich. Das Meer breitet sich als endlose, unbewegte Spiegelfläche aus, und das Schiff bleibt wie festgebannt liegen. Die senkrecht herabschießenden Strahlen der Sonne durchglühen den engen Raum, das Verdeck brennt durch die Sohlen, erstickender Dampf füllt die Räume, das trinkbare Wasser verschwindet, glühender Durst heftet die lechzende Zunge an den Gaumen. Vierzehn Tage verflossen, und noch ruht das Schiff auf derselben Stelle. In eigenthümlichem Kupferroth leuchtet die untergehende Sonne, und mit der Nacht erhebt sich im Osten eine schwarze Mauer. Ein leises schrilles Pfeifen tönt aus der Ferne, von woher ein weißer Schaum=streifen über den schwarzen Ocean heranzieht. Das Schiff be=wegt sich und schwankt auf den unregelmäßig sich erhebenden Wellen. Aber noch hängen die Segel schlaff am Maste herunter und klappern unheimlich an den Stangen. Da plötzlich rast der Sturm mit furchtbarem Brüllen heran, kreischend zerreißen die Segel und fliegen in Fetzen davon. Ein lautes Krachen, ein zweites — der Hauptmast stürzt über Bord, und nun schießt das Schiff über den Ocean dahin, bald hoch auf die Wellen ge=hoben, bald in die Tiefe geschleudert, daß ihm alle Rippen beben und knirschen. Endlos rollt der Donner, die Blitze zucken ohne Aufhören durch die empörte Atmosphäre. In Strömen gießt der Regen herab. Endlich läßt der Sturm nach, einzelne Stöße folgen immer seltener, die Wellen ebenen sich, und wieder dehnt sich spiegelglatt die endlose Fläche aus, bis ein neuer Sturm ausbricht, dann wieder eine neue Stille folgt und das Schiff endlich auf diese Weise über die Region der Calmen hinauskommt."

Diese eigenthümliche Erscheinung läßt sich als Folge all=gemeiner Gesetze auffassen. Wo der aufsteigende Tropenstrom und der zufließende Polarstrom auf einander stoßen, muß ein Stillstand des letzteren eintreten, wie denn in der That auf beiden Seiten des Aequators eine Meerstrecke von 200 bis mehr als 1000 Kilometer Breite windstill ist. Im November namentlich nehmen sie einen Raum von 6 Graden ein und dehnen sich in andern Jahreszeiten auf 9—10 Grade aus. Denn rückt die Sonne nach dem Wendekreise des Krebses vor, so schreiten die Calmen und Passate nach Norden zu weiter, und das Entgegengesetzte geschieht, wenn die Sonne nach dem 21. Grad gegen Süden, d. h. nach dem Wendekreise des Steinbocks sich zurückwendet. Im März haben die Calmen daher ihre Nordgrenze unter dem 2.° n. Br., am Ende des Septembers unter dem 13. und 14.° und die Südgrenze schwankt dann zwischen dem 1. und 4.° Im Stillen Meere beträgt die Zone der Calmen im Februar 220, im August 1350 Kilometer. Weil aber die Nordhälfte der Erde die größten Festländer enthält, wodurch also die Temperatur öfter und stärker verändert wird, so neigt sich das ganze System der Winde und mit ihnen die Calmen mehr nach Norden, wo denn auch die Nordwinde im Winter viel heftiger sind. Dabei muß man berücksichtigen, daß man die größte Hitze nicht unter dem Aequator findet, da sie unter dem 10. Grade 26° 62 R. beträgt, unter dem 0. Breitengrade 26° 50, sondern in der Sahara (20° n. Br.), wo sie auf 28° 50 R. steigt. Dove nennt die Sahara daher den Gluthherd und wahren Wärmeäquator, gegen welchen sich alle Windströmungen richten. Der Wüstenring, welcher sich von der Sahara aus über Asien und Amerika ausbreitet, soll durch die heißen Saharawinde geschaffen sein.

So entsetzlich die Windstillen dem Seemanne erscheinen, so erwünscht sind sie den Küstenbewohnern, denn sie bringen dem Lande befruchtenden Regen. Mühry hat sich der mühevollen Arbeit unterzogen, zuverlässige Reisebeschreibungen nur zu dem Zwecke durchzusehn, um die Ausdehnung des Regengürtels genau kennen zu lernen, welchen die Calmen ziehen, wobei sie um einige Grad südlich und nördlich vom Aequator auf und ab schwanken, d. h. zwischen dem 3.° südlicher und 5.° nördlicher Breite.

„Der Amazonenstrom fließt langsam den Aequator entlang in völlig ebenem Becken, wo tropische Regen nie fehlen und fast durchgängig ungeheurer Wald steht, in welchem die Flüsse die einzigen Wege bilden, weshalb man diese Becken Wälder (Selvas)

November mit Gewittern, dann tritt im Januar und Februar ein Nachlaß ein, wogegen im März wieder große Regengüsse kommen, und endlich vom August bis October Trockenheit herrscht. Die Regen fallen übrigens nur Nachmittags, und herrscht der Südostpassat vor. Südlich vom 5.° n. Br. giebt es im Mai Windstillen, bis Esmeralda (3.°) hört man nie das Rauschen der Blätter, dagegen setzen unter dem 1.—2.° n. Br. die Regen fast nie aus. Südlich vom Amazonenthale erhebt sich alle Tage zwei Stunden nach Sonnenaufgang ein starker Wind, mit welchem man von Para bis Tefe (750 Meilen) segelt. Zwischen dem Aequator und dem 8.° n. Br. steht nur Ein Wald am Orinoco, der aber an Dichte nach Norden zu abnimmt. Am Rio Negro (1.—2.°) regnet es fast das ganze Jahr mit Ausnahme des Decembers und Januars, aber auch dann sieht man das Himmelblau nur 2—3 Tage. In S. Carlos (1° n. Br.) kennt man nur einen steten Wechsel von Regenschauern und Sonnenschein, und in den Grasebenen (Llanos, 4.—10.° n. Br.) regnet es von Mai bis October, wogegen der Himmel vom December bis Februar wolkenlos bleibt, der Wind aus O. und ONO. bläst, im Februar schwächer und unregelmäßiger wird, worauf Windstille und Wolkenansammlungen eintreten, im März von Süden her Gewitter kommen und der Wind nach W. und SW. sich dreht. Im Innern Venezuela's bleibt der Passat der herrschende Wind von O. her, wird an den Küsten schwächer und zersplittert sich in Localwinde. Die Regenzeit dauert sieben Monate, vom April bis October, mit südöstlichem Passate, wobei es jeden Tag einen Gewitterregen von drei Stunden giebt, an manchen Orten des Nachts, und mitten in der Regenzeit eine Regenstille eintritt.

„An Südamerika's Westküste liegt Payta (5.°) in schauerlicher, wasserloser Wüste, die sich 300 Meilen unter dem Windschatten des Passates an der Küste entlang zieht. In der Umgegend regnet es manchmal in acht Jahren nicht, doch sind Nebel und Staubregen häufig. In Ecuador dagegen regnet es vom November bis Mai, und Regenschauer fallen in allen Monaten. Das Klima des Hochthales von Loja (4° s. Br.) ist feucht, da es vom Januar bis August Regengüsse giebt, wogegen in Cuenca und Guayaquil die Regenzeit kürzere Zeit anhält. Am 12,300 Fuß hohen Antisana fällt in allen Monaten Regen oder Schnee, in Quito regnet es fast jeden Tag, besonders vom September bis Juni. Bogota endlich hat einen regelmäßigen Wechsel, nemlich drei Monate lang starken Regen, hierauf drei Monate Platzregen, um nun wieder drei Monate heftige Regengüsse und endlich drei Monate unsichere Witterung zu erwarten, so daß im ganzen Jahre hier 1867 Millimeter Regen fallen. An Choco's Westküste (2.—6.⁰ n. Br.) regnet es fast jeden Tag in Güssen, und in dieser feuchten Luft gedeiht eine üppige Vegetation, wie denn auch das enge Caucathal zwischen hohen Cordilleren voll dichter Waldung steht. An der Ostküste der südamerikanischen Anden dagegen herrscht waldlose Dürre vor; die Hochebene von Puma ist von 2000—3000 Fuß waldlos, von da ab bis 4800 Fuß wachsen Chinabäume auf hohen Stellen zwischen den zahlreichen Wasserfäden. Die Regenzeit nimmt also nach dem Aequator hin zu; denn wo die größte Hitze herrscht, da regnet es am meisten, mildert dadurch die Luft und gleicht auch die Extreme aus.

„Auch an Afrika's Küste kennzeichnet sich das Gebiet der Calmen durch Ueberfülle an Regen und Vegetation. Unter dem Aequator regnet es am Kilimandscharo bei Ostwind selbst im Juli sehr stark, wo es am trockensten sein sollte, und unter dem Aequator baute der Nordostmonsun in dem wald= und wasserreichen Barawa eine Düne nach SW. auf. In Zanzibar regnet es fast in jedem Monate, an der vorliegenden Küste 9 Monate, vom September bis Mai. Dann erscheint im Juli und August regenloses Wetter. Dagegen hat Abessinien seine Regenzeit bei Ostwinde vom Februar bis November, und nur December und Januar bleiben regenfrei. In Gokondoró (4.⁰ n. Br.) giebt es zwei Regenzeiten, aber Gewitter in jedem Monat außer im December und Januar, und die Winde wehen veränderlich als NO. oder SO. Im Innern Afrika's fallen unter dem Aequator täglich Regenschauer. Die Hauptstadt des Binnenlandes ist das ganze Jahr hindurch in einen Dampfgürtel gehüllt, das Land seenreich und voll Gebüsch auf den Hügeln. Säen und ernten kann man gleichzeitig. In manchen Gegenden stehn jeden Morgen dicke Nebel über dem Boden, und oft bekommt man den ganzen Tag lang die Sonne nicht zu sehn. Das Land ist parkartig mit jedem Monate, und es wird ununterbrochen gesäet und geerntet. Auch hier nimmt die Regendauer nach dem Aequator hin zu. Auf dem 13,000 Fuß hohen Camerunsgebirge lagern fast immer Wolken, und manche Inseln (Annabom, Principe Fernando) sind oft wegen der stehenden Nebel nicht sichtbar, obschon ihre wald= bedeckten Berge 8 — 10,000 Fuß hoch aufragen. Diese trübe Regenzeit dauert 8 Monate, aber auch in der trocknen Jahreszeit regnet es oft sehr heftig.

„Aehnliches berichtet Wallace über die Sundainseln. Auf Ternate und Celebes lassen sich trockne und nasse Jahreszeit nicht unterscheiden wie auf Borneo und den Philippinen. In Sumatra, welches unter dem Aequator liegt, regnet es das ganze Jahr, und giebt es in jedem Monate Gewitter. Die Berge werden Morgens von Nebel eingehüllt, und heitrer Sternenhimmel kommt selten vor. Denn wegen der steten Einwirkung der Tropensonne entsteht unter dem Aequator am Tage ein aufsteigender Luftstrom des Nachts ein sinkender, weil die Luft von unten her erwärmt wird, so daß die erhitzte Luft in ihren Theilchen steigt, die kältere aber sinkt, bis endlich der ganze Passat unter dem Gleicher zu einem aufsteigenden Strome wird, auf dessen Richtung der Erd= umschwung einwirkt. Es bildet sich daher um die Erde ein Ring von aufsteigender Luft, welchen die Seefahrer den Gürtel der Windstille nennen. In diesem vereinigen sich die von den Polen her gegen einander fließenden Passate, steigen etwa 1 Meile hoch und gleiten dann von der Höhe herab schräg nach den Polen hin. Selbst über dem 8000 Fuß hohen SW-Monsun und dem 6000 Fuß hohen NW.=Monsun besteht das Aufsteigen der Luft un= gestört fort, denn es geht 16 — 40,000 Fuß hoch bis zu den Cirruswolken, wenn man die Höhe der wahrnehmbaren Luft auf 8 Meilen schätzt. Die Calmen haben also eine unveränderliche Lage zwischen dem 3.° s. Br. und dem 5.° n. Br. Dagegen gleiten die entgegengesetzten Winde schräg auf einander hinab oder hinauf, und mit den Tages = und Jahreszeiten tritt dann eine Hebung oder Senkung der Bahn oder einzelner Strecken ein. Streichen die Bahnen neben einander hin, so bewirkt das Heben und Senken nur ein Hin = und Herschieben, oder einen Pendelschlag auf und ab schwankender Winde. Wenn man Europa von Süden nach Norden überblickt, so unterscheidet man drei Paffatbahnen: zwei Antipolarftröme mit einem Polarftrom in der Mitte oder zwei Polarftröme mit einem Antipolarftrom dazwifchen. Diefe Bahnen gehen ftrahlenförmig im Norden weftöftlich, in der Mitte weftfüdweftlich, im Süden füdweftlich, in Mittelafien dagegen füdlich, in Oftafien füdöftlich, in Oft= norbamerika füdöftlich, und in Weftnordamerika füdweftlich." (Nach Mühry.)

Moufuns oder ftändige halbjährige Winde.

Außer den Paffaten giebt es auf einigen Meeren Winde, welche ein halbes Jahr lang ftetig nach der einen Richtung wehen, im andern halben Jahre nach der entgegengefetzten, und dann zur Zeit des Umfchlags der Bahn heftige Gewitter und Orkane veranlaffen. Die Araber nennen fie Muffim, d. h. Jahres= zeitenwinde, woraus die Engländer monsoons, die Franzofen moussons machten. Sie blafen über das indifche Meer bald von Oftafrika nach Indien, bald umgekehrt und werden veranlaßt durch den Wechfel der Temperatur beider Länder. Im Sommer wird Hochafien ftark erwärmt, die Luft alfo erhitzt und verdünnt. Zu derfelben Zeit hat aber Südafrika, der füdlichen Halbkugel angehörend, Winter, alfo fchwere Luft, welche nun als feuchter, regnerifcher Südweft nach dem bengalifchen Meerbufen hinüber ftrömt und in den Flußthälern in einen Nordweft übergeht. Das warme indifche Meer fättigt diefen Luftftrom mit Dünften. Dann regnet es auf Vorderindiens Weftküfte fehr heftig oder „Bindfaden", wie der englifche Matrofe fich ausdrückt, wogegen das Binnenland und die Oftküfte regenlos bleiben, weil die dunft= fchweren Wolken das Ghatsgebirge nicht überfteigen können. Ebenfo regnet es in Strömen im Gangesthale bis in die Hima= lajathäler hinein, denn über diefe Hochalpen geht keine Regen= wolke. Hat fpäter Südafrika feinen heißen Sommer, Hochafien dagegen den kalten fchneereichen Winter, fo drängt die dichte Winterluft fich in die lockere Sommerluft Afrika's ein und es

zu, und dann fliegen die Dampfwolken der Vulkane Java's nicht
nach Westen, sondern nach Südwesten. Diese Monsuns reguliren
die Schiffahrt zwischen Afrika, Arabien und Indien. Sie
schwellen 1500—2500 Meter hoch an, doch über ihnen streicht
5000—8000 Meter hoch der obere Südwestpassat mit seinen
Cirruswölkchen.

Monsuns entstehen fast an allen tropischen Küsten; diejenigen des Golfs von Guinea gehn gegen Nordost nach der
Sahara, und ihnen folgen die Winde der Küste von Benin bis
zum Palmenkap, wogegen im Januar der Saharawind 2—3
Wochen lang nach der Congoküste bläst, um dann von dort als
der oben genannte Nordostwind zurückzukehren, nachdem er die
Küste mit weißem Staube bedeckt hat. Dadurch unterscheidet
er sich von dem tödtlichen Harmattan, welcher rothen Staub
fortführt.

Aehnliches geschieht in Chile, Californien, an den Inseln des
Stillen Meeres, um den Golf von Mejiko herum und im Antillenmeere, weshalb im Mississippithale den Sommer über regnerische
Monsuns vorherrschen, auf welche dann Nord- und Nordostwinde
folgen als Abänderungen ihrer Vorgänger. Die Westküste Mejico's
dagegen hat im Sommer Südwest-, im Winter Nordostwinde. Stoßen
die Passate auf schräg oder parallel gestellte Küsten, so werden sie
zuweilen in eine ganz andere Richtung geworfen, bei Marokko und
den Kanarien z. B. der Nordost nach Ost, und in Neu-Granada
und den Llanos von Venezuela kehrt der Wind vom Antillenmeere grade gegen die Küste zurück.

Auch das Mittelmeer hat seine Monsuns, welche schon den
Alten als Etesien oder Jahreszeitenwinde bekannt waren. Denn
den Sommer über bringt die Luft aus dem kühleren Südeuropa
nach dem heißen Afrika hinüber, kommen aus Spanien und der
Provence Nordwinde nach dem Atlaslande und verkürzen die
Seereise um ein Drittel der Zeit. Von diesem Winde wird aber
auch die Nordküste der Balearen, besonders die von Menorca,
sehr verwüstet, die Vegetation verkümmert, und alle Bäume
neigen sich nach Süden. Weniger merklich ist der Wind, der im
Winter von Afrika nach Südeuropa weht, weil der Temperaturunterschied nur ein geringer ist.

Mühry hält die Monsuns für Abzweigungen der Hauptwinde und stellt sie den Küstenwinden gleich, welche entstehen, wenn ein Festland mehr erwärmt wird als das angrenzende Meer, worauf dann die kühlere Luft in die wärmere eindringt und dieselbe verdrängt. Daher kommt ein Monsun erst nach und nach zu Stande und weht in den heißesten Monaten am heftigsten, beginnt dabei an der Küste, verlängert sich nach und nach weit hinaus aufs Meer und zieht sich dann auf gleiche Weise nach der Küste zurück.

Monsunstürme sind gewöhnlich sehr heftig: „Von einem solchen wurden in Madras hohe Kokospalmen fast bis zur Erde gebeugt, der Sand in mächtigen Wirbeln in die Luft geschleudert und dann vom Regen zusammengebacken. Die blassen Blitze entströmten den Wolken in breiten Flammenstreifen, welche den Himmel zu umkreisen schienen, so daß der ganze Himmel wie ein Flammenmeer erschien, welches sich über die Erde zu ergießen drohte. Schwarzer Dampf bedeckte den Himmel, und an manchen Stellen erglimmte der Blitz gelegentlich nur in schwachen Lichtstreifen. Durch den schweren anhaltenden Regen kann man nichts wahrnehmen außer den lebhaften Durchbrüchen von Blitzen. Schmerzhaft laut kracht der Donner und verursacht Ohrensausen, denn es dröhnt, als ob zahllose Minen das Himmelsgewölbe sprengten. Die Brandung steigt und zerstäubt in dünnen Schaumwellen am Ufer, wobei sie Fische bis auf das flache Dach der Häuser hinauf schleudert."

Sehr faßlich stellt Mohn die herrschenden Zonenwinde zusammen. Nördlich von den Calmen herrschen bis zum 30.º n. Br. Nordostpassate, dann folgt der Stillengürtel des Krebses, im Westen des Atlantischen Meeres blasen Nordwest- und Westwinde, im Osten Südwinde, im Norden von Südgrönland und der Bäreninsel ab Nord- und Nordostwinde. Südlich vom Aequator wehen bis zum 30.º s. Br. Südostpassate, dann folgt die Windstille des Steinbocks, südlich davon Nordwest-, Nordost- und Ostwinde. Im Stillen Ocean herrschen nördlich von den Calmen Nordostpassat, in Japan Nordwest, in Amerika Südwest, im hohen Nordamerika Ost, in Kamtschatka Nordost. Im südlichen Theile dieses Oceans reichen Südostpassate weit nach Süden, gehn in der Mitte in Ost, im Süden in Nordwest und West über.

ostmonsun, um die Sundainseln Westmonsun, um Nordost=
australien Nordwestwind, dagegen südlich vom Aequator Südost
und von ihm südlich Nordwest. Europa und Nordwestasien
haben Südwest, der Osten des Mittelmeeres Nordost, Ostasien
Nordwest und Nord, Südasien Nordost und Nord, Südsibirien
Ostwind. Ueber das östliche Nordamerika weht Nordwest, der
nach Norden hin Ost und Nordost, nach Süden hin Nordost und
Süd wird. Südamerika erhält Küstenwinde, das Gebiet des
Amazonenstroms Südostpassat oder Ost, Afrika nördlich vom
Aequator Nordostpassat, Australien endlich durchwehen von allen
Küsten her Winde.

Diesen Winterwinden entsprechen die Sommerwinde. Denn
in Australien strömen aus dem Innern Winde nach allen Küsten
Europa erhält Westwinde, Osteuropa und Westasien Nordwest=
und Nordwinde, Südasien Südwest=, China Südwinde, im Norden
Südost= und Ostwinde, Nordsibirien Nordwinde, Nordamerika im
Westen Nordwest=, West= und Südwinde, bei Mejico Südwinde.
Südamerika und Afrika Südostpassat. Im mejicanischen Meer=
busen geht der Nordost in Ost, der Südost in Süd und Süd=
west über, im grönländischen Meere herrschen Südweste, im
Südatlantic Nordweste, in den gemäßigten Zonen des Stillen
Oceans Süd= und Südostwinde, nach Norden und Osten zu
Südweste, in Südasien Südwestmonsuns.

Diese herrschenden Winde schreiben den Segelschiffen den
Weg vor. Von Mittel= und Nordamerika nach Europa folgt
man dem Golfstrom und dem Südwest, von Europa nach Amerika
den Passaten, von Australien nach Europa den „braven Winden"
bis zum Kaplande, dann dem Südostpassat bis zur Ostküste
Südamerika's, bis man Nordost= und Westwind erreicht. Von
London nach dem Kap, Australien und Indien führen Nordost=
passate nach Südamerika, wo man unter dem 40. Grade gegen
Osten wendet. Dann führen Westwinde nach Indien, die braven
Winde genannt, zwischen Afrika und Australien erreicht man den
Südostpassat und wendet gegen Norden. Den Rückweg erleich=
tern bis Afrika die Monsuns und Südostpassate, am Kaplande
begegnet man heftigen Weststürmen, dann führen an Westafrika
hin Nordost= und Westwinde bis London.

Land= und See=, Berg= und Thalwinde.

Außer solchen lange anhaltenden Ablenkungen erleiden die
Passate an manchen Küsten auch kürzere, die sich regelmäßig
jeden Tag wiederholen, namentlich unter den Tropen, und Land=
und Seewinde genannt werden, je nachdem sie vom Lande oder
von der See her wehen. Am Tage nemlich wird das Land von
der Sonne stärker erwärmt als das Meer, welches Wärme ver=
schluckt; mithin ist am Tage die Landluft leicht und dünn, so
daß nun die dichtere Seeluft gegen sie andrängt. Des Nachts
ist es umgekehrt, und die Landluft strömt hinaus auf das Meer.
Beide Winde erleichtern die Schiffahrt, und die Seewinde mäßigen
den Tag über die Hitze. Solche Winde entstehen daher durch
einen Unterschied der Lufttemperatur, welche sich auszugleichen
sucht. Der Seewind oder die Seebrise beginnt Vormittags 10
Uhr, wenn die Küste bereits durchwärmt ist, und rückt nach und
nach weiter über das Meer vor, so weit eben das Gleichgewicht
der Temperatur gestört wird, und die abfließende Luftschicht des
erwärmten Landes die weniger warme Seeluft nach sich zieht.
Mit den Passaten bilden die Brisen oft einen spitzen Winkel und
erheben sich auch in einem geschlossenen Meere, z. B. dem adria=
tischen, wo an jedem schönen Tage mitten im Golfe eine Brise
beginnt, die nach Italien und Dalmatien weht und des Nachts
zurückkehrt. Am Mittelmeer erhebt sich früh 9 Uhr ein er=
quickender Seewind, aber Landwinde beginnen mit einem feinen
Nebelschleier, worauf die Luft funkelnd klar, die Ferne deutlich
wird. Mittags ruht die Luft; das Meer dunkelt, bis nach 2
Uhr der Seewind beginnt, kleine weiße Wolken heranführt, Vor=
gebirge umhüllt und das Land mit dunkeln Wolken verhängt,
worauf nach Sonnenuntergang Dunst und Wind verschwinden.
Je stärker der Nachtthau fällt, um so schwächer tritt die Land=
brise auf. Sie beruhigt sich gegen Morgen und erwacht erst
mit Tagesanbruch ein wenig.

Nach Dampier ändern sich Seewinde vom Morgen bis
Mittag um 2—4 Kompaßstriche und unterscheiden sich von Pas=
saten dadurch, daß diese nur auf weitem Meere vorkommen, den
Westküsten 8—10 Meilen fern bleiben, an den Ostküsten den
Landwind beschränken und den Seewind um 4—5 Striche

ablenken. Seewinde beginnen gegen 9 Uhr gelinde und bei spiegelglatter See, die sich dann ein wenig kräuselt. Nun nimmt der Wind an Stärke zu, weht Mittag bis 2 Uhr am heftigsten, nimmt von 3 Uhr an ab und hört um 5 Uhr ganz auf. Landwinde wehen von 6 Uhr Abends bis 8 Uhr Morgens grade aufs Meer hinaus und reichen nur einige Meilen weit. Sie sind kälter, aber schwächer als Seewinde, die 6—15 Meilen weit ins Land eindringen. Beide bilden eine bewegte Luftschicht von 1000 Fuß Höhe (Dicke). Erreichen Passate die Küste, so verdecken sie jene Küstenwinde, die jedoch da frei walten, wo die Küste Schutz gegen Oberwind, d. h. Windschatten, gewährt, indem windfreie Strecken entstehen an der entgegengesetzten Küste, welche der Wind wegen des vorgelagerten Landes nicht treffen kann. Diese Küstenwinde sind bei heiterm Himmel stärker als bei bewölktem und werden zuweilen zu Stürmen.

Entsprechend diesen See = und Landwinden bilden sich in manchen Gebirgen Berg = und Thalwinde und zwar aus doppelter Veranlassung. An jedem warmen Sommertag wird die Luft über den Bergrücken stark erwärmt und steigt auf. Die Thal= luft erleidet dieselbe Verdünnung und so entsteht ein mehr oder minder heftiges Zuströmen der Luft nach den Bergspitzen. In manchen Thälern, z. B. in den piemontesischen Alpen, ist dieser Luftzug so heftig und häufig, daß sich die Bäume in seiner Richtung neigen, und Blätter, Insecten, Staub, Pflanzensamen u. s. w. nach den Schneefeldern getragen werden. Während der Nacht kehrt die Luftströmung sanfter ins Thal zurück; denn auch in diesem örtlich abgeänderten Passate erkennt man sein radartiges Umdrehen wieder.

Thalwinde wehen als Unterwind an warmen Tagen thal= aufwärts, Nachts als Oberwind thalabwärts. In Hochgebirgen wehen schneidend kalte Winde mit Schneegestöber nur kurze Zeit gleich den Wüstenwinden. Der Harmattan erscheint jährlich 3 bis 4 mal auf 1—14 Tage und bringt dichten Nebel, mineralischen Staub und Trockenheit, der Chamsin weht in Aegypten 50 Tage, der Pampero in Patagonien ist trocken und eisigkalt, macht den Himmel dunkelschwarz, wüthet 3—4 Tage und verursacht Kälte, Regen und Gewitter.

In den französischen Alpen nennt man diese Gebirgsbrisen

Pontias, Rebats, Aloups du vent, und in den savohischen Alpen unterscheidet man drei solcher Strömungen: die eine geht im Arvethale von Genf bis zum Montblanc, die andere im Isère = und Dorathale, und die dritte im Arcethale nach dem Mont Cenis und dem Iseran zu. Von früh 10 Uhr ab steigen sie aufwärts, von Abends 9 Uhr an abwärts und heißen Früh= winde (Matinières), wenn sie vor Sonnenaufgang beginnen. Diese Alpenwinde erreichen eine Temperatur von 20 — 30° C., richten sich in Betreff der Schnelligkeit und Regelmäßigkeit nach der Beschaffenheit der Thäler, strömen in Thalengen heftig, stocken in breiten Thalflächen und stäuben als Windstöße nach allen Seiten auseinander. Am Niederrhein bricht bei Lorch aus dem waldreichen schmalen Wisperthale der Wisperwind hervor, der von 8—10 Uhr Morgens bis Bingen weht, dann sich in einen Strom nach Bacharach und in einen andern nach Bingen theilt und den Rhein gegen das linke Ufer treibt. Die sogenannten Sonnen= winde (Solaures) mancher Alpenthäler folgen dem Laufe der Sonne, indem sie früh als West anfangen und nach und nach in Südost, Mittags in Nord= und Abends in Ostwind übergehn.

Andre locale Gebirgswinde sind nur abgelenkte Hauptwinde, welche den Gebirgsthälern folgen. Steigt aber ein Wind über den Gebirgskamm, so fällt er auf der andern Seite wie ein Wasserfall als Windfall nieder, indem er zwischen dem Gebirgs= hange und dem Orte seines Niederfalls einen Raum windfrei läßt. Man nennt diesen den Windschatten, in welchen der Wind kann zurückgeworfen werden, wenn er an den gegenüber stehenden Bergzug anprallt. Winde, welche von Westafrika's hoher Küste kommen, oder über die Anden gehn, erreichen erst in weiter Entfernung das Meer wieder, und dieser stete Windschatten be= wirkt dann verderblichen Regenmangel. Es müssen aber alle hohen Gebirge einen solchen Windfall erzeugen, und Mührh er= klärt den Mistral Südfrankreichs, den Bora und Föhn für solche rückläufige Windfälle, welche die Luft verdichten, trocken und kalt machen. Der Windfall bildet nemlich durch sich mit der Berg= wand und dem Tieflande ein Dreieck, dessen Grundlinie weithin nach vorn sich verlängert. Dieser unbetheiligte Raum zieht den Windfall an sich, bringt ihn zu rückläufiger Bewegung oder lenkt ihn seitlich ab.

Localwinde. (Bora, Föhn, Sirocco, Chamsin, Samum u. s. w.)

Manche Länder haben ihre besonderen Winde, wenn zu gewissen Zeiten die Temperatur der Luft sich stark abändert. In Aegypten fürchtet man den Chamsin, in Arabien den Samum (den Vergifteten), in den Laplatasteppen den Pampero, in der Schweiz den „schneefressenden" Föhn, auf Hochgebirgen die Schneestürme, in Südfrankreich den Mistral u. s. w. Alle sind gefährlich und oft tödtlich.

„Wenn der Samum zu wehen beginnt, nimmt die Atmosphäre ein beunruhigendes Ansehen an. Der Himmel wird trübe, die glanzlose Sonne sieht violett aus, die Luft grau und staubig. Dabei steigt die Hitze der Luft bis zur Backofengluth (45 bis 56° C.), macht das Athmen kurz und beschwerlich, die Haut dürr und trocken, und jeder Stein, der Fußboden selbst glüht. Man wird von innerer Hitze verzehrt, und Wasser bewirkt keine Transpiration. Sandkörner durchschwirren klirrend die Luft, verdunkeln die Sonne und hüllen Alles in einen violetten oder dunkelrothen Schleier. Dabei bringen sie durch die Kleider bis in die Poren und verursachen ein unerträgliches Jucken. Dann veröden die Straßen der Ortschaften, alle Thüren werden fest verschlossen, und Reisende bergen sich in ihre Zelte, dicht in ihre Kleider gewickelt, oder graben sich Löcher in die Erde, um darin das Ende des Sturmes abzuwarten, der gewöhnlich drei Tage anhält, oder kauern hinter den Waarenballen der entladenen Kamele nieder, welche Mund und Hals in Sand stecken. Dieser Wind tödtet durch Erstickung. Die leeren Lungen bekommen Convulsionen, der Blutumlauf geräth in Unordnung, denn seine Masse wird gegen Kopf und Brust getrieben, und nach dem Tode fließt daher Blut aus Mund und Nase. Der Leichnam bleibt lange warm, schwillt an, färbt sich blau, aber zersetzt sich nicht. Wasser, an den Boden gegossen, verdunstet in wenig Minuten, die Pflanzen vertrocknen, die Haut des Körpers schrumpft saftig zusammen, die Poren schließen sich, und fieberische Hitze tritt zur Hitze der Luft, um die Leiden zu vermehren." (Volney.)

Den heißen Sirocco, der wie Gluth ins Gesicht schlägt, die Muskeln erschlafft und reichlichen Schweiß austreibt, hält man für einen Zweigstrom des Samum, der sich bei seinem Wege über das Mittelmeer mit Wasserdampf gefüllt hat, weshalb seine Luft dick und schwer ist, und die Vegetation welken macht. Er ist weniger schnell und dabei wechseln Windstillen mit Windstößen. Er bewegt übrigens kaum den Wasserspiegel, verhüllt mit Nebeldampf den Horizont, mit weißen Wolken die Sonne, erschlafft die Muskeln und macht zur Arbeit unfähig. Doch dauert er nur kurze Zeit, verirrt sich aber zuweilen über Dalmatien bis nach Ungarn hinein, wo er dann nicht wenig überrascht und in Obstgärten große Verheerung durch sein Austrocknen verursacht.

Ueber die Heimat des feuchtheißen Föhn ist ein heftiger Streit entstanden zwischen dem Berliner Dove, der ihn für einen Wind des karaibischen Meeres hält, und den Schweizern Desor und von der Linth, die ihn einen Saharawind nennen und diese Wüste deshalb bereisten, um den Ursprung des Föhn aufzusuchen. Dove behauptet dagegen, der Saharawind fließe in Folge der Erdumdrehung nach Arabien, Syrien und Persien ab, bringe dort Dürre und trockne den Boden zu waldloser Steppe oder Wüste aus.

Da der Föhn viel Feuchtigkeit mit sich führt, so muß er über ein weites Meer gegangen sein; wegen seiner feuchten Hitze zehrt er in wenig Tagen große Schneefelder auf; indem er aber in die Thäler stürzt und seine Wärme beim Ausbreiten abgiebt, sinkt er in Folge der Abkühlung in die tieferen Thäler, wo er sich wieder erwärmt. Helmholz behauptet, daß sich dieser Wind in jedem Alpenthale umändert, an der italienischen Seite sehr heiß ankommt, am Monte Rosa sich um 20—30° abkühlt, dann Schnee oder Regen bringt und an der Nordseite als glühender Tropenwind wieder erscheint. Nach Tschudi ist der Föhn im Winter und Frühjahr am häufigsten, in die Hochthäler aber dringt er nur in den Sommermonaten ein. Naht er, so „zeigt sich am südlichen Horizont ein leichtes Schleiergewölk, welches sich an den Bergspitzen ansetzt. Die Sonne geht am stark gerötheten Himmel bleich und glanzlos unter, wogegen die oberen Wolken noch lange in lebhaften Purpurtinten glühen. Die Nacht bleibt schwül, thaulos, von einzelnen kälteren Luftströmen strichförmig durchzogen, der Mond hat einen trüben, röthlichen Hof, die Luft außerordentliche Durchsichtigkeit bis zum bläulich violetten Hinter=

tosen weithin durch die stille Nacht, unruhiges Leben erwacht, und mit einigen Stößen kündigt der Föhn sich an, worauf wieder Stille folgt. Um so heftiger brechen die folgenden heißen Föhn- fluthen ins Thal, werden zu rasenden Orkanen und versetzen die ganze Natur in Aufruhr. Im Grindelwald schmelzt dieser Wind in 24 Stunden oft eine Schneedecke von 2¹/₄ Fuß Dicke. In den nächsten Thaltheilen der südlichen Bergmauer wüthet er am Heftigsten, zaubert aber im März in wenig Tagen eine blühende Vegetation hervor. Seine Hitze erschlafft indessen Pflanzen, Thiere und Menschen. Für schattige Hochthäler ist er die Bedingung des Frühlings, im Herbst reift er die Trauben, macht aber auch Apfelblüthe und Ernte vertrocknen. Ohne ihn würde die Schweiz vergletschern, weil die Sommersonne nicht im Stande ist, die Eis- und Schneemassen wegzuschaffen. Sollten nicht auch Island und Spitzbergen ihren Föhn haben? In der Schweiz balgt er sich übrigens lange mit dem Nordwinde herum, indem beide abwechselnd über oder unter einander hinfluthen, so daß Regengüsse und sengende Dürre rasch auf einander folgen. Oft liegt dann Schnee im Thale, während auf den Bergen oben im Föhn Gentianen blühen, Eidechsen spielen und Mücken tanzen."

Furchtbar wüthete der Föhn im Jahre 1863. „Feucht- warmer, grauer Nebel hüllte düster drohend Thal und Berg ein dichte Schneemassen sanken nieder und sperrten alle Wege. Der Sturm verwehte jede menschliche Spur, warf Telegraphenstangen nieder und hinderte auf lange auch diesen Verkehr. In der unteren Schweiz entwurzelte er zahllose Bäume, deckte Dächer ab, trug Ställe fort und riß Häuser vom Erdboden weg. Dabei läuteten die Glocken, vom Sturme bewegt, alle Posten blieben aus wegen der verschneiten Pässe. Denn in wenig Stunden war der Schnee 3—4 Fuß hoch gefallen, und ringsum donnerten von den Bergen Lawinen nieder. In Chiavenna geriethen bei dieser tagelangen Absperrung die Einwohner in Hungersnoth und konnten die Todten nicht begraben."

Ein andrer gefürchteter Localwind ist der kalte Bora, welcher von dem Ostrande der südlichen Alpen bis zum Ostufer des Schwarzen Meeres wüthet als der zum Aequator streichende untere Passat (Polarstrom), die Luftwärme also mindert und die Feuchtigkeit aufzehrt. Häufig tritt er ein im November, December,

Februar und März, seltener im Januar und April. Er weht
heftig in gleichbleibender Stärke mit seltenen Zwischenpausen
oder heftigeren Stößen. Am Ungestümsten weht er Morgens
von 8—10 Uhr und Abends. Oft wirft er auf der Triest-
Laibacher Straße Frachtwagen um, trägt Menschen und Thiere
fort und tödtete am Predilpaß sogar eine Abtheilung Soldaten.
Mit sturmartiger Geschwindigkeit springt dieser Wind plötzlich als
Nordost auf, nach Norden scharf begrenzt, besonders nach einem
länger anhaltenden Siroccoregen oder längerem warmen Regen-
wetter. Dann verhängen vom Süden kommende Wolken Himmel
und Alpen, bis sich diese Wolkenmassen im Westen heben, ein
lichter Streifen Aether sichtbar wird und ein frischer Wind einsetzt. Dieser lockert als Nordwest die Wolkenschicht zu Wolken-
haufen auf, treibt sie vor sich her und bringt schönes Wetter,
Kühlung und Reif. Dann erhebt sich am Karst als schwacher
Bora der Borino, worauf der Bora selbst schnell einsetzt, den
Himmel aufheitert und das Barometer steigen macht. Er weht
nur drei Tage und geht dabei nach und nach von Nord in
Nordost, Ostnordost und Ost über. In der Stadt Nowa Rossisk
am Schwarzen Meere treibt dieser Sturm das Meer in die
Bucht, schleudert Spritzwellen weit in die Stadt hinein, biegt
eiserne Dachplatten und Röhren krumm, wirft Menschen auf der
Straße nieder und rollt sie fort. Schildwachen bergen sich hinter
die Brustwehr, in den Forts hört man bei dem Brausen des
Windes kein Signal, in der Stadt brennt kein Feuer. Im
Winter werden feuchte Kleider in zehn Minuten steif, frieren an
den Leib an, und gefrorene Wassertropfen fliegen heftig in das
Gesicht, um dasselbe zu verwunden und die Haut blutig zu ritzen.

Für Frankreich ist der Cevennenwind Mistral, ein Nordwest, eine Plage. Im Humor des Aergers nannte man ihn
maître (Herr), woraus das Wort Mistral soll entstanden sein,
und zählte ihn, die Durance und das Parlament als die drei
Landplagen auf. Die alten Gallier verehrten ihn als Gott
und errichteten ihm Altäre. Er entsteht durch ungleiche Erwärmung des Bodens, wenn nemlich die Cevennen von Schnee
bedeckt sind, die Südküste Frankreichs dagegen stark erwärmt ist,
worauf die kalte Luft mit solcher Hast nach dem Meere stürzt,

verliert der Luftstrom an Heftigkeit, weil er dann in den Niederungen sich abkühlt, und im Sommer verschwindet er ganz, wenn die Temperatur sich ausgeglichen hat.

Gefürchtet und tödtlich sind die Schneestürme in den Alpen und Pyrenäen, in den Hochsteppen (Paramos) der Cordilleren und der Hochebenen Asiens. In Sibirien heißen sie Burans. Von allen Seiten stürmen Winde heran, wirbeln ungeheure Schneemassen empor, schleppen Schneedünen hin und her, betäuben die Sinne und begraben ganze Zeltdörfer. Man kann bei dem wirren Tanze der durcheinander kreisenden Schneemassen kein Auge öffnen und nichts sehn, hört nur das Brausen, Heulen und Brüllen des Sturmes, das Rasseln der knirschenden Schneewogen, deren Krystalle klirrend an einander schlagen wie Stahlnadeln. Jede Straße wird verweht, Berg und Thal ausgeglichen, und Reisende legen sich nieder, um sich verschütten zu lassen, damit die luftige Schneedecke sie gegen das Unwetter schützt. Hunderte von Menschen- und Thierleichen bezeichnen in den Hochsteppen des Karakorumgebirges den Pfad, welchen vom Sturm überfallene Karawanen gingen.

Veränderliche Winde.

Außer den genannten Winden giebt es andre, welche nur einige Wochen in derselben Richtung wehen oder dieselbe plötzlich wechseln, schnell erscheinen und verschwinden, in wenig Stunden alle Richtungen des Kompasses durchlaufen und gar zwischen sich Streifen stiller Luft lassen. Man nennt sie veränderliche oder auch Localwinde im engeren Sinne. Solche scheinbare Launen haben ihre Ursache in der Verschiedenheit der Bodengestalt, Bodenerhebung und der dadurch bedingten Abänderung der Temperatur. Mühry hält sie für Abweichungen eines Hauptstromes und rechnet zu ihnen den Harmattan der Guineaküste, den Solano in der Mancha Andalusiens, der Schwindel und Blutwallungen erregt und zu Cadix und Sevilla häufig weht, den staubbeladenen Terrano Persiens und Vorderindiens, den Samum, der Leichen zu Mumien austrocknet, und selbst den Föhn des Reuß-, Rhein- und Linththales, der bei herrschendem Passat als Strömung des Windschattens entsteht.

Stellen sich Gebirge dem Luftstrome entgegen, so muß derselbe entweder an ihnen emporschwellen, bis er sie überfluthet, oder muß durch Bergeinsattelungen einen Ausweg suchen oder um das Gebirge herumfließen wie die Meeresströmung um Hochküsten. Prallt der Wind aber an und wird zurückgeworfen, so stößt er an die entgegen gesetzte Bergwand, wodurch sein Lauf ein Zickzack wird. Dabei wechseln Windstöße mit Windstillen je nach der Schnelligkeit, mit welcher die Wogen der Luftbrandung auf einander folgen. Nach jeder Fluth tritt eine Ebbe ein, und je öfter diese Luftwogen zurückprallen, um so mehr weichen sie von ihrer ursprünglichen Richtung ab, weil sie die erste Stelle bei dem Rückschlage nicht wieder treffen. Jeder Luftstrom findet aber an Häusern, Bäumen, Hügeln, Felsen u. s. w. Hindernisse, welche ein gleichmäßiges Vorrücken des ganzen Stromes unmöglich machen. Dieser löst sich vielmehr in eine Menge von Luftbächen und Luftrieseln auf, die dann wohl von Zeit zu Zeit unter gewissen Winkeln auf einander stoßen und Wirbel erzeugen, oder zu Windstößen werden, d. h. zu Fluthwellen, denen die Ebbe als Windstille folgt.

Auch die veränderlichen Winde stehen nicht außerhalb des allgemeinen Gesetzes der Wärme und Schwere, welches Weltkörper und Luftatome regiert. Im Allgemeinen umkreisen stete Winde die Erde und wirbeln dabei vielleicht um sich selbst. Die trocknen dichten Polarwinde fluthen nach den Tropen, um als warme feuchte Westwinde nach den Polargegenden zurückzukehren. Zwischen diesen beiden Hauptströmen befinden sich schräge Streifen von Luftmassen, die nach verschiedenen Richtungen fließen und den Platz wechseln. Die Südwestwinde nehmen an Heftigkeit zu, je mehr sie sich den Polen nähern, während die Kraft der Nordostwinde abnimmt, je mehr sie dem Aequator nahe kommen. Denn die Südwinde werden nach Norden zu eingeengt und gepreßt, die Polarwinde dagegen gelangen in ausgedehntere Breiten, dehnen sich dort mehr aus und verlangsamen ihren Lauf. Uebrigens verfolgen die Hauptwinde auf jeder Halbkugel eine

(Rotation), worüber Dove folgende Tabelle aufstellt. Es folgen
auf der nördlichen Halbkugel die Winde in dieser Reihe:

SW., W., NW., N., NO., O., SO., S., SW.,

auf der südlichen:

NW., W., SW., S., SO., O., NO., N., NW.

Stürme und Orkane.

Von diesen berichten Zeitungen und Reisebeschreibungen sehr
gern, weil sie einen aufregenden Lesestoff darbieten. Eine Wind=
hose verwüstete am 28. Juli 1867 das Dorf Palazzolo bei Udine.
Nach einigen ermattend heißen Tagen brach der Morgen des 28.
trübe und windstill an, bis gegen 10 Uhr dicke Wolken heran=
zogen, um 12½ Uhr ein starker Wind sich erhob, dessen Heftig=
keit mit jeder Viertelstunde zunahm und dabei ein Geräusch ver=
ursachte, wie wenn Steine in zugebundenen Säcken gerüttelt
würden. Endlich brach ein Wirbelwind über das Dorf herein,
machte in einer halben Minute dreißig Häuser dem Boden gleich,
von deren Trümmern dreizehn Menschen erschlagen wurden, und
beschädigte die übrigen Gebäude sehr stark. Ein andrer Wirbel=
sturm wüthete am 4. October 1844 von 10 Uhr Vormittags
bis 3 Uhr Nachmittags in Havanna, zerstörte 400 Häuser, wobei
70 Menschen umkamen, und verwüstete die Stadt derart, als ob
sie ein heftiges Bombardement ausgehalten hätte. Alle Bäume
in der Umgegend waren niedergebrochen, ganze Dörfer ver=
schwunden, Hausthiere in Masse umgekommen. Auf Manilla
zertrümmerte ein Teifun am 27. October 1857 an 3500 Häuser,
in der Umgegend noch 10,000 Gebäude, vernichtete die Ernte,
brach alle Obstbäume um und warf sechs Schiffe an den Strand.

Orkane gehören zu den furchtbarsten Erscheinungen der
Atmosphäre und richten ungeheure Verheerungen an, gegen welche
man sich nicht zu schützen vermag. Einige Tage, bevor ein Orkan
losbricht, ist die Natur düster und verhüllt, wie wenn sie das
Unglück vorher ahnte. Die kleinen weißen Wolken, welche durch
die obersten Luftschichten mit den Gegenpassaten ziehen, verbergen

sich hinter gelblichen oder schmutzigweißen Dunstmassen. Die
Sterne umgeben sich mit undeutlich schillernden Höfen, dabei ist
die Luft erstickend, wie wenn sie aus einem Backofen käme, und
schwere Wolkenschichten, welche Abends in Gold und Purpur
strahlen, lasten in der Ferne auf dem Horizonte. Schon bewegt
sich der Windwirbel in den oberen Gegenden und steigt nach und
nach zur Erde oder zum Meere herab. Der Sturm jagt die
zerrissenen Fetzen röthlicher oder schwarzer Wolken in wilder
Flucht am Himmel dahin, das Quecksilber fällt schnell im Baro=
meter; die Vögel sammeln sich in Kreisen und fliehen dann mit
schnellstem Flügelschlage, um dem Unwetter zu entgehen. Bald
zeigt sich eine schwarze Masse am Himmel, nimmt schnell zu, hüllt
das Azur in Nacht oder in blutigrothes Halbdunkel. Das ist
der Orkan, welcher seine ungeheuren Kreise um den Horizont sich
schwingen läßt, und auf das grauenvolle Stillschweigen folgt nun
das Heulen und Brausen am Himmel und auf dem Meere.

„Die Kraft der Orkane ist furchtbar. Häuser werden von
ihnen weggerissen, Flüsse aufgestaut und weit stromaufwärts
zurückgetrieben, Bäume mit den Wurzeln aus dem Boden ge=
hoben, Wälder verheert, Zweige und Aeste abgeknickt und durch
die Wälder breite Straßen gebrochen. Der Sturm reißt selbst
das Gras ab und fegt es vom Boden fort. Dann steigen diese
Beutestücke in den Windungen des Schraubenganges, welche der
Orkan in sich bildet, hoch empor, wobei es in Einem fort und
so heftig blitzt und donnert, daß breite Feuerwellen aus den
Wolken hervorbrechen und wie Feuerkaskaden über den Himmel
sich ergießen. Wolken und selbst Regentropfen strahlen Lichtschein
aus, und die elektrische Spannung ist so groß, daß aus Neger=
körpern Funken hervorspringen. Auf St. Vincent ward ein
ganzer Wald von solchen Blitzen erschlagen, doch nicht ein ein=
ziger Baum dabei umgebrochen. Am Bodensee riß einst ein
Orkan die Baumrinde ab, ließ aber die Bäume selbst stehn. Am
Fürchterlichsten wüthen Orkane auf Inseln und Küsten da, wo
sie anfangen einzuschneiden, wobei dann Schiffe und Menschen,
Häuser und Plantagen zu Grunde gehn, denn nur Gebirge
halten den Sturm auf und sichern die tieferen Strecken. Das
Schiff des Columbus ward bei Jamaica von einem Orkan in

Bei den Orkanen zu Havanna '(1846) und Kalkutta (1864) wurden in wenig Stunden 150 Schiffe zerschmettert, und 1727 ertranken beim Sturm 20,000 Menschen im Ganges, welcher aus seinem Ufer getrieben war." (Reclus.)

Uebrigens sind die Orkane den Schiffen vorzüglich nur im Hafen gefährlich, weniger auf hoher See. „Doch herrscht dann Dunkelheit, dunkler als die Nacht, weil das wenige übrig gebliebene Licht nur dazu dient, die Finsterniß zu sehn. Die Winde heulen und brüllen, pfeifen und schrillen; Wogen stürzen brausend gegen einander, Maste krachen und brechen, die Schiffsplanken dröhnen und stöhnen, ein Gewirr von Geräuschen betäubt das Ohr und überlärmt sogar den Donner. Das Meer hebt sich in breiten mächtigen Wogen, brodelt, wirbelt und schäumt durch einander wie in einem von Vulkanen geheizten Kessel. Die Wolken liegen schwer auf dem Meere, winden sich über den Wasserbergen fort und geben einen Schein wie den Abglanz einer unsichtbaren Hölle. Im Zenith erscheint, von Finsterniß umgeben, ein weißlicher Raum, welchen die Seeleute das Sturmauge nennen, und unter diesen Schrecknissen der Natur arbeiten die Matrosen an der Rettung des Schiffes, indem sie mit der Riesenkraft des Orkanes ringen." (Reclus.)

Die Kraft der Orkane veranschaulichen folgende Thatsachen. Auf Guadeloupe trieb ein Sturm ein 27 Zoll langes, 9 Zoll breites und 10 Linien dickes Tannenbrett durch einen 16 Zoll dicken Palmbaum, hob Schiffe in die Luft und zerdrückte sie, und trug zerschmetterte Möbel und Haustrümmer über einen Meeresarm von 80 Kilometer Breite. In Kalkutta trieb er einen Bambusstab durch eine Mauer von 4½ Fuß Dicke; ein andrer Orkan vernichtete am 2. August 1837 im Hafen 36 Schiffe, verwüstete das Fort, daß es aussah, als sei es bombardirt, riß Steinblöcke des Kais vom Meeresboden los, hob sie 36 Fuß hoch und warf sie auf den Strand. Ein großes Haus riß der Orkan aus dem Fundamente, schleifte es fort und stellte es aufrecht mitten in die Straße. Andre Häuser wurden umgestürzt und das platte Dach zu unterst gekehrt. Schiffe warf er aufs Feld und in den Wald, eines von ihnen hob er 9 Fuß hoch über eine Klippe und legte es quer wie eine Brücke über zwei Felsspitzen. Auf Mauritius riß der Sturm im Jahre 1818 das

Mittelstück des Theaters in einer Länge von 82 Fuß und 34 Fuß Breite von der Façade los und schob es 5 Fuß aus der Linie.

Der sogenannte große Orkan vom 10. October 1780 verheerte Barbados und die benachbarten kleinen Antillen, brach Häuser und Bäume nieder, zermalmte 6000 Menschen unter deren Trümmern und versenkte eine englische Flotte, hierauf bei Martinique 45 französische Schiffe mit 4000 Mann Soldaten, fegte die Stadt St. Pierre vom Erdboden, wobei 9000 Menschen umkamen, und begrub zuletzt noch bei den Bermudas einige englische Kriegsschiffe, die auf der Heimkehr begriffen waren. Damals führten England und Frankreich wegen der Revolution der nordamerikanischen Kolonien Krieg mit einander. Schon 7 Tage vorher hatte ein Sturm das englische Geschwader des Admirals Robney bei Jamaica erreicht, vier Schiffe versenkt, drei vom Anker gerissen und in die Moräste der Küste geschleudert, wo sie dann den Bewohnern als Wohnung dienten. Später ergriff der Orkan sieben englische Kriegsschiffe bei St. Lucie und das französische Convoi von 2 Kriegsschiffen, 50 Kauffahrern und 5000 Soldaten bei Martinique, wo sich nur sieben Schiffe retteten. Dann vernichtete er bei Portorico ein englisches Kriegsschiff, richtete bei Mona das englische Convoi arg zu, zertrümmerte anderwärts zwei Fregatten und holte bei den Bermudas ein andres ein, nachdem er fünf englische Schiffe entmastet hatte. Bei Martinique stieg das Meer 25 Fuß hoch, riß 150 Uferhäuser weg, stürzte alle andern um, wobei 6000 Menschen umkamen. Im Fort Royal wurden die Kathedrale, sieben Kirchen und 1400 Häuser umgestürzt, unter den Ruinen des Hospitals 1400 Kranke begraben, in Dominica alle Häuser am Ufer fortgerissen und ein Theil der Kasernen zerstört. Bei St. Eustache trieb der Sturm sieben Schiffe an den Felsen, vernichtete von 19 Fahrzeugen 18, und auf St. Lucie schleppte er Kanonen 100 Fuß weit, schleuderte Menschen und Thiere klafterweit fort, während die Wellen Korallenstücke vom Meeresboden losrissen, sie ans Land warfen und den Hafengrund 6 Fuß tief aushöhlten. Die angeschwollene See zertrümmerte das Fort, schleuderte ein Schiff gegen das Seehospital und zerschmetterte dasselbe. In Kingstown auf

Leewardsinseln brach der Sturm eine Lücke in die 3 Fuß dicken
Mauern der Gouverneurswohnung, weshalb man in den Keller
floh, doch hier drang Seewasser 4 Fuß hoch ein. Nun suchte
man auf der Batterie Schutz, doch hier schleppte der Sturm
Zwölfpfünder 420 Fuß weit fort. Man hielt diese Unglücksfälle
für eine Warnung des Himmels, und der Gouverneur von Martinique gab 25 englische Matrosen frei, die sich beim Sturme
gerettet hatten, weil er sie nicht als Kriegsgefangene betrachten
dürfe.

Mitunter wechseln Windstöße mit heftigem Regen und Windstillen urplötzlich. Dann zieht sich das Meer bei der Windstille,
so heftig zurück, daß die Schiffe wohl gar aufs Trockne gerathen,
bis die rückkehrende Fluth weit ins Land eindringt und die
Schiffe in Wald führt oder auf Klippen hebt. Dann bleibt kein
Blatt an einem Baume, und die Küste bedeckt sich mit todten
Fischen und Seevögeln.

Den Orkan, der Barbados am 10. August 1831 überfiel,
schildert Reib. „Um 7 Uhr Abends war der Himmel heiter und
die Luft ruhig. Doch um 9 Uhr begann der Wind aus Norden
zu wehen. In der halben Stunde sah man Blitze aus NNO.
und NW., dann folgten Windstöße und Regenschauer von NNO.,
getrennt durch Windstillen, bis Mitternacht. Nach dieser Zeit
wurde das ununterbrochene Flammen der Blitze schrecklich und
großartig, und der Wind brauste wüthend von N. und NO. her,
wuchs um 1 Uhr und wandte sich plötzlich von NO. nach NW.
Die oberen Regionen der Luft wurden während dessen von un-
unterbrochenen Blitzen erleuchtet; aber diese lebhaften Blitze
wurden an Glanz von den Strahlen des elektrischen Feuers
übertroffen, welche nach allen Richtungen hin aufblitzten. Nach
2 Uhr war das Heulen des Sturmes unbeschreiblich. Ein
Lieutenant hörte nicht, als er vor einem Hause stand, daß dessen
Dach und oberes Stock einstürzten. Nach 3 Uhr nahm der
Sturm ab, aber wüthende Windstöße kamen von SW. und W.
und von W. und NW.

„Einige Augenblicke hörten auch die Blitze auf, und es trat
eine schreckliche Dunkelheit ein. Dann fielen feurige Meteore vom
Himmel, von denen ein kugelrundes tiefroth glühend aussah und
senkrecht aus bedeutender Höhe kam. Dann ward es blendend

weiß, fprißte beim Aufschlagen auf den Boden wie geschmolzenes
Metall umher und erlosch hierauf augenblicklich. Bald darauf
fant der tolle Lärm des Sturmes zu einem majestätischen Ge=
murmel herab, und die Blitze, welche feit Mitternacht im Zickzack
geleuchtet hatten, erschienen nun eine halbe Stunde lang mit
neuer erstaunlicher Thätigkeit zwischen den Wolken und der Erde.

„Die große Dunstmasse schien die Häuser zu berühren und
fendete Flammen niederwärts, die schnell wieder aufwärts von
der Erde zurückschlugen. Augenblicklich nachher brach der Orkan
von Westen wieder herein mit unbeschreiblicher Gewalt, taufend
Trümmer als Wurfgeschosse vor sich hertreibend. Die festesten
Gebäude erbebten in ihren Grundmauern, ja die Erde selbst
zitterte, als der Zerstörer über sie hinwegschritt. Kein Donner
war zu hören; denn das gräßliche Geheul des Windes, das
Braufen des Oceanes, dessen mächtige Wellen Alles zu zerstören
drohten, was die andern Elemente etwa verschont hatten, das
Gerassel niederstürzender Ziegel, das Zusammenstürzen der Dächer
und Mauern — diese Vereinigung von taufend Tönen bildete
einen entsetzlichen Lärm. Nach 3 Uhr ließ der Sturm einige
Augenblicke nach, und nun hörte man deutlich das Fallen der
Ziegel und Mauersteine, welche von bedeutender Höhe herabkamen.
Um 6 Uhr war der Wind ein Süd, um 7 Uhr SO., um 9 Uhr
schönes Wetter. Der Regen fiel aber vorher so heftig, daß er
die Haut verletzte und die Luft verdunkelte. Die Meereswogen
rollten gigantisch am Uferdamm vorüber, verloren sich dann aber
unter Trümmern aller Art, denn Balken, Schiffstaue, Tonnen
Kaufmannsgüter u. f. w. bildeten eine zusammenhängende, in der
Ueberschwemmung wogende Masse. Nur zwei Schiffe standen
noch aufrecht, viele waren umgekehrt mit dem Kiel oben oder
lagen auf der Leefeite in feichtem Wasser.

„Die ganze Gegend war eine Wüste geworden; nirgends
eine Spur von Vegetation, einige Flecken welken Grafes aus=
genommen. Der Boden fah aus, als ob Feuer durch das Land
gegangen wäre, welches Alles verbrannt und versengt hätte.
Einige wenige stehen gebliebene Bäume, ihrer Blätter und Zweige
beraubt, gewährten einen winterlichen Anblick, und die zahlreichen
Landsitze lagen in Trümmern. Aus der Richtung, in welcher
die Kokosbäume umgestürzt lagen, erkannte man, daß die ersten

durch einen NNO., die größere Anzahl durch einen NW. ent=
wurzelt waren. Es war außerdem so viel salziges Wasser ge=
fallen, weil das Meer über eine 70 Fuß hohe Klippe stürzte
und meilenweit ins Land geführt wurde, daß nun die Süßwasser=
fische in den Teichen starben."

Entstehen und Eigenthümlichkeit der Orkane.

Orkane oder Wirbelstürme heißen Trompen oder Windhosen,
wenn sie kleinere Kreise beschreiben, zum Unterschied von den
Cyclonen oder Orkanen, welche weite Räume einnehmen. Im
indischen Meere erscheinen sie unter dem Namen Hurricans, im
chinesischen Meere als Teifuns (Tifoong), im karaibischen Meere
als Aracans, an den afrikanischen Küsten als Tornados. An
manchen Uferstellen des nördlichen Atlantischen Oceans wehen in
manchen Monaten jeden zweiten Tag Windstöße in Spirallinien,
und die Winter= und Sommerstürme zu beiden Seiten des Golf=
stromes werden zu Wirbelwinden in Folge der Erdumdrehung,
blasen gegen Englands und Frankreichs Küste und gerathen auch
wohl verheerend in ein Gebirgsthal.

Kein Wind schreitet gleichmäßig vorwärts, denn er findet
auf seinem Wege allerlei Hindernisse, die ihn nach rechts oder
links schieben, einige Streifen hemmen, andre frei ziehen lassen,
so daß der Luftstrom Wirbel beschreibt, wie der Wasserstrom an
Brückenpfeilern, Klippen u. s. w. Daher treibt jeder Wind
Staub, Blätter, Schneeflocken und Rauch wirbelnd vor sich her,
denn die Luftatome bewegen sich vorwärts, indem sie sich in
Wirbel um sich selbst drehen. Stoßen nun gar zwei Luftmassen
auf einander oder reiben sich beim Vorüberfließen mit ihren
Rändern, so wird dieses Hin= und Herschieben zu einer wirbelnden
Kreisbewegung, besonders wenn die Strömung eine schnelle ist,
wodurch diese Gegenströme eine Ausgleichung ihrer Richtung her=
zustellen suchen. Oft sieht man Wolken gegen einander ziehn
und dann zurückprallen oder in Bergthälern Luftwirbel durch

einströmende Luftmassen sich bilden. Denn Luftwirbel entstehen jedesmal, wenn Luftströme in entgegengesetzter Richtung auf einander stoßen.

Man schätzt die Höhe (Mächtigkeit) der Wirbelwinde auf 6400 — 9000 Fuß, wobei aber die Wand des Wirbelkreises so dünn sein kann, daß man den blauen Himmel und die Sterne durchscheinen sieht, und die übrigen Winde außerhalb des Dreh= kreises ihren Lauf verfolgen. Zum Entstehen solcher Wirbel ist eine gewisse Wärme nothwendig, weshalb sie nur unter den Tropen vorkommen zur Zeit der Rückkehr der regelmäßigen Winde. In Westindien z. B. kamen von 1492—1855 über 365 Orkane vor, von denen 245 in die Zeit vom August bis October fielen, d. h. in die Periode der größten Hitze Südamerika's, wohin also die kühlere Polarluft zieht. Im indischen Meere sind Cyclone häufig, wenn die Monsuns wechseln und die größte Sommerhitze vorüber ist, doch auf der südlichen Halbkugel sind Juli und August frei von Wirbelstürmen, wogegen mehr als die Hälfte in den drei ersten Monaten des Jahres vorkommen, wann die Jahreszeiten wechseln, die elektrischen Verhältnisse andre werden und magnetische wie elektrische Strömungen sich im Kampfe als Gewitter und Sturm auszugleichen suchen.

Was die Schnelligkeit der Orkane anlangt, so kann man sie nur ohngefähr abschätzen; denn jedenfalls bewegen sich die oberen Luftschichten am Geschwindesten. Einen Maßstab geben die Fahrten der Luftschiffer für die Schnelligkeit der Luftströmung. Coxwell flog in der Stunde 23—110 Kilometer weit, Glaisher 25 Kilometer, wogegen der Wind an der Sternwarte zu Greenwich in der Stunde 3200 Meter, ein Orkan in der Secunde 45 Meter, also in der Stunde 162 Kilometer zurücklegte, die Loco= motive demnach viermal an Geschwindigkeit übertraf. Die Rei= bung der Lufttheilchen an einander erzeugt Wärme, die ganze Masse aber einen gewaltigen Druck, so daß ein Orkan bei Narbonne Eisenbahnwagen umwarf, was einen Druck von 448 Kilogrammen für den Quadratmeter voraussetzt.

Nach genauen Beobachtungen hat sich ergeben, daß die Luft= massen, welche sich in der Nähe der Mitte im Orkane befinden, in der Stunde 100—150 Kilometer durcheilen, daß dagegen der

der ungleiche Boden hindert. Einst (1833) machte ein Orkan den Weg von den Antillen her nach der Bank von Neu-Fundland je 90 Kilometer in einer Stunde, während die gewöhnlichen Cyclonen dieser Gegend in derselben Zeit nur 20—30 Kilometer vorrücken. Chinesische Teifuns rücken oft sehr wenig von der Stelle, auf welcher sie in ungeheuren Schwingungsbogen um sich kreisen. Einst ward ein Schiff, 90 Kilometer von der Achse des Wirbels entfernt, fünf Tage lang von dem Wirbelwind im Kreise herumgeführt, wobei es 2400 Kilometer Wegs zurücklegte, aber, als es endlich loskam, nur 655 Kilometer vorwärts gekommen war. Im Allgemeinen sollen Hurricans des indischen Meeres in der Secunde 33—1800 Meter durcheilen.

Weil Wirbelstürme sich um ihre Achse drehen, so höhlen sie sich trichterartig in der Mitte aus und drängen die Luftmassen nach dem Rande des Rades zurück, so daß in Folge der Centrifugalkraft die Luftsäule in der Mitte ihres Fußes eingedrückt wird, sich an Masse vermindert, der Druck sich verringert und das Barometer sinkt, sobald in der Höhe ein Orkan sich zu bilden beginnt. Man hat daher Zeit, gegen die drohende Gefahr Vorkehrungen zu treffen, indem die Schiffe im Hafen mehr Anker auswerfen, die auf der Rhede liegenden aber aufs hohe Meer fahren. Selbst in den Wohnungen verdünnt und erweitert sich die Luft zuweilen so stark, daß sie Fenster und Thüren sprengt, und man daher bei nahendem Sturm die Wohnungen unverschlossen hält. Druck und Wirbel ergreifen auch die Meeresoberfläche, ziehen das Wasser empor, schwingen es um den Mittelpunkt der Kreisbewegung als Sturmwelle, wobei dann das Meer weithin vom Sturme in die wildeste Bewegung gesetzt und zur gefährlichen Hohlsee wird, welche Alles hinweg segt. Bei Barbados stieg im Jahre 1831 die See am Vorgebirge um 22 Meter, bei Kalkutta der ganze untere Hooghly (1864) um 7 Meter und überschwemmte nun alle Inseln der Gangesmündung. Außerdem zieht die Mitte des Lufttrichters das Wasser in ihre Tiefe, und schleudert es hierauf weit ins Land hinein, weshalb oft die Fluß- und Teichfische in dieser Menge des zugeführten Seewassers sterben.

Bewegt sich ein Orkan weiter, so findet sein Fuß auf dem Lande und Meere allerlei hemmenden Aufenthalt, wogegen der obere Theil gleichmäßig fortschreitet und dem unteren vorauseilt, woburch er sich oben überbeugt und die ganze Säule eine nach vorn geneigte Gestalt erhält. In den gemäßigten Zonen fehlt indessen diese Vorwärtsbeugung, vielmehr öffnet sich an der Seite eine stets zunehmende Lücke in dem Kreiswirbel. Je mehr sich der Orkan dem Norden nähert, um so mehr wächst jene Strecke der windstillen Lücke. Zugleich nehmen die West = und Südwinde ab, bleiben endlich ganz aus, und zwischen dem 50. bis 60. Breitengrade wehen nun nur noch Nordwestwinde, die von Westen oder Südwesten kommen. In der südlichen Halbkugel geschieht das Umgekehrte, denn auch hier verlassen die Orkane den Boden und setzen ihren Weg höher in der Luft fort, sind daher nur am Wolkenzuge erkennbar. Vom 50. Grade ab streichen nur die äußeren Winde des Orkans träger über den Boden hin, weshalb Dove räth, daß Schiffe, welche vom Orkane erreicht werden, sich in dessen Umkreis halten und die heftig bewegte Achse meiden sollen.

Die Bewegung der Luftwirbel folgt übrigens einem bestimmten Gesetz. Denn auf der nördlichen Halbkugel wehen die tropischen Stürme stets von Süden nach Norden durch Osten und von Norden nach Süden durch Westen, auf der südlichen Erdhälfte dagegen folgen sie der entgegen gesetzten Richtung durch Süden, Westen, Norden, Osten. Alle Winde gehn zu derselben Zeit gegen den Umkreis des Rades, welchen der Sturm beschreibt, in welchem also alle Winde der Reihe nach vorkommen, wenn man der Umdrehung mit einem Schiffe folgt; ja manchmal bleibt die Mitte ganz ruhig. Drehte sich der Orkan auf der Stelle, so müßte der Wind in der Richtung der Tangente auf den Umkreis der Tangente wehen. Aber dies geschieht deshalb nicht, weil der ganze Orkan weiter rückt. Richtet sich der kreisende Sturm nach Westen, so wird die regelrechte Bewegung des Westwindes durch die Schnelligkeit des Sturmes gesteigert, oder theilweise neutralisirt. Diese Abänderung trifft dann nach und nach alle Winde, was aber bei langsam vorschreitenden Cyclonen schwer zu erkennen ist. Die Seefahrer unterscheiden daher eine gefährliche und eine lenksame Halbseite der Wirbelstürme. Der Sturm ist nemlich auf der Seite gefährlich, wo der Cyclon und der Wind dieselbe Richtung verfolgen, und diese liegt auf der nörd=

des Wirbels, auf der südlichen Halbkugel dagegen auf der linken.

Wie Stürme überhaupt das Gleichgewicht der Luft herstellen, so treten Cyclone den Passaten hemmend entgegen, welche den Umschwung der Erde aufhalten, machen also die Erdbahn frei und gehören nothwendig mit zur Weltökonomie, damit die Erde die Regelmäßigkeit ihrer Bewegung bewahrt. Von diesem Gesichtspunkte aus läßt sich das Entstehen der Wirbelstürme leichter begreifen.

Unter den Tropen der westlichen Erdhälfte entstehen die Stürme aus dem Kampfe der Passate oder Monsuns und gehen in der neuen Welt nach Nordwest, parallel den Antillen, auch wohl den Küsten Columbiens und Mittelamerika's, eilen dann an den Gestaden der Vereinigten Staaten entlang und beschreiben denselben Kreislauf wie der Golfstrom. Auf der südlichen Halbkugel schlagen sie den entgegen gesetzten Weg ein, beginnen im Süden von Vorderindien, gehn südwestlich über Reunion, St. Maurice und Madagascar, und wenden dann plötzlich nach Südost und dem Südpolarmeere um, d. h. die Schraubenlinie dreht sich von Osten nach Westen durch Norden. Diese Bewegung hat folgenden Grund. Wenn nämlich über den Wüsten Asiens und Afrikas die erwärmte Luft aufwärts steigt und sich dann seitlich ausbreitet, um als oberer Passat von SW. nach NO. zu fließen, so begegnet sie dem von Nordost her streifenden unteren Passat, worauf der Zusammenstoß beider eine nach Nordwest gehende Wirbelbewegung erzeugt. Der Wirbel sucht nun einen Ausweg und sinkt schräg auf das Meer nieder, und da ihn die Passate zusammendrücken, so geht er als Nordwest weiter. Außerhalb der Tropen angekommen, wird der Sturm frei und folgt der Erdumdrehung, indem er nach Norden und dann nach Nordosten sanft umbiegt. In der gemäßigten Zone dehnt der Wirbel seinen Umkreis aus und verliert seine Kraft, je mehr er sich dem Polarkreise nähert. Der Orkan von 1839 wuchs vom Antillenmeere bis zum 50. Grad n. Br. von 500 Kilometer bis 1200 Kilometer Breite, ermattete dabei aber so sehr, daß er an Irlands Küste nur einige Bäume niederwarf. Jeder Cyclon hat Seitenwirbel, wie auch oft mitten im Orkan Häuser verschont bleiben, wie Reid beobachtete.

Im indischen Ocean entstehen die Orkane aus dem Zusammen=
stoßen der Südostpassate und der Nordwestmonsuns, wobei ein
Kreislauf von Osten nach Westen durch Süden entsteht. Auch
diese Orkane wachsen auf 400 — 2000 Kilometer Breite an.
Manchmal folgen zwei oder mehrere Cyclonen kurz nach ein=
ander, und außerdem begleiten den Hauptwirbel noch Seiten=
wirbel, wie man Aehnliches bei Wasserwirbeln beobachtet. Gebirge
und Hochebenen, welche den Luftströmungen entgegen stehen,
bewirken gleichfalls Wirbelbewegungen. Es entstehen z. B. am
Gebirge von Aracan in Hinterindien plötzlich Orkane, gehn nach
Nordwest durch Bengalen bis zum Hindukusch, und vielleicht
verursachen die Gebirge Formosa's und der Philippinen sowie
die des chinesischen Festlandes das Entstehen der Teifuns. Im
östlichen Theile des Stillen Meeres sind Orkane selten und
kommen nur mitunter an der Westküste Mejico's vor.

Tornados d. h. Windwirbel von geringerem Umfange und
geringerer Stärke als Orkane sind Folge eines kräftig auf=
steigenden Luftstromes, der in der Höhe seine Wasserdämpfe
verdichtet, dabei immer neue herzuführt in Spiralwindungen von
einigen tausend Fuß Durchmesser und dadurch sich fortbewegt.
Die im Innern des Trichters verdünnte Luft wirkt aufsaugend,
hebend und verheerend, so daß Häuser und Bäume nieder=
gebrochen werden. Ueber dem Tornado schwebt eine Sturmwolke,
die sich trichterförmig nach oben öffnet, dabei donnert, blitzt,
regnet und hagelt. Seetornados sind gefährlicher und größer
als Landtornados und kündigen sich durch die schwarze Wolke
„des Ochsenauges" an, die rasch zunimmt und sich nach oben zu
in Trichterform ausweitet.

Sehr faßlich entwickelt Mohn das Wesen und Entstehen der
Stürme. „Stürme sind Kreistheile eines Luftwirbels, der auf
dem Lande in der Secunde 16³⁄₄ Meter, auf der See 25 Meter
durchläuft und eine Stärke von 5 — 9 der Scala hat. Der
Seemann unterscheidet in Betreff der Geschwindigkeit: eine Brise
(2 — 7 F. in der Secunde), eine labbere Kühlte (10 — 15 F.),
eine frische Kühlte (15 — 20 F.), eine steife Kühlte (20 — 30 F.),
einen schweren Wind (30 — 40 F.), einen Sturm (12 — 14 Meilen
in der Stunde) und einen Orkan (20 — 25 Meilen in der Stunde).

liegenden Orten ein sehr verschiedener ist. Solche Orte liegen
um die barometrischen Minima, wo sie also von allen Seiten
her blasen und ein Wirbel entsteht, dessen Theile wir dann Sturm
nennen. Daher sind die Cyclonen der heißen Zone reine Wirbel-
Stürme, in den übrigen Zonen wechseln Stürme mit schwächeren
Winden in dem Kreislaufe des Wirbels ab, und die Windbahnen
krümmen sich nur wenig, wenn sie weit vom Mittelpunkt entfernt sind. Stürme der nördlichen Halbkugel haben den niedrigsten
Luftdruck zur Linken und etwas nach vorn, die der südlichen
dagegen zur Rechten und etwas nach vorn. Da ein Wirbel-
centrum sich meistens über die ganze Erde hinbewegt und der
ganze Wirbel folgt, so drehn sich die Winde selbst mit der
Sonne oder gegen dieselbe. Auf der Strecke vom nördlichsten
Amerika bis Spitzbergen, die an der Nordseite der Wirbel und
des Golfstroms liegen, blasen die Winde aus Norden und drehen
sich gegen die Sonne, östliche und nordöstliche Winde drehen
sich über N. nach SW. und folgen der Sonne.

„In der nördlichen gemäßigten Zone liegen die Stürme
auf der Südseite des Wirbels und die Winde drehn sich von
SO. durch S. und SW. nach W. und N. Die meisten dieser
Sturmcentren kommen zwischen Island und Schottland herüber
nach O., NO. und SO. und verlieren erst in Rußland ihre
Stärke, weil ihre Luftverdünnung sich füllt. Im atlantischen
Ocean nimmt die Häufigkeit der Stürme mit der Entfernung
vom Aequator zu, worüber Maury eine besondere Tabelle aufgestellt hat. Ueber Nordamerika wandern Sturmcentren von W.
nach O. über die großen Binnenseen gegen die Sonne. Im
Winter sind die barometrischen Minima in den gemäßigten und
kalten Zonen stärker, also auch Stürme häufiger als im Sommer.
In der südlichen gemäßigten Zone entstehen Stürme vom Nord-
rande der Wirbel der heißen Zone her, die ostwärts gehn und
sich von NO. durch N. u. W. nach SW. drehn. Sie hindern
die Schiffe, die Südspitze Afrikas und Amerikas von O. her
zu erreichen, machen aber die „braven Westwinde“ um so
stärker.

„Besonderer Natur sind die tropischen Stürme, weil ihr
Wirbelsturm oder Wind auf allen Seiten des Centrums sehr
heftig weht, wobei das Oval des Kreises 12—80 Meilen Durch-

meſſer hat, in der Mitte der niedrigſte Luftdruck (700 mm.) herrſcht in einem Kreiſe von 2 — 4 Meilen, ſo daß Windſtille waltet in „dem centralſtillen Sturme." Von da ab wächſt der Luftdruck, raſt der Orkan, um nach dem Rande des Wirbels zu wieder abzunehmen. Im Innern eines Cyclons ſtürmt der Wind in Kreiſen um das Centrum, indem er nach dem Wirbelrande ſtrebt und dabei verlangſamt. Ueber dem Gipfel des Wirbels, der 4 Meilen hoch ſein kann, ſammelt ſich dunkles Gewölk, aus dem reichlichen Regen niederſtrömt, und vom Innern des Wirbels aus werden zerriſſene Wolkenmaſſen nach dem Rande fortge- trieben, welche oft den Tag und das Meer in Finſterniß hüllen, Donner und Blitz erzeugen, ſich zuweilen über der Mitte öffnen und das Himmelblau im „Auge des Sturmes" ſehn laſſen. Der Mittelpunkt der Sturmwolke als dichteſter Punkt liegt an der Seite des Centrums, nach welcher die Bewegung geht, und die Wolkenmaſſe ſteht über der Vorderſeite des Wirbels. Die ſtärkſten Stürme wüthen alſo im Innern deſſelben.

„Tropiſche Wirbelwinde entſtehn unter dem 10. Breiten- grade, gehn weſtlich nach N. oder S., unter den Wendekreiſen nach N. oder S:, dann im N. nach NO., im S. nach SO., wobei jedes Meer ſeine Eigenthümlichkeit hat. Die Centren ſtehn im bengaliſchen Meerbuſen und im chineſiſchen Meere, wo die Teifuns kleine Durchmeſſer haben, faſt ſtill, andre Stürme durchſauſen 26—36 Kilometer in der Stunde, ſind in der gemäßigten Zone ſtärker als in der tropiſchen. In der nördlichen Halbkugel dreht ſich der Wind mit der Sonne, wenn er von der rechten Seite des Wirbels berührt wird, wogegen ihn die linke Seite der Sonne entgegentreibt. Auf der ſüdlichen Halbkugel geſchieht das Gegentheil. Je dichter das Centrum an einem Orte vorübergeht, um ſo heftiger weht der Sturm, um ſo ſchneller ſteigt und fällt das Barometer. Geht das Centrum über einen Ort, ſo fällt das Barometer und weht der Wind von derſelben Seite in wachſender Stärke. Plötzlich wird es dann windſtill, gießt Regen nieder, donnert und blitzt es, worauf plötzlich der Wind von der ent- gegengeſetzten Seite her weht.

„Auf dem Meere erhebt ſich unter dem Centrum des Wirbels das Meer wegen des geringen Luftdrucks. Es entſteht

artigen Regen niedrige Küsten überschwemmt, das Meer durch
unregelmäßige Wellenmassen in Aufruhr bringt, wobei Winde
von allen Weltgegenden gegen das Centrum blasen, der Wirbel
selbst in jedem Augenblick seine Lage verändert. Meeresstille
wechselt schnell mit Wellenbergen und Wellenthälern, und ge=
wöhnlich werden von den Windstößen die Masten über Bord
geschleudert. Tropische Orkane sind seltener als Stürme der
gemäßigten Zone, die periodisch zu bestimmten Jahreszeiten ein=
treten. Wirbelstürme fallen auf die heißesten Monate. Stets
findet dabei ein aufsteigender Luftstrom statt, durch welchen die
Wasserdämpfe zu Wolken und Regen sich verdichten, das Baro=
meter sinkt. Warme, feuchte Luft begünstigt das Entstehen von
Cyclonen, und da auf der Vorderseite der aufsteigende Luftstrom
am stärksten ist, so bewegt dieser den Wirbel nach dieser
Richtung.

„Die atlantischen Stürme folgen dem Golfstrome. Die
Kraft der latenten Wärme, welche in den Dämpfen der Wirbel
liegt, wird bei uns über einen größeren Raum zerstreut und
wirkt daher weniger kräftig als bei den kleineren tropischen
Wirbeln, die über warme Meere wandern, daher viel Wasser=
dämpfe aufnehmen und durch ein barometrisches Minimum erzeugt
werden. Die westindischen Orkane bilden sich in oder an dem
Windstillengürtel und sind am häufigsten, wenn dieser am weitesten
nach Norden hinaufgeht. Zwischen dem hohen Luftdruck in
Australien und dem nördlichen Stillen Meere liegt das baro=
metrische Minimum für die chinesischen Teifuns. Dieses Minimum
Ostindiens veranlaßt die bengalischen Wirbelstürme, und begegnen
Südost= und Nordostpassat sich im indischen Meere, so entstehen
dort Cyclonen. Da nun oft 10 Millionen Centner Luft tagelang
nach der Mitte eines Windwirbels stürmen, so kann ein Orkan
in der Stunde 20 Meilen durcheilen und verbraucht in diesen
Tagen 4—500 Millionen Pferdekräfte für seine Bewegung.
Diese Kraft verleiht ihm die latente Wärme der Dämpfe."

Wasser= und Windhosen (Tromben und Tornados).

Windhosen entstehen auf dem Lande als Wolke, die, bis zur Erde herabhängend, über einer schmalen Strecke schneller oder langsamer fortschreitet und gewaltigen Sturm hervorbringt, während in geringer Entfernung die Luft still steht. Auf dem Meere nennt man diese Gebilde Wasserhose oder Trombe, welche als spitze, herabhängende Wolke beginnt, bei deren Erscheinen das Meer unter ihr aufzuwallen beginnt, die Wolke mehr und mehr sinkt, das Meer höher steigt, bis sich ein trichterförmiger Schlauch herunter senkt aus der Wolke und nach der Vereinigung mit dem Meere eine oft mehrere hundert Fuß hohe Säule bildet. (Wittwer). Die finstern, säulenartigen Tromben sind kleine Tornados, welche der aufsteigende Luftstrom erzeugt, weshalb sie bei ruhiger, stark erwärmter Luft in heißer Jahreszeit ent= stehen und große aufsaugende Kraft besitzen. Oft werden sie von. Donner, Blitz und Regen begleitet.

Napier beschreibt die Erscheinung einer Wasserhose: „Das Barometer zeigte 30°, das Thermometer 27.22° C. Die Luft war schwül und dunstig, gegen Süden schwebten schwere, schwarze Wolken niedrig am Himmel, dabei herrschte veränderlicher Wind und fielen dann und wann einige Tropfen Regen. Um 2 Uhr Nachmittags bemerkte man, daß sich etwa 360 Faden rechts vom Schiffe eine außerordentliche Art von Wirbelwind bildete. Er hob das Wasser in cylindrischer Gestalt und vom Durchmesser eines Wasserfasses anscheinend im Zustande von Rauch und Dunst in die Höhe. Dieser Fuß der Trombe zog in südlicher Richtung nach dem herabhängenden Gewölke, indem er an Höhe und Um= fang zunahm, mit schraubenförmiger, schneller Bewegung, bis er mit dem Ende einer Wolke in Berührung kam, welche auch ihrerseits herabsank, um mit ihm zusammen zu treffen. Etwa eine Seemeile vom Schiffe blieb die Wasserhose einige Minuten unverrückt auf derselben Stelle stehen. An ihrem Fuße kochte und dampfte das Wasser und entlud sich rauschend und zischend in die über ihr hängende Wolke, während es selbst eine schnelle, spiralförmige Bewegung hatte und sich bog oder grade streckte, je nachdem die veränderlichen Winde es mit sich brachten,

Bald darauf kehrte die Trombe nach Norden zurück, in grade entgegengesetzter Richtung des Windes, welcher um das Schiff herrschte, und ging grade auf den Steuerbordbaum los. Man suchte derselben durch veränderte Richtung des Schiffes auszuweichen, allein sie kam so nahe, daß man das übliche Mittel wählte, auf sie zu schießen. Die Kugeln trafen gut, und eine Minute lang erschien sie wie in zwei Stücken horizontal durchschnitten, und beide Theile schwankten in verschiedener Richtung hin und her, als würden sie von entgegengesetzten Winden bewegt, bis sie sich wieder vereinigten. Einige Zeit nachher zerstreute sich das Ganze in eine ungeheure schwarze Wolke, aus der es in großen schweren Tropfen auf das Verdeck des Schiffes regnete, bis die Wolke erschöpft war.

„Zur Zeit jener Theilung durch die Schüsse bedeckte die Wasserhose eine Fläche von 300 F. Durchmesser, wogegen die dünnste Stelle des Schlauches 6 F. Durchmesser haben mochte. Die scheinbare Neigung des Halses der Wolke, in welche die Hose das Wasser auslud, betrug 40 Grad, die gesammte Höhe 1720 F., denn die Wolke erstreckte sich weit über den Scheitelpunkt des Schiffes hinaus und ringsum in bedeutende Weite. Das Wasser an der Basis kochte mit einem weißen Rauche, wovon ein Theil nach außen bis zu einem gewissen Umfange gestoßen wurde, während ein andrer Theil als ein dicker dunkler Dunst aufstieg, der sich allmälig in dünne Streifen ordnete, so wie er den Wolken näher kam, bis sich Alles zerstreute und ein heftiger Regenguß ausbrach. Kurz zuvor, ehe die Trombe sich auflöste, sah man zwei andre im Süden, die jedoch kleiner waren und nur kurze Zeit dauerten. Das Barometer stand nach dem Meteor unverändert, das Thermometer war um einen Grad gestiegen, und der Wind blies während dieser Zeit, also etwa $1/2$ Stunde lang, abwechselnd aus allen Strichen des Compasses, war aber immer schwach. Blitz und Donner wurden nicht wahrgenommen, und das auf das Verdeck fallende Wasser war reines Regenwasser."

Manche Windhose geht sehr schnell, die z. B., welche in der Normandie 1845 große Verheerungen anrichtete und 30—40 Meter Breite hatte, stürzte, einer umgekehrten Pyramide mit schwarzem Fuße und röthlichem Gipfel gleich, im Zickzack vorwärts, brach durch Wälder sich Bahn und bedeckte bei Dieppe mit mitgeschleppten Gegenständen einen Raum von 38 Kilo= metern. In Wäldern drehen solche Tromben Bäume aus dem Boden und zerbrechen sie, aus den Steppen tragen sie Myriaden von Heuschrecken nach andern Ländern oder ersäufen sie im Ocean, wenn sie vom Ostpassat ergriffen werden, so daß die Leichen oft lange Strecken an der Küste bedecken. In den Sand= wüsten wirbeln sie ungeheure Staubmassen empor, die oft den Tag zur Nacht machen, Fußgänger in den Straßen ersticken, worauf nach dem Sturme der Regen den Staub in Schlamm umwandelt und über den Boden verbreitet. Manchmal drehen sich mehrere solcher Tromben in ungeheurem Rundtanze um einen Mittelpunkt herum oder vereinigen sich zu einer Kuppel, welche Hunderte und Tausende von Metern breit ist und ganze Tage lang weite Gegenden einhüllen und die Luft dunkel und unathembar machen. Um sich zu schützen, bergen sich die Landes= bewohner in ihre Zelte, Reisende legen sich mit dem Gesicht auf den Boden, damit sie der sich anhäufende Sandwall deckt. Indem sich die Sandkörner an einander reiben, erzeugen sie electrische Ströme. Ueber den Windhosen steht die Luft ruhig, denn Raubvögel schweben hoch in ruhiger Luft, um die kleinen Thiere zu erhaschen, welche der Luftwirbel aufwärts führte.

In Hochgebirgen bewirken solche Tromben die gefürchteten Schneewirbel, führen Sandsteine mit sich fort und lassen sie dann massenweise irgendwo niederfallen. Manchmal werden von einer Trombe Masten abgebrochen, während man auf dem Verdeck nur eine geringe Luftbewegung verspürt.

Dove's Gesetz der Stürme.

Wie Roß den magnetischen Pol endeckte, Andre die Kälte= pole auffanden, welche zu beiden Seiten des Poles liegen, so fand Dove mit Hilfe des empfindlichen Barometers, daß der kälteste Punkt der Windrose in Europa im Winter mehr nach

Winter nach SW., im Sommer nach SO. ausweicht. Dies brachte ihn auf das berühmte Gesetz von der Drehung der Winde.

Das Gesetz der Stürme, wie Dove seine Lehre von den Luftbewegungen nennt, läßt sich auf nachfolgende Grundansichten zurückführen. Im Zustande der Ruhe nimmt die Luft an der Drehungsgeschwindigkeit Theil, wie sie der Ort hat, über welchem sie sich befindet. Fließt sie aus irgend welcher Ursache in einen Parallelkreis mit andrer Drehungsgeschwindigkeit ein, so nimmt sie an derselben Theil und wird in Folge davon in eine andre Richtung abgelenkt. Dann gehn auf der nördlichen Halbkugel die Nordwinde in Nordost= und Ostwinde über, auf der südlichen in ähnlicher Weise die Südwinde in Südost= und Ostwinde. Strömt ferner die Luft fortwährend nach dem Aequator und begegnet dabei dem Gegenwinde, so drängt der Aequatorialwind als Südwind den Polarwind der nördlichen Halbkugel nach Ost, Südost und Süd, wogegen er auf der südlichen Halbkugel, wo der Aequatorialwind als Nordwind auftritt, den Südpolarwind aus Ost durch Nordost nach Nord treibt. Denn die schnelleren Tropenwinde gehn nach dem Nordpol durch Südwest in West über, nach dem Südpol durch Nordwest in West. Nach dem Gesetze der Drehung bewegt sich auf der nördlichen Halbkugel der Wind, wenn die beiden Hauptströmungen abwechseln, als S., W., N., O., S. durch die Windrose, auf der südlichen Halb= kugel dreht er sich von S. nach O., N., W., S. Streicht die Luft dagegen langsam über den Boden hin, so theilt ihr derselbe mehr von seiner eigenen Bewegung mit, als wenn sie schnell darüber hinflösse, weßhalb die schnellere Luft die Windfahne mehr ablenkt.

Redfield hat nachgewiesen, daß in der tropischen Zone Stürme so lange ihre ursprüngliche Richtung von SO. nach NW. beibehalten, als sie in derselben Zone bleiben, kommen sie aber in gemäßigte Zonen, so biegen sie fast rechtwinkelig um und gehn nun von SW. nach NO. Ihnen entsprechend verändern auf der südlichen Halbkugel die Tropenwinde, die von NO. nach SW. blasen, in der gemäßigten Zone diese Richtung in eine Bahn von NW. nach SO., worauf die unter den Tropen nur allmälig sich erweiternden Wirbel bei diesem Umbiegen schnell an Breite zunehmen und oft dann erst ihre größte Stärke erlangen. Auch vermehrt sich im Allgemeinen die Geschwindigkeit des Fortrückens des Centrums, so wie der Sturm an der äußeren Grenze des Passats rechtwinkelig sich umbiegt, und die Schnelligkeit steigt manchmal von 5 Meilen in der Stunde auf 10 Meilen.

Die westindischen Stürme entstehen an der innern Grenze der Passate, d. h. in der Gegend der Windstillen, und wenn dabei Theile des oberen Passates in den unteren einfließen, so entstehen Stürme. Zugleich nimmt die Electricität mit steigender Temperatur zu, der Druck der trockenen Luft aber von den kälteren Monaten nach den wärmeren zu ab. Der wärmste Monat ist daher auch der trockenste. Fließt nun die von Asien und Afrika aufsteigende Luft seitlich ab, so sperrt sie dem oberen Passate seine Rückkehr nach den Wendekreisen und zwingt ihn, in den unteren einzudringen. Die Stelle dieses Eindringens schreitet dann in dem Maße fort, als der gehemmte obere Wind von O. nach W. vorrückt. Aus einem von O. nach W. gerichteten Strome, der in einen von SW. nach NO. wehenden einfällt, muß eine wirbelnde Bewegung entstehen. Dann bezeichnet der im unteren Passat von SO. nach NW. fortschreitende Wirbel die auf einander folgenden Stellen, wo jene Windrichtungen rechtwinkelig auf einander stießen und sich fortschoben. Daher sind denn auch die westindischen Inseln das Grenzgebiet zweier entgegengesetzter Wettersysteme. An der Koromandelküste erwartet man Stürme im April und September als den Wendemonaten der Monsuns, an der Malabarküste während des Westmonsun.

Wenn bei den Stürmen der Passatzone der kreisende Chlinder aus dem unteren Passat da in den oberen übergreift, wo in der Höhe eine südwestliche Richtung vorherrscht, so folgte der obere Theil sofort der Richtung, welche der untere erst beim Ueberschreiten der äußeren Grenze des Passats erhält. Dann erweitert sich der obere Theil des Wirbels und schreitet nach einer andern Richtung fort, als der untere. Dadurch entsteht ein Saugen in der Mitte des Wirbels, außerdem eine Verminderung des Druckes

Ruhe, weil zwei gegen einander wehende Winde sich gegenseitig stauen und ihre Kraft um so mehr abnimmt, je mehr man sich der Stelle ihres Zusammentreffens nähert. Da die Säulen der Windhosen vorn überneigen, so mischen sich untere warme und kalte obere Luftschichten und veranlassen heftige Regengüsse, Blitze und Donner. Dabei bildet sich die kleine schwarze Wolke, welche die Seefahrer das Ochsenauge nennen. Sie zeigt sich plötzlich am Himmel, geräth bald in heftige Bewegung, wächst gewaltig aus sich selbst heraus, bedeckt schnell den ganzen Himmel und erzeugt einen Aufruhr der Elemente, der um so furchtbarer erscheint, je ungetrübter unmittelbar vorher die Heiterkeit des Himmels war. Wenn sich Stürme beim Fortschreiten verengen müssen und dann schnell erweitern, richten sie oft große Verheerungen an. Europa hatte im December 1821 vierzehn Tage lang furchtbare Stürme vom Mittelmeere bis Brest und Irland. London ward überschwemmt, an den Mittelmeerküsten fielen ungeheure Regenwasser nieder, die Schweiz litt durch verheerende Stürme. Ein Sirocco verursachte auf Sicilien durch Regengüsse einen Schaden von 5 Millionen Ducaten, denn er vernichtete die Maulbeerpflanzungen, verschlämmte Mühlen, so daß Brodmangel entstand, überschwemmte mit Regen Oberitalien und den Pelopones, daß der Eurotas in Einer Nacht 30 Fuß hoch stieg, versenkte an der Sulinamündung viele Schiffe und machte die russische Küste am Schwarzen Meere zu einer grundlosen Schlammmasse. Ja der Orkan von Havanna im Jahre 1846 brachte Frankreich durch Regengüsse und Staubfall mikroskopischer Thierchen Schaden, und an den französischen Alpen wütheten Regen und Sturm so arg, daß die Vögel in Schornsteine und Zimmer flohen.

Treffen Luftströme unter irgend welchem Winkel derart auf einander, daß sie in parallelen Betten neben einander hinfließen in entgegengesetzter Richtung, so übt die kalte Polarluft einen stärkeren Seitendruck aus als die warme Tropenluft, bringt also in diese ein. Liegen die Ströme gesondert neben einander, so nimmt die mittlere Geschwindigkeit beider zu. Der südliche Strom fließt jedoch etwas schneller, da ihn ein sich verengendes Bett leitet, wogegen der kältere nach dem Aequator zu sich immer mehr erweitert. Der schnellere Tropenstrom verweilt also kürzere

Zeit über dem Boden seines Bettes und wird vom Erdumschwunge stärker nach Westen abgelenkt, während der Polarstrom sich mehr östlich hält.

Dove faßt das Ergebniß seiner vieljährigen Forschungen in folgende drei Gesetze zusammen:

1) Alle stetigen Winde werden durch die Erdumdrehung so abgeändert, daß Aequatorialströme eine westliche Ablenkung erhalten, Polarströme eine östliche, Parallelströme gar keine. Die Passate NO. und SO. sind stetige Polarströme, die Monsuns Abwechselungen eines Polar= und Aequatorialstromes in der jährlichen Periode, daher NO. und SW. auf der Nordhälfte der Erdkugel, SO. und NW. auf der Südhälfte. Aus diesem Grunde muß der NO. der Polarstrom, OS. sein Uebergang in den Aequatorialstrom, SW. der Aequatorialstrom und WN. dessen Uebergang in den Polarstrom sein. In derselben Weise folgen auf der Südhälfte SO., ON., NW. und SW.

2) Ein stetiger Wind wird gehindert an dieser regelmäßigen Ablenkung, wenn eine beständige Windrichtung senkrecht auf ihn trifft, oder wenn ein weniger abgelenkter Strom oder endlich ein mechanisches Hinderniß eintritt.

3) Wirbelwinde entstehen an bestimmten Stellen und folgen einer bestimmten Richtung, haben 60 — 1000 Seemeilen Durch= messer, und die westindischen wehen an der inneren Seite des Nordostpassates im Spätsommer und Herbst, die Teifuns im Herbst und mit Anfang der Südwestmonsuns.

Stürme richten oft großen Schaden an, aber Winde sind für die große Oekonomie der Erde nothwendig, denn sie besorgen die gleichmäßige Vertheilung der Feuchtigkeit und des nährenden Regens, trocknen aber zugleich auch durch die stärkere Verdunstung überfluthete Gegenden ab oder machen andre zur Wüste, führen schädliche Miasmen fort, verstreuen Pflanzensamen und bringen mit den warmen Dünsten auch Wärmezuschuß in kühle Länder. Dadurch wirken sie auf Klima und Temperatur ein, regeln die Verbreitung von Pflanzen und Thieren, helfen dieselbe ernähren u. s. w. Daher wird die Luft ein belebendes Element, welches

Geschöpfe, aber dadurch eben den Kreislauf der Stoffe fördert. Die Luft vermittelt die Verbreitung der Electricität und des Magnetismus, in ihr entwickeln sich blitzfunkelnde Gewitter und farbenglänzende Nordlichter; das Studium der Luftthätigkeit entwickelt den menschlichen Scharfsinn und das durch die Luftwärme bedingte Klima übt einen wesentlichen Einfluß aus auf menschliche Kultur- und Weltgeschichte.

Drittes Kapitel.

Die Luft als Regenverbreiterin.

~~~~~~

Wasserdunst als Luftfeuchtigkeit.

Die Luft ist noch beweglicher als das Wasser. Ihre Atome schweben unaufhörlich auf und ab, wandern von einer Zone zur andern, von einem Erdtheile nach den übrigen und saugen Feuchtigkeit auf, oder nehmen vielmehr die in luftartigen Dunst verwandelten Wassertheilchen auf, die uns als Wolke, Regentropfen, Schneeflocke u. s. w. sichtbar werden. Dieses Luftwasser stürzt als Regen nieder, oft in Gewittern, nährt Bäche und Flüsse, Gärten und Felder, baut aber auch in kalten Höhen Gletscher auf oder durchhöhlt die Erdrinde als warme Quelle. Kurz, die Luftatome verändern unausgesetzt Ort und Gestalt. Trotz dieser unausgesetzten Weltfahrten geht kein Stäubchen verloren; es vertheilt sich die Masse zwar ungleich, aber im Ganzen bleibt sie dieselbe. Giebt es in einem Lande zu viel Schnee oder Regen, so erhält ein andres wenig oder gar nichts. Man hat in Frankreich und Italien seit 2000 Jahren z. B. keine Temperaturveränderung bemerkt, weil jetzt noch solche Pflanzen dort wachsen, welche eine bestimmte Temperatur voraussetzen; beide sind weder feuchter noch trockner geworden.

Obschon also die Verhältnisse im Großen sich gleich bleiben, so schwanken sie doch im Einzelnen fortwährend, weil sie sich

Nebeneinflüssen anpassen und sich für jeden Tag, für jede Stunde individualisiren. Wenn wir die Körperchen zählen könnten, welche in unserem Blute schwimmen und uns am Leben erhalten, so würden wir finden, daß ihre Zahl mit jeder Stunde wechselt. Ebenso wechseln auf der Erde an demselben Orte und zu der= selben Jahreszeit Luftdruck und Luftfeuchtigkeit, d. h. die Mengen der Luftatome schwanken als Barometerstände 1—14 Linien, dabei gehn diese Schwankungen wie Wellen über die Erde, indem sie in jeder Stunde 26—31 Meilen zurücklegen.

Wenn es geregnet hat und sich kleine Pfützen ansammeln, so verschwinden diese wieder in wenig Stunden, sobald die Sonne sie stark bescheint. Selbst der Schnee auf den Bergen verdunstet, d. h. die Luft nimmt den Wasserdampf in sich auf, indem sich unter dem Einflusse der Wärme die Wassermolecülen in Dunstbläschen von unendlicher Kleinheit verwandeln, die sich wie Ballons erheben und in der oberen Luft verschwinden, ohne daß wir etwas davon bemerken. Häufen sie sich in großer Masse an und vereinigen sich die kleinen Bläschen oder Kügelchen zu dichten Schichten, so nennen wir diesen sichtbar gewordenen Wasserdunst Wolken oder Nebel. Die Luft hat das Bedürfniß, Feuchtigkeit aufzunehmen, aber nur bis zu einem gewissen Grade, d. h. bis sie gesättigt ist. Ein Ueberschreiten dieses Maßes ist ihr unmöglich, denn sie kann die Dunstmassen dann nicht mehr in der Schwebe halten, diese gerinnen vielmehr zu Wassertropfen zusammen und fallen dann als Regen nieder, wobei sich Electricität als Gewitter entwickelt und das Klima des Landes beeinflußt wird, indem Regen und Gewitter Wärme verbreiten, aber auch Hitze mildern. Daher sagen wir: Regen kühlt die Luft ab, Schnee macht sie trocken.

Um die Menge der Verdunstung zu berechnen, hat man untersucht, wie viel Wasserdunst die Luft aufzunehmen vermag, und dabei gefunden, daß bei 20° unter Null ein Kubikmeter Luft nur ein Gramm Wasserdampf enthält, beim Schmelzpunkte des Eises mehr als 5 Gramm, und so steigt die Aufnahmsfähigkeit regelmäßig bis 30 Grad. Ueber diese hinaus wird die Fähigkeit der Luft, Feuchtigkeit aufzunehmen, viel größer, denn bei 100° beherbergt sie so viel Dampf, als sie selbst groß ist. Dann wirft der Dampf Blasen auf, indem er die auf ihn lastende

Luftſäule in die Höhe hebt. Beim Steigen der Temperatur nimmt alſo der Dampfgehalt der Luft zu, beſonders wenn dieſelbe bewegt iſt. Steht ſie dagegen über einer Waſſerfläche ſtill, ſo nimmt ſie nur ſo viel Feuchtigkeit auf, bis ſie geſättigt iſt. Streicht ſie jedoch als Wind über das Waſſer, ſo ſättigt ſich jede Luftwelle und eilt weiter, um der nachfolgenden Platz zu machen. Weil ſich nun eine Menge von Luftwellchen ſatt trinken, ſo trocknen die Winde den Boden aus, friert es bei Winde heftiger und kühlt im Sommer der Wind, weil er die Aus= bünſtung des Körpers aufſaugt und davon trägt. Durchfeuchteter Boden erhält dann auch beim Austrocknen Sprünge und Riſſe, wenn die trockene Wärme lange anhält.

Dieſen Waſſerdunſt tragen die Winde davon und verbreiten ihn über die Länder, indem ſie denſelben an trockene Luft ab= geben, welche alſo ſtets einige Feuchtigkeit beſitzt. Je nach den Breitengraden iſt die Dampfmenge der Luft natürlich verſchieden, am Aequator am größten, an den Polen am geringſten. Ebenſo nimmt die Feuchtigkeit von der Küſte nach dem Binnenlande zu ab. England und Irland haben feuchte Luft, Aſiens Steppen dagegen trockene. Kalte Luft nimmt weniger Feuchtigkeit auf als warme, denn ſie ſcheidet dieſelbe als Schnee aus, und der trockene Wüſtenwind Sirocco wird erſt feucht in den Alpen, wo er den Schnee in Waſſer verwandelt.

An jedem Tage ſchwankt die Luftfeuchtigkeit. In der Morgen= kühle beginnt der Boden nach und nach auszudünſten, die Luft= feuchtigkeit wächſt, nimmt mit der Wärme des Tages zu und verringert ſich wieder gegen Abend. Den höchſten Grad der Feuchtigkeit erhält die Luft in den heißeſten Stunden daher auf den Bergen, weshalb das Faulhorn z. B. oft von Wolken um= geben iſt, wenn Zürich heiteres Wetter hat.

Steht eine feuchte Luft über dem Boden und überſteigt den Sättigungspunkt, ſo verdichtet ſich der Waſſerdunſt zu weiß= lichen Tropfen, die wir dann als Nebel wahrnehmen, welcher über dem Boden ſteht oder in Wolkengeſtalt an den Bergen hinauf kriecht, namentlich wenn des Nachts die Atmoſphäre erkaltet iſt und die warme Ausdünſtung des Bodens ſich in der= ſelben verdichtet. Bei großer Kälte gefriert der Dampf zu Reif, welcher dann Bäume und Grashalme ſo zierlich einfaßt, wie wenn sie mit Kryftallblumen befetzt wären. Nebel entfteht alfo nur in den unteren Luftfchichten, wenn Wafferdämpfe zu Bläschen gerinnen, wenn feuchte Winde über kalten Boden oder Eis hin- ftreichen, oder wenn das Waffer wärmer ift als die Luft. Weht ein kalter Wind über das Meer, fo entfteht Froftrauch. Da der Golfftrom in die Fjords Norwegens eindringt, fo entfteht im Hintergrund derfelben bei kaltem Landwind Froftrauch, der am Meere endet.

Oft fteigen Nebel Abends über feuchten Wiefen, Mooren und Sümpfen auf, fchweben über Seen und Teichen, wenn die Luft fich fehr abgekühlt hat. Weht ein kalter Wind von oben herab und hält die Feuchtigkeit in den unteren Luftfchichten feft, fo bleiben die Nebel tage- und wochenlang ftehen, über dem Nebel aber leuchtet reines Himmelblau, während in feuchten Thälern Nebelmaffen auf und nieder wogen wie ein ftürmifches Meer, auf welches man von den fonnebefchienenen Bergen niederblickt.

Wolkenbildungen.

Bekanntlich wird die Luft nach oben zu dünner und leichter, wogegen die untere wärmer und dadurch elaftifch gemacht ift. Daher fteigen die erwärmten Luftmolekülen der unteren Schichten wie Korke im Waffer aufwärts, bis fie in kältere Luftftriche gelangen, wo fie ihren Sättigungspunkt erreichen und fich zu Tröpfchen verdichten, deren Maffe dann als Wolke fichtbar wird. Berühren fich über einander gelagerte Luftfchichten von verfchiedener Temperatur, fo verwandelt fich ihr Wafferdunft in Bläschen durch Einwirkung des auffteigenden Luftftromes. Es entfteht eine Wolke. Dadurch wird aber gebundene Wärme frei, welche nun die weitere Temperaturabnahme verlangfamt. Bei trockner Luft bilden fich Wolken erft in bedeutender Höhe, um dann fo lange zu finken, bis fie der auffteigende Luftftrom wieder auf- wärts treibt. Hört diefer auf, fo finkt die Wolke. Dabei werden ihre unterften Schichten von den warmen Luftfchichten des

Bodens aufgelöst, und die Wolke scheint zu schweben. Nach Tyndall's Ausdruck ist jede Wolke nur der sichtbare Gipfel einer aufsteigenden Dampfsäule, welche sich in die Atmosphäre erhebt. Diese Dampfbläschen sind unendlich klein, da erst 25—30 einen Millimeter Breite erreichen; aber bei der Unruhe der Luft werden sie an einander gestoßen und fließen zu sichtbaren Tropfen zusammen, die als Regentropfen ¹⁄₂ Centimeter Durchmesser haben können. So lange diese Bläschen klein und fein sind wie Staub, werden sie von den Winden am Himmel hin und her getrieben und machen oft weite Reisen. Dabei wachsen sie jedoch, weil immer mehr Tröpfchen zusammen fließen, bis sie so schwer werden, daß sie die Luft nicht mehr tragen kann. Dann fallen sie schräg zu Boden nieder als feine oder schwere Regen= tropfen oder als Platz= und Gußregen je nach der Temperatur, der Stärke des Windes, der Dicke der Wolkenschicht. Oft sieht man hoch am Himmelblau Wölkchen unter einander hin nach verschiedenen Richtungen ziehn, andre dazwischen still stehn, woraus man folgern muß, daß dort oben verschiedene Luft= strömungen herrschen. Luftschiffer kommen oft abwechselnd durch feuchte und trockne, kalte und warme Wolkenschichten, welche durch freie Himmelsräume von einander getrennt sind. Einst hatten sie bei 10,000 F. Regen, tiefer unten Schneegestöber, dann Sonnenschein und dicht über der Erde Gußregen, der den ganzen Tag anhielt. Wenn nemlich in den obersten Luft= schichten die Tröpfchen erkalten, so sinken sie auf nicht so kalte Schichten herab, werden erwärmt und verdunsten von hier aus von Neuem, worauf sie wieder emporsteigen, um weiter oben zu erkalten und wieder zu sinken. Daher giebt es dort ein stetes Kommen und Gehen, ein Steigen und Sinken, wie es auch in der Menschenwelt vorkommt. Wolken sind in steter Be= wegung begriffen, im steten Entstehen und Vergehen, sind ferne Nebel.

Zwischen den Wolkenschichten besteht ein steter Austausch und lebendiger Wechselverkehr. Nimmt die Wärme zu, so ver= ringert sich die Wolke; wird es dagegen „am Himmel" kälter, so wächst auch die Wolke mit ihrer Finsterniß. Reclus schildert dies auf geistreiche Weise. Da oben in unerreichbarer Höhe

Himmelsocean, wie ein verirrter genialer Gedanke in seliger
Ruhe dahin schwimmend. Siehe, da gesellt sich eine Wolken-
flocke zu der andern, es wird ein größeres dunkles Ganzes
daraus, eine Gesellschaft, an welche sich Wolkenproletarier anhängen und der Wolkengesellschaft in ihren Umrissen ein zer-
setztes, verzetteltes und aufgefranstes Aussehn geben. Doch blickt
durch Lücken hier und da das ruhige Azurblau der himmlischen
Höhen zwischen den Standesunterschieden der Flöckchen hindurch,
bis sich die Wolke als vollendetes Ganzes, als Reich, gleich
einem dunkeln Vorhange vor dem Himmel vorspannt. Man
sieht nicht mehr den Himmel, sondern das Wolkenreich, doch
nun beginnt auch die Theilung der Wolke, sie schichtet sich nach
Ständen, theilt sich in Provinzen, die sich trennen, um sich bald
wieder mit dem Hauptreiche zu vereinigen, vorauseilen und
dann eingeholt werden, und dazwischen schaut durch Wolkenritzen
und Klüfte zwischen den Ständen der blaue Himmel wie ein
Ideal hindurch. Endlich ziehn dichte Wolkenmassen wie Kriegs-
heere herauf, verdichten sich, trennen sich, häufen sich über einander, das Himmelblau verschwindet, und die Gewitterschlacht
beginnt. Erst wenn diese ausgetobt hat, erscheint das Blau
wieder, Frieden und Klarheit strahlend wie das ewige Gesetz
der Wahrheit. —

Von Winden, Temperatur und mancherlei Nebenumständen
hängt es ab, wo sich Wolken bilden. Bald streichen sie tief
herabhängend an Bäumen und Häusern vorbei, bald sieht sie
der Luftschiffer noch hoch über sich; bald legen sie sich wie eine
Wulst um niedre Berghänge, während deren Gipfel im Sonnenschein strahlen, bald ballen sie sich zu wirren schweren Knäueln
um die Berghöhen zusammen und setzen ihnen verfinsternde
Bischofsmützen auf. Astronomen berechnen ihre Höhe auf
11540 Meter, Physiker nur auf 2—3000 Meter — in Mitteleuropa — so daß sie Mittelgebirge überfluthen, an Hochgebirgen
wie eine Brandung anschlagen und aus ihrer luftigen Höhe als
Regen niedersinken. Die Dicke oder Mächtigkeit des Wolken-
ringes, welcher die Erde umspannt, schätzen Luftschiffer auf
5000 Meter, Peytier auf 400—600 Meter und Smith für
Teneriffa, wo er Jahre lang die Wolken studirte, auf 300 Meter.
Die verschiedenen Wolkenschichten, die über einander lagern,

bilden gewissermaßen stehende Meeresbecken von Wasserdampf, dessen Moleculen erkalten oder sich erwärmen, sich anhäufen oder zerstreuen, steigen und sinken, wie es in Meeren und Seen die erwärmten oder abgekühlten Wassertropfen thun. Es wiederholt sich in besonderer Form ein allgemeines Gesetz. Hohe Berge sind also meistens in Wolken gehüllt, weil die Luft, indem sie an ihnen hinauf oder hinab steigt, sich zu Wolken verdichtet. Gelangen diese beim Sinken in warme Luftströmungen, so wird ihre Unterseite aufgelöst, und wir meinen, die Wolke ruhe auf dem Gipfel.

Erhalten die Wolken Zuschuß vom Lande oder Meere, so entstehen neue Gebilde und Strömungen, deren Ursprung ein aufmerksames Auge sofort erkennt. Die Indianer Nordamerika's finden den Lauf des Mississippi auf, wenn sie die langen Wolken- schichten überblicken, in denen seine Wasserdämpfe sich ablagern. Der erfahrene Seemann unterscheidet bei Inseln sofort Land- und Meerwolken, besonders bei Teneriffa. Denn hier breitet sich im Sommer die weiße Fläche der Wolken, welche die Passate herbeitreiben, gleichmäßig über den Ocean aus. In ruhigen Zeiten wird das Wolkenbett enger, die Wolken sammeln sich wie Dunstklippen 2—3000 Meter hoch um den Pic von Teyde, und in diesem Kreise von Meereswolken umgiebt sich die Insel mit einem besonderen Mantel von Landwolken. Diese hängen dann an den Berglehnen unter den Meerwolken in Zipfeln und Fetzen herab und haben ihre eigne Bewegung, Farbe und gewundene Form. Smith vergleicht die Landwolken Teneriffa's mit Landeis, welches sich an den Inseln und Festländern des Polarmeeres anlegt und eine feste Platte bildet, wogegen die Schollen des Meeres sich unter der Gewalt der Meeresströmung brechen. Ueber den Pic geht der obere Passat hinweg, von Süden nach Norden eilend, wogegen der Nordpassat gegen den Berg anrennt. Dann bilden sich in den tieferen Gegenden Wolken aus der Ver- dunstung des Bodens unabhängig von jenen Luftströmen.

Um die Wolkengebilde genau bezeichnen zu können, hat Howard sie in ein System gebracht, welches aber unzureichend ist. Er unterscheidet Cirrus (Federwölkchen), Cumulus (Haufen- wolken) und Stratus (Schichtenwolken) mit den Zwischenklassen

Federwolken oder Schäfchen — kleine, fein gekräuselte, weiße
Wölkchen — nennt der Seemann Katzenschwanz. Sie gehn sehr
hoch — nach Kämptz 6500 — 8500 Meter —, stehn über den
höchsten Bergen noch hoch, theilen sich oft in dünne Fäden und
Parallelstreifen, ruhen träumerisch in den Tiefen des Himmel-
blaus oder werden von Passaten hin und her getrieben. Jedenfalls bestehn sie aus feinen Eisnadeln wie der Polar- und Firn-
schnee; sinken sie dann und schmilzt ihr Eisschnee, so werden sie
zu dem durchsichtigen Schleier des Cirro-Cumulus oder Cirro-
Stratus. Man nennt daher auch das leichte, reihenweise geordnete
Gewölk der Schäfchen Cirro-Cumulus. Mischen sich die Cirrus-
streifen und rinnen zu der grauen baumwollenartigen Masse des
Stratus zusammen, so folgt bald Regen. Dagegen entsteht ein
Cumulus, die Sommerwolke der Tropen, bei hoher Temperatur
und aufsteigendem Luftstrom in tieferen Lagen der Atmosphäre.
Er hat eine horizontale, ebene, etwas dunkle Grundfläche, über
welcher er sich kugelig wölbt und in glänzend weißen Gipfeln
endet. An seiner Grundfläche erreicht der aufsteigende Strom
seinen Thaupunkt, weshalb sich solche Wolken im Laufe des
Tages heben und senken. Wenn Cumulus bei uns den Himmel
mit Häuschenwolken bedeckt, so gleicht der Himmel dem Fell
eines Apfelschimmels, ehe sich diese Wolken zu breiten Ballen
zusammen knäueln.

Die Haufenwolken, welche der Seemann Baumwollballen
nennt, werden nicht von Winden herbeigeführt, sondern entstehen
auf der Stelle ihres Daseins durch Verdichtung aufsteigender
Luftsäulen. Sie häufen sich am Rande des Horizontes zu scharf
abgerundeten, vorhangartigen Massen auf, welche manchmal Hochgebirgen mit Eisgipfeln gleichen, haben stets eine wagerechte
Unterlage und dehnen sich in mächtigen Schichten aus. Der
Cumulus enthält viel Feuchtigkeit, ist daher schwer, geht nur
3100 Meter hoch, mischt sich mit Cirrus und den breiten
Schichten des Stratus, die sich in parallelen Streifen über den
ganzen Himmel hinziehn. Sie entstehn aus Nebel und lagern
oft über dem Boden. Unter Nimbus endlich versteht man eine
Regenwolke, welche sich über den Himmel ausbreitet und abwärts sinkt.

Bei uns ist der Cumulo-Stratus mit seinen unbestimmten,

zerfließenden Umrissen die gewöhnliche Wolkenform. Er streicht oft dicht über der Erde hin, bedeckt auch wohl den ganzen Himmel und macht ihn „trübe“. Uebrigens hängt die Bewölkung von Winden ab. Bei uns z. B. treiben Südwestwinde im Winter Wolken herbei, machen Westwinde im Sommer den Himmel klar. In Ostindien bringt der Landwind im Winter klaren Himmel, im Sommer Wolken, und die Calmen um= schlingt ein stehender Wolkengürtel.

Regen.

Unsre Geschichtsschreiber schenken dem Regen und seinem Einflusse auf das Völkerleben wenig Aufmerksamkeit. Das alte Griechenland war waldreich und hatte Winterschnee, das heutige aber nackte Felsen und verarmte Bevölkerung. Italien und Spanien waren waldreich und durch Regen fruchtbar, jetzt werden die regenarmen Gebiete zur Steppe. Im alten Palästina flossen Honig und Milch, als es noch regenerzeugende Waldungen trug, jetzt ist es staubige, baumlose Einöde. Der Wald schützt das Land gegen das Uebermaß des Klimas, erhält den Menschen= geist frisch und fröhlich, erquickt das Gemüth und zieht ernähreuden Regen herbei. Alle Kulturvölker verehrten Wald und Wasser, weihten Bäume und Quellen den Göttern, wogegen unsre geld= gierigen Grundbesitzer den Wald verwüsten und damit den Regen selten machen, so daß nun ihre Felder unfruchtbar werden. Zur Zeit der französischen Revolution verwüstete man die Wälder, um Geld aus deren Abholzung zu lösen, und jetzt leidet Süd= frankreich an Trockenheit. Bäche und Flüsse sind verschwunden, Oelbäume erfroren, Thäler zu Steinwüsten geworden. Der ungarische Bauer haut Bäume nieder, wenn er Holz braucht, aber nie pflanzt er einen an und wundert sich, wenn mit jedem Jahre Regenmangel eintritt.

„Je mehr die natürlichen Unterschiede des Bodens durch gleichförmige Bebauung desselben verwischt werden, desto seltener werden locale Unterschiede. Europa hat sich durch seine Kultur in immer gleichmäßigere Regenzeiten hineingearbeitet, wie Dove behauptet, welche veranlassen, daß die Flüsse eine lange Zeit fast wasserleer sind, während sie zu einer andern in ihren Ufern die herandringende Wassermasse nicht zu fassen vermögen. Das noch jungfräuliche Amerika, noch nicht des Schmuckes seiner Wälder beraubt, ist daher nicht wie Kleinasien, Griechenland und Italien großentheils in eine baumlose Wüste verwandelt, daher mag die Sommerregenzeit noch nicht die Beständigkeit haben, welche bei uns jede Badereise verdirbt."

Winde und Stürme, als Regulatoren des Erdlebens, gleichen die Verschiedenheit der Luftfeuchtigkeit aus, bringen den unentbehrlichen Regen, tränken mit ihm Flüsse und Felder, tragen aus den Tropen die Ueberfülle von Wasserdampf nach kühleren Gegenden, um als kolossale Wärmflaschen dieselbe auszuheizen. Wo der Regen gehindert wird durch aufsteigende heiße Luftströme, werden große Landstrecken zur Wüste. Dagegen sind die zwischen dem 5.° n. Br. und 3.° s. Br. auf- und abschwankenden Calmengürtel zugleich Regengürtel, wo täglich Regen fällt, an manchen Orten 9 Stunden lang. Der Amazonenstrom verdankt ihm seine Wasserfülle und seine Urwälder am Ufer. Es erhält Nordaustralien nur 2210 Millimeter Regen, Tahiti 1200, die Sandwichsinseln 1400, Vera Cruz in Mejico 4650, dagegen Maranhao in Brasilien 7120, die Sierra Leonaküste 4800, die canarischen Inseln nur 230 Millim. Unter dem Aequator giebt es Gegenden, wo selten oder nie Regen fällt, z. B. an der Küste von Peru. Denn die Nordost- und Südostpassate versorgen zwar Südamerika's Flüsse reichlich mit Wasser, aber die Westseite der Anden bleibt regenarm. Denn die Wolken können nur dann die Cordilleren übersteigen, wenn sie durch starke Regengüsse sich erleichtert haben, und die Winde, von denen sie getragen werden, sinken erst in weiter Entfernung aufs Meer nieder, um es verdunsten zu machen. Zugleich halten sie diejenigen Winde ab, welche gegen die Küste wehen, an welcher außerdem noch der kalte Humboldtstrom vom Südpolarmeere her fließt, alle Feuchtigkeit der Luft verschluckt, um sich zu erwärmen, und dadurch die Küstenluft trocken macht. Es bilden sich an Peru's Küste daher wohl Nebel, aber selten eine Wolke. Auch Mejico's Westküste leidet durch Dürre, weil die Passate sie nicht erreichen wegen der Gebirge an der Ostgrenze. Weiter im Norden fallen die Regen der oberen Passate an den See= alpen nieder, wogegen die Felsengebirge, Tejas, Colorado und Neu = Mejico trocken bleiben. Nur Südmonsuns bringen hier Regen, aber im ganzen Jahre nur 5 Millimeter.

Regenarm oder regenlos ist auch der doppelte Wüstenring, welcher die Erde umgürtet, denn südlich der Sahara = Arabien= Gobi = Wüste giebt es einen zweiten in der Gegend des Wende= kreises des Steinbocks (Kalahari in Südafrika, die südameri= kanischen Pampas, das Innere Australiens), weil die Passate allen Wasserdunst aufsaugen, besonders da, wo sie sich den Calmen nähern und die Temperatur steigt, oder wo Gebirge (Altai, Demavend, Dschebel Hâgar in der Sahara, das Cordova= gebirge in den Pampas) die feuchten Winde zu Umwegen zwingen. Wo Regen fehlt, findet keine Auswaschung der Gebirge statt, welche daher unförmliche Massen bleiben, mauerartig empor= steigen und ganz ebene Hochflächen tragen. Nur hier und da erhebt sich ein Hügel, senkt sich eine Lagune in Niederungen ein, bleibt die Vegetation spärlich oder fehlt ganz. Wie Tschudi berichtet, ist die Luft auf den kahlen Hochebenen der Anden so trocken, daß die Haut aufspringt und die Nägel wie Glas zer= brechen. Mitten am Tage steigt Schneedunst in dünnen Wölkchen empor und verschwindet in der Höhe.

Das Entstehen des Regens wird durch Temperaturmischung bewirkt. Je wärmer die Luft ist, um so mehr Wasserdampf nimmt sie auf, der zu Nebel, Wolke und endlich zu Regen wird, wenn Wolken von verschiedener Temperatur sich mischen, kalte und warme Winde einander begegnen und sich durchwehen. Dauert eine solche Mischung lange, so regnet es viel und an= haltend, weil immer neue Luftfeuchtigkeit zugeführt wird. Dabei nehmen die Tropfen beim Niederfallen unterwegs noch alle Feuchtigkeit auf und werden also um so größer, je höher sie herabfallen. Denn es regnet nicht nur die Wolke, sondern die ganze Luftsäule von der Wolke bis zur Erde, weshalb auf Hausdächer weniger Regen fällt als auf den Erdboden. Auf die Terrasse der Sternwarte zu Paris z. B., welche 28 Meter über den Erdboden emporragt, fällt 60 Millimeter weniger

steigende Wasserdampf sich mit den fallenden Tropfen verbindet.
Es regnet daher auch im Sommer mehr als im Winter, weil
bei der Wärme die Luft mehr Wasserdunst verschluckt, und
nimmt die Regenmenge von den Polen nach dem Aequator hin zu.
Der Regen wird dann je nach seiner Entstehnngsart zu Staub-,
Platz-, Strich-, Landregen, Wolkenbruch u. s. w. Unter den
Tropen stehn die Wolken hoch, daher werden die Wassertropfen
groß und regnet es „Bindfaden". Bei milder Witterung werden
Schneeflocken groß, bei strenger Kälte aber staubartig. Je tiefer
also Regenmesser stehn, um so mehr Wasser erhalten sie. Gelangen Tropfen aus kühlen Luftschichten in warme, so werden
die Tropfen zu Sprüh- oder Spritzregen, oder es entstehen Regenbogen ohne Regen. Sind Hitze und Verdunstung sehr groß, so
giebt es heftige Gewitter und Monate langen Regen, welcher
unter den Tropen daher dem Stande der Sonne und den
Passaten folgt. Denn hier begegnen sich Südwest und Nordost,
die Temperatur sinkt, die Wasserdämpfe werden zu dicken Wolkenschichten, welche die Region der Calmen als breiter dicker Ring
umgürten, und heftige Regengüsse stürzen nieder. Die Engländer
nennen daher diese Gegend „Sümpfe" (swamps), die Franzosen
aber Blindekuh (pot au noir).

Wenn wasserreiche, warme Regenwolken vom Meere herüber
an die Küste kommen und dabei in die kühle Temperatur des
Landes gerathen, so fällt ihr Wasserdunst als Regen nieder.
Da Wälder und Gebirge Kühlung verbreiten, so verursachen sie
gleichfalls eine Verdichtung des Wasserdunstes und werden zu
Wolken- und Regensammlern. Stoßen zwei ungleich erwärmte
Luftströme auf einander, so entstehen Nebel oder Regen, weshalb
es z. B. im Feuerlande, wo kalte und warme Luftströme ein-
ander kreuzen, täglich schneit und regnet. Begegnen Polar- und
Aequatorialstrom einander, so entstehen in wenig Stunden schwarze
Regenwolken, die den ganzen Himmel überziehn und sich in
Gewittern entladen. Bei sinkender Temperatur verliert die Luft
die Fähigkeit, viel Feuchtigkeit aufzunehmen, und scheidet ihren
Ueberschuß als Regen aus, wobei dann beide gemischten Ströme
eine Mitteltemperatur erhalten.

Aehnlich verhält es sich bei Gebirgen. Ragen diese hoch
empor, so schlagen die Wolkenwogen an die kalten Gesteine und

werden zu Regen. Auch ist die Bergluft kühler, weshalb sich
leichter Wolken aus dem aufsteigenden Dunste bilden. Streichen
Wolken über niedrige Pässe, so verirren sich einzelne Abtheilungen
in die Schluchten und Bergwinkel, wo sie sich abregnen, um
leichter zu werden und dann das Gebirge zu übersteigen. Selbst
nach dem Regen sieht man dessen Verdunstung als breiten
Nebelflor die Spitzen der Bäume und Berge umziehen, bis
dieser Duft wieder als Regen niedersinkt oder sich zu unsichtbaren Bläschen ausdehnt. Denn am Tage erwärmen sich die
Berggipfel, aber in die Schluchten dringt die Sonne nicht, und
in dieser kühlen Luft sammeln sich Regenwolken. Des Nachts
und bei heftigem Winde dagegen kühlen sich die Bergrücken mehr
ab, die tiefen Thäler aber behalten ihre Wärme, und nun entstehen an den Berghöhen Regenwolken. Daher sieht man es
bei hellem Wetter oft um die Berggipfel brodeln und wogen
von dicken Wolken, wenn der Dunst aus warmen Luftschichten
kam und an Eis- und Schneefelder anprallte, überhaupt in die
kältere Höhenluft gelangte, wo deshalb auch immer ein Luftzug
weht. Man erkennt daran, daß die Atmosphäre von Feuchtigkeit
gesättigt ist, und erwartet eine Temperaturveränderung. Berggipfel werden daher für die Umwohner ein Barometer, das ihnen
das kommende Wetter anzeigt.

Dove führt alle Regen auf drei Hauptursachen zurück: entweder steigen erwärmte Luftschichten auf, oder ungleich erwärmte
mischen sich, oder es wirken beide Umstände zusammen. Der
aufsteigende Luftstrom erzeugt jene Regenzone, in welcher es
täglich so regelmäßig regnet, daß man die Uhr nach dem Regen
stellen kann, oder sich 2—3 Stunden nach dem Regen zu Thee
einladet. Anfangs der Regenzeit beginnen die Regen früh 9 Uhr,
dann 10 Uhr u. s. w., bis sie endlich ganz aufhören. Diese
Zone liegt zwischen dem 5° n. u. s. Br., also innerhalb der
Grenzen der inneren Passate, rückt aber mit der Sonne auf und
ab. Tritt ein Ort der Regenzone in das Gebiet der Calmen
ein, so wird der tiefblaue Himmel milchweiß, der Passat hört
auf, furchtbare Gewitter brechen von Zeit zu Zeit los, und es
regnet 3—5 Monate unaufhörlich, dabei aber so heftig, daß
eine im Freien getrunkene Tasse Chocolade mehr Wasser enthält
als Chocolade, weil man nicht so viel abtrinken kann, als es

zuregnet. Ja Maury versichert, daß das Regenwasser dann so hoch auf dem Meere steht, daß man es abschöpfen kann. In einigen Gegenden Vorderindiens fällt in einem Monate sechs mal mehr Regen als bei uns im ganzen Jahre.

Die Mitte der Passatzone, welche also nie in die Calmen einrückt, bleibt regenlos (Sahara, Aegypten, Arabien, Iran, hohe Tatarei, Gobi, Mongolei, Westmejico, West-Südamerika). Am Comer- und Langen-See erscheinen im Sommer alle Nach- mittage Gewitter. Diese erzeugt nicht der aufsteigende Luftstrom der Tropen, sondern der horizontale Strom außerhalb der Wende- kreise, und es regnet, wenn er aus der Höhe mit seinen Dämpfen niedersteigt und sich mit dem kalten mischt. Die Stelle dieses Zusammentreffens ändert sich mit den Jahreszeiten, und sub- tropische Regen fallen in Gegenden, welche im Sommer noch in die Passate aufgenommen werden. Die nördlichen Küsten- länder des Mittelmeeres haben daher Frühlings- und sehr starke Herbstregen. Die Alpen jedoch halten den feuchtwarmen Aequa- torialstrom auf und zwingen ihn zu Niederschlägen an den kalten, schneebedeckten Bergen, worauf das plötzliche Schneeschmelzen Ueberschwemmungen verursacht, Deutschland aber nun trockne, heitere Luft erhält. Später im Jahre gelangt der Aequatorial- strom weiter nach Norden und bringt nun Sommerregen. Sub- tropische Länder dagegen haben in Folge der Verschiebung des Aequatorialstromes und seines Herabsinkens Winterregen (Azoren, Canaren, Nordafrika). Anderwärts treten Frühlings- und Herbst- regen ein (Sicilien, Italien, Südfrankreich, Spanien, Portugal) oder Sommerregen (Deutschland, Nordfrankreich).

Bei plötzlicher Luftmischung kann sich im Zimmer Schnee bilden, und wird der Hauch sichtbar. Als einst im Winter ein Concert in Petersburg gegeben wurde, fiel eine Dame bei der Hitze in Ohnmacht. Wasser war im Gedränge nicht zu schaffen, frische Luft noch weniger, denn die Fenster waren gefroren. Da schlug ein Lieutenant eine Scheibe ein, damit die Winterluft Zugang erhalte. Sobald aber dieselbe in den warmen Saal kam, verdichteten sich die Dunstbläschen desselben, und es begann zu schneien. Gleiches geschieht in der Atmosphäre, dringt der Polarstrom in den warmen ein, so giebt es im Winter Schnee- gestöber, im Frühjahr Graupelschauer, im Sommer Gewitter und

Regengüsse. Dann steigt das Barometer, während das Thermo=
meter sinkt. Die Luft wird bei leichtem Nordost klar und durch=
sichtig, im Winter tritt strenge Kälte, im Sommer angenehme
Kühlung ein. Von solchen Verhältnissen hängt dann auch die
Menge des niederfallenden Regens ab, von welchem z. B. Glas=
gow 20 Zoll erhält, Bristol 22, Madras 46, Benares und
Kalkutta 41—64, Bombay 79, Bergen und Neu=Archangelsk 83,
Coimbra und Portugal 111, Kap Komorin in Vorderindien 172,
Cherraponjee im Innenlande Vorderindiens 610 Zoll.
Vom 30 — 40° herrschen Winterregen, also in Nordafrika
und an Europa's Westküste. In Rom fällt im October zehn=
mal mehr Regen als im Juli, in Lissabon im December
55 Linien, im Juli nur 2 Linien, in Neapel im November
46 Linien, im Juli 4 Linien. Fängt ein von Ost nach West
streichendes Gebirge die Aequinoctialströme in der Breite auf,
so regnet es viel, weshalb Coimbra viel Regen erhält, nach
Norden zu aber an Europa's Westküste Herbstregen vorherrschen,
die in den Gebirgen Englands monsunartig niederstürzen, wie
an Norwegens Westküste, ebenso im Gebiete der Seen West=
morelands und Cumberlands. Nordaustralien hat vom December
bis Mai Monsunregen, dann aber anhaltende Dürre. In den
gemäßigten Zonen Europa's geht der Herbstregen, der in den
dalmatinischen Inseln, in Kärnthen, Krain und Genf vorwaltet,
in Steiermark und der deutschen Schweiz in Sommerregen über,
und nach dem Binnenlande nimmt der Regen überhaupt ab.

Regenzeiten und Regenmenge.

Je nach den Zonen, Winden, Wäldern, Gebirgen u. s. w.
richtet sich die Regenmenge. Europa z. B. erhält jährlich
20—40 Zoll Regen, Cayenne in einem halben Tage oft 10 bis
12 Zoll, Guadeloupe jährlich 268 Zoll, Demerary zu Zeiten
in 12 Stunden 6 Zoll, das tropische Amerika jährlich 108 Zoll,
Bombay 79, Petersburg in 168 Regentagen nur 21, Stockholm
noch meni... (10) M... 250 Cumana 280 Barombale 140.

Auf Süditalien kommen jährlich 71 Regentage, auf die Lom-
bardei 88, auf Ungarn 112, auf Belgien und Nordfrankreich 152,
auf die norddeutsche Ebene 154, auf Holland 170. Dagegen
fällt in Puna in Vorderindien zuweilen zur Zeit der Monjuns
monatlich 23 Fuß Regen, in Kalkutta an manchem Tage 12 Zoll,
auf Bourbon manchmal monatlich 30 Zoll, in den Rhonethälern
zuweilen 30 — 60 Zoll. Doch ist die Regenmenge nicht jedes
Jahr dieselbe und nach den Jahreszeiten verschieden, so daß
lange Dürre mit langer Regenzeit wechseln kann. Von Hayti
bis Finnland wechselt die jährliche Regenmenge zwischen 140
bis 12 Zoll, die alte Welt erhält 73 Zoll Regen, die Aequator-
zone in 80 Tagen 90 Zoll, Kap Horn in 41 Tagen 145 Zoll,
England 30, die Westghats 283 Zoll. Westeuropa empfängt
zweimal mehr Regen als Osteuropa, Irland dreimal mehr als
Italien und Spanien. In Westirland regnet es an 208 Tagen,
in England und Deutschland an 155, in Sibirien an 60 Tagen.
In Südaustralien und Südafrika fällt manchmal binnen 3—12
Jahren kein Regen, im Feuerlande regnet und schneit es fast
jeden Tag, und zwischen den Wendekreisen fällt oft Monate
lang kein Tropfen. Im Allgemeinen haben die Mittelmeerländer
Herbstregen, die nördlich und westlich angrenzenden aber Sommerregen, und nördlich vom Aequator dauert die Regenzeit vom
April bis October, während im Süden von ihm trocknes Wetter
vorherrscht. Doch verschieben sich die Calmen nicht jedes Jahr
auf dieselbe Weise.

Manche Orte, die mitten in der Passatzone liegen, rücken
daher gar nicht in die Regenzone ein, an andern vertrocknet die
Ernte zuweilen oder wird ersäuft. Im Norden von Südamerika regnet es beständig vom Mai bis October, wie es Humboldt beschreibt: „Vom December bis Februar bleibt der Himmel
stets wolkenlos, O. und ONO. wehen heftig. Anfang März
trübt sich das tiefe Himmelblau, eine schwache Dunstschicht verschleiert die Sterne, deren Licht funkelnd wird. Der Wind
nimmt ab und wird von Windstillen unterbrochen, Wolken
thürmen sich im SO. wie ferne, scharfgipfelige Gebirge auf,
lösen sich von Zeit zu Zeit vom Horizonte und durchlaufen mit
großer Geschwindigkeit bei schwachem Winde die unteren Luftschichten. Gegen März wird der südliche Himmel durch kleine,

eleftrische Explosionen erleuchtet, die sich auf eine Dunstgruppe beschränken. Der Wind geht von Zeit zu Zeit nach W. und SW. über, der Himmel verschleiert sich, die graue Farbe wird die allgemeine, die Lufttemperatur nimmt zu, und condensirte Wasserdämpfe bedecken den ganzen Himmel. In den Ebenen erhebt sich das Gewitter, zwei Stunden nach der Culmination der Sonne, mithin kurz nach dem Maximum der Tropenhitze. Nächtliche Gewitter kommen nur in Gebirgsthälern vor als locale Erscheinungen, auch regnet es des Nachts nicht." In der Zone zwischen dem 10° s. u. 10° n. Br. breitet sich eine einzige Regenzeit aus an der Grenze, in der Mitte greifen große und kleine Regenzeit fast untrennbar in einander, doch seit man die Wälder niederschlug, wurden die Azoren und Canaren trocken und regenarm.

Eigenthümlich gestaltet sich die Regenvertheilung in Vorder= indien. Hier erheben sich die Westghats mauerartig über 4000 F., daher schlagen die Wolkenwellen der Monsuns an dieselben an und regnen sich so lange ab, bis sie leicht genug werden, um das Gebirge zu übersteigen, worauf sie dann natürlich nicht mehr regnen. In Folge davon hat die Ostküste Trockenheit, wenn die Westküste ihre Regenzeit hat; im nächsten halben Jahre findet dann das Umgekehrte statt, daß die Westküste trocknes Wetter hat, wenn die Nordostmonsuns sich an der Ostküste abregnen. Zu einzelnen hohen Thälern sangen sich dann die Wolken wie in einer Sackgasse ein und regnen sehr stark, denn Maha= bulischwar erhält 250 Zoll Regen, Cherraponjee gar 610, und davon in 4 Monaten allein 466 Zoll. Da die Regenzeiten der Sonne folgen, so treten sie zu verschiedenen Monaten ein und kommen gegen die Wendekreise hin, wo der untere Passat weht, regenlose Striche vor. Nach Mohn haben die Ghats 4500 bis 6500 Millimeter Regen, das Land dahinter 800, Cherra= ponjee am Himalaja 14200, Maulmein 4445, Akyab 5570, Aracan 5080.

Da die Sonne zwischen den Wendekreisen scheinbar auf= und absteigt, so folgen ihr auch die Luftströmungen und wechseln regelmäßig trockne und regnerische Jahreszeiten. Die Antillen und Mittelamerika haben im Juni, Juli und August ihre der Himmel von Wolken bedeckt, und regnet es sehr stark. Im September ziehn die Wolken nach Süden, die Passate wehen wieder, tragen die Feuchtigkeit weiter, und es herrscht nun die trockne Jahreszeit. Columbia dagegen hat zwei trockne und zwei nasse Jahreszeiten. Im Frühjahr (Verano) regnet es in den Thälern, in welche die Passate eindringen; im Mai und Juni rücken die Calmen heran und bringen täglichen Regen. Dann ist Winter (Hiverno). Die Calmen rücken weiter nach Norden, und nun wird Frühling. Dann aber kehren sie im November und December zurück und bringen den zweiten Regen= winter.

Dasselbe geschieht natürlich auch südlich vom Aequator unter dem Breitengrade des Amazonenflusses in umgekehrter Ordnung, d. h. dort ist Sommer und reiner Himmel, wenn Mittelamerika Winter und Regen hat. In Südasien ist es ähnlich, wie bereits nachgewiesen ist. Zur Zeit der größten Hitze ist in Südasien die Luft frisch wegen der großen Regen, denn die Wolken schützen das Land wie ein Sonnenschirm, und der Regen selbst gleicht die Temperatur der Jahreszeiten aus. Dabei folgen die Regen= güsse einem gewissen Rhythmus; denn sie fangen Nachmittag an, weil Morgens und Nachts die Luft Feuchtigkeit aufsaugt. Auch an mehreren Küsten des Antillenmeeres beginnt der Regen 2 Uhr Nachmittags und hört Abends auf; ebenso bestimmt ist die Zeit in Brasilien. In andern Gegenden dauert der Regen bis in die Nacht oder gar bis zum Morgen, und auf dem Meere regnet es oft mehrere Tage hinter einander.

Unregelmäßiger sind die Winde im Norden und Süden der Polarzone, namentlich auf der nördlichen Halbkugel, wo sich große Landmassen ausbreiten, die Meere sich verengen, Gebirge und Binnenmeere einwirken. Im Norden des Krebses, wo die Passate anfangen, bis zum 40° hat man Winterregen, am tyrrhenischen Meere und an Europa's Westküste das ganze Jahr hindurch Regen. Dies verursachen die Winde, welche von weither die Wasserdämpfe bringen. Im Winter werden die Passate der nördlichen Zone mehr nach Süden gezogen von der Sonne, und die oberen Passate sinken unter dem Wendekreise des Krebses herab und bringen Regen. Kehrt die Sonne nach Norden zurück und mit ihr die Passate, so weicht der Gegenpassat auch zurück, der Himmel heitert sich auf, die trockne Zeit des Frühjahrs beginnt und dauert so lange, bis sich die Sonne wieder dem Süden nähert. So geschieht es an den Küsten von Oregon, Californien, Madeira, Algerien, Portugal, Rom und Neapel. In Lissabon z. B. fällt im Juli nur 4½ Millimeter Regen, im December 124 Millimeter. Die Frühlings- und Herbst-regenzone tritt mit den Aequinoctien ein, also im März und September, in den Gegenden, wo dann die zurückkehrenden Passate eintreffen, wenn die Sonne im Zenith des Aequators steht. Herbst-regen herrschen an den Westküsten Frankreichs und Englands vor, weil dann die Sonnenwärme rasch abnimmt. Nördlicher in der gemäßigten Zone erscheinen am häufigsten Frühlingsregen, in Mitteleuropa dagegen bringen von den Vogesen bis Ural und Ochotsk Sommerregen die reichlichste Bewässerung, weil die oberen Passate dann zur Erde gelangen und sich mit Polar-winden kreuzen. Dasselbe geschieht, aber in andern Monaten, auf der südlichen Halbkugel. Nach Mohn hat Südeuropa Winter-regen bei SW. (Alpen 2000 mm.), Westeuropa Herbstregen (Irland 1000, Westschottland 2800, Westnorwegen 1000 bis 2000 mm.), Binneneuropa Sommerregen (500 mm.), Inner- und Ostasien Sommerregen bei SO. (Peking 620 mm., Japan 1000—1200, Amurland 880), Nordamerika's Westküste Herbst-regen (1500—3000 mm.), Californien Winterregen, die Ostküste Nordamerika's Sommerregen, doch die Ostseite der Felsengebirge ist regenarm. Chile hat 2400—3350 mm. Sommerregen, die Ostküste Südamerika's weniger, Südafrika und Südaustralien 660—770, Ostaustralien 1400—1700, Ost-Seeland 600—800, West-Seeland 2840 mm.

Denn wegen der verschiedenen Erhebung des Bodens sowie der Temperatur in den einzelnen Ländern muß auch die Regen-menge eine verschiedene sein. Die Ebenen Europa's erhalten jährlich im Durchschnitt 575 Millimeter Regen, die Gebirge 1 Meter und 300 Millimeter, das Rheinthal 560—580 Milli-meter, die Vogesen 1 Meter 100—200 Millimeter. Der Jura fängt durch seine Querstellung die Seewinde auf, hat daher viel Regen, dessen Menge mit der Höhe der Berge zunimmt. In den Sevennen und deren sturmreichem Südabhange ist der Regen-

Regen, das Arböchethal im Norden davon 1 Meter 300 Millimeter, ja einst fiel an einem einzigen Tage eine Regenmenge
von 792 Millimeter, wogegen das Rhonethal viel weniger
Regen erhält. An der Südseite der Alpen sind die Niederschläge der Atmosphäre viel reichlicher als an der Nordseite, weil
·jene die Dünste des Mittelmeeres auffängt. Lissabons Regenmenge schätzt man auf 700 Millimeter, der Gebirgskessel Coimbra's
3 Meter und 430 Millimeter. Westmoreland, quer vor dem
Trichter des Irischen Meeres gelegen, erhält 3 Meter 850 Millimeter, Liverpool dagegen am andern Kanalufer nur 860 Millimeter. In Norwegen sind die Fjords wahre Regenfänger, denn
Bergen z. B. erhält jährlich 2 Meter 653 Millimeter Regen.
Seefahrer sind erstaunt, wenn sie Bergen regenlos finden.
Nach Mohn erhält Floröe in Norwegen 2000 Millim. Regen,
Bergen 1800, Süd-Norwegen 330—540, Upsala 400, Stock-
holm 420, Petersburg 450.

Die größte Regenmenge fällt an den indischen Küsten, in
Malabar, Aracan und dem vorderen Himalaja, in den Ost-
ghats 7 Meter und 67 Millimeter, in den Garrowsbergen
14 Meter und 80 Millimeter, und in manchen Himalajathälern
stürzt in 7 Monaten so viel Regen nieder, daß er als Ge-
sammtmasse 12 Meter und 70 Millimeter hoch stehn würde; in
4 Stunden fiel einst sogar 760 Millimeter. Die Küstenebenen
Hindostans erhalten 1 Meter und 80 Millimeter. Auch an
Afrika's Ostküste fallen große Regenmassen; am Kilimandscharo
regnet es 10 Monate lang täglich, wogegen in Europa bei Genf
nur 825 Millimeter, am großen Bernhard 1 Meter 990 Millimeter niederrieseln.

Auch die Bodenerhebung übt großen Einfluß auf die Regenmenge aus, denn in Deutschland fallen im Durchschnitt

bei	300— 600 F. Meereshöhe	21½ Zoll Regen,
"	600— 800 "	"	23⁴/₅ " "
"	800—1500 "	"	27 " "
"	1500—2000 "	"	30²/₃ " "
"	2000—3650 "	"	40½ " "
"	Brocken (3510 F.)	"	55 " "

Dagegen nimmt die Regenmenge von der Küste aus nach dem
Binnenlande zu ab, (Holland 30 Zoll, Westfalen 25, Berlin 20,

Breslau 14, in Sibirien 1 Zoll) und vor quer gestellten Ge= birgen fällt mehr Regen (Venedig 35 Zoll, Vicenza 41, Brescia 47, Udine 63, Cercevento 75) als am Nordfuß der Alpen (Wien 17 Zoll, Gastein 19, Genf 30, Zürich 31, München 32, Bern 43).

Die Bewaldung wirkt gleichfalls auf die Regenmenge ein. Als die Araber an der Grenze Oberägyptens die Bäume nieder= schlugen, hörten die Regen auf, doch seit Ibrahim bei Kairo und Alexandrien Bäume anpflanzen ließ, regnet es öfter in Unter= ägypten. Sicilien war im Alterthum Rom's Kornkammer, jetzt ist es im Innern Steppe, die Flußbetten liegen trocken, weil in Folge der Bodenkultur die Berge entwaldet sind. In Deutsch= land endlich bringen Frühjahr (74 Linien) und Herbst (79 Linien) gleiche Regenmenge, der Sommer eine große (110 Linien), der Winter eine kleine.

Da vom Regen die Bodenkultur und Lebensart der Bewohner, selbst die Art des Hausbaues abhängen, so erhält die Ver= theilung des Regens Wichtigkeit für das Kulturleben der Völker. Die Beleuchtung der Landschaften, welche je bei wolkenbedecktem oder wolkenlosem Himmel eine verschiedene ist, muß auf den Farben= und Formensinn der Landesbewohner einwirken, sie zu Malerei und Bildhauerei anregen und den Sinn für Farben= gebung beeinflussen.

Schnee, Graupeln, Schloßen und Hagel.

So häufig auch diese Lufterzeugnisse vorkommen, so gelang es doch nicht, ihr Entstehen unbezweifelbar zu erklären. Wasser= dunst verwandelt sich bei einer Temperatur unter Null in feine zierliche Kryftalle, die nun Eisnadeln, Prismen, Pyramiden, Dreiecke, gefiederte Sternchen u. s. w. bilden, und diese Grund= figuren mehr als 200 mal abzuändern vermögen. Beim Nieder= schweben hängen sich solche Eiskryftallchen an einander, woraus Schneeflocken entstehn, aber die Vertheilung des Schnees ist eine

Kirgisensteppen am Ural 280,000 Pferde, 3000 Rinder, 10,000 Kameele und über eine Million Schafe, und in Algerien kamen einst durch Schneefall bei einem Militärtransport alle Maulthiere und 14 Soldaten um. Auf dem Bernhard fiel der Schnee 1850 an 45 F. hoch, und mußten die Mönche des Hospizes sich einen Tunnel durch benselben graben. Dagegen ist in Süd= europa Schneefall selten, in Mitteldeutschland aber fällt er häufig noch im Mai, auf den Bergen gar noch im Juni.

Wenn Polarströme den Aequatorialstrom verdrängen, ge= rinnen die Dunstbläschen zu runden, schneeweißen, undurchsichtigen Graupeln, die erbsengroß in kurzen Schauern niederfallen. Sind die Körner größer, fester, durchsichtig und übereist, so nennt man sie Schlossen, wogegen Hagel die Größe der Hasel= und Wall= nußkörner, ja eines Hühnereies erreicht. Hagelkörner sind abge= rundet, manchmal abgeplattet und eckig, haben einen unburch= sichtigen Kern unter einer durchsichtigen Eishülle, aber zeigen dabei manche Verschiedenheit des Baues. Der Kern scheint aus einem luftreichen Haufenwerk von Nebelkrystallen zu bestehen, die Hülle aber aus Kügelchen mit dazwischen eingesperrter Luft. Hagel geht Gewittern voraus oder begleitet sie, geht rasch vor= über in höchstens einer Viertelstunde, überschüttet dabei den Boden zollhoch, trifft nur gewisse Striche, fällt nur zwischen 11—5 Uhr und bleibt in manchen Gegenden eine unbekannte Erscheinung. Bei Neapel war eine Gegend hagelfrei; als man aber die Berge abholzte, fiel alle Jahre Hagel.

Hagelwolken sehn aschgrau, gelblich oder röthlich aus, sind groß und tief, verbreiten starke Dunkelheit, haben eine unebene Oberfläche und zackige, zerzauste Ränder. Ein rasselndes Ge= räusch verkündigt diese tief gehenden Wolken, und der Sturm der Hagelwolken nimmt mit jedem Herabstürzen des Hagels zu. Im Durchschnitt kommen in Deutschland jährlich 5 Hagelwetter vor, in Westeuropa 15, vertheilen sich aber sehr verschieden. Am 29. Mai 1613 hagelte es in ganz Thüringen von 4 Uhr Nachmittags bis 3 Uhr früh, worauf es so stark regnete, daß alle Ebenen überschwemmt wurden, 600 Menschen ertranken und Gewitter bis Berlin, Görlitz, Böhmen, Genua und Paris wütheten. Am 13. Juli 1788 durchzog ein Hagelwetter Westeuropa von den Pyrenäen bis Holland und zur Ostsee. Es ging in zwei parallelen Zügen von 1½—2½ Meilen Breite und 3 Meilen Zwischenraum, verbreitete dicke Finsterniß und gewaltigen Regen und durcheilte dabei 8½ Meilen in einer Stunde. Das eigentliche Hagelwetter selbst währte nur 7—8 Minuten und schleuderte Hagelkörner von einem halben Pfund Schwere herab. In Frankreich allein verwüstete es 1039 Gemeindefluren und richtete einen Schaden von 7 Millionen Thalern an. Am 17. Juli 1852 ging im Departement Eure ein Hagelwetter nieder, welches Bäume entwurzelte, Gehöfte umwarf und in wenig Stunden die ganze Ernte vernichtete, sogar einige Menschen tödtete.

Dove ist der Ansicht, daß sich Hagel aus Schnee und Graupeln in der hagelnden Wolke und in der Nähe der Erdoberfläche bildet, indem die Wolke durch rasche Verdunstung sich abkühlt. Hann meint, daß sich Hagelwolken trichterförmig nach unten zu verengen, gleich den Windhosen, und vielleicht eine besondre Art von Wirbelstürmen sind. „Die von der Mitte ausgehende Kraft des Wirbels erzeugt einen luftverdünnenden Raum, innerhalb dessen die Verdunstung so schnell vor sich geht, daß Wasser gefriert.— Durch ungleich warme Luftströme, die sich bei Windstille an sonnigen Tagen unter dunkler Wolkendecke in entgegengesetzter oder schiefer Richtung begegnen, entsteht eine wirbelnde Bewegung der Luftströme, die nach Umständen immer größere Ausdehnung annimmt, an Stärke wächst und zuletzt in stürmische Bewegung übergeht. Durch die rotirende Bewegung dieser Luftströme, die sich gegenseitig gewissermaßen aufwickeln, entsteht bei heftiger Drehung im Innern des Wirbels ein luftverdünnter Raum, während derselbe sich nach der Peripherie hin verdichtet. In diesen Raum stürzt die obere kalte Luft. Da dieselbe aber bei ihrer Ankunft immer wieder in die Kreisbewegung der Luft hineingerissen wird, und daher in der Mitte dieses Luftraumes immer wieder ein verdünnter Raum entsteht, so muß ununterbrochen ein kälterer Luftstrom von oben in diesen Raum eindringen und so die in Tropfen verwandelten Wasserdämpfe bis zum Gefrieren erkalten. Während dieser Zeit bewegt sich der Wirbelsturm nach der Seite hin, wo er den kleinsten Widerstand findet. Die Hagelkörner werden in die

7 *

Wirbelbewegung mit aufgenommen und fallen erst dann zur
Erde, nachdem sie vermöge der Centrifugalkraft außerhalb der
Wirkungssphäre des Wirbels geschleudert sind." Man vermag
also den ganzen Vorgang nur muthmaßlich zu erklären.

Wetterzeichen, Thau und Reif.

Um die weiteren Vorgänge bei der Bildung und Temperatur
der Wolken zu verstehen, muß man sich der chemischen Eigenschaften des Wassers erinnern, welches aus 88 Procent Sauerstoff und 12 Procent Wasserstoff besteht, welche nur mittels eines
elektrischen Stromes können getrennt werden. Es wiegen ferner
1000 Kubikcentimeter Wasser 770 mal schwerer als Luft, und
die größte Dichtigkeit erlangt dasselbe bei 3° R., darüber und
darunter dehnt es sich aus, verdunstet bei jeder Temperatur und
erreicht bei 80° R. den Siedepunkt, bei welchem es sich in Dampf
verwandelt. In diesen verschwindet die Wärme (ist latent oder
gebunden), und die Luft giebt diese wieder ab, wenn der Dampf
zu Wassertropfen zusammen rinnt. Die Spannkraft und das
Streben nach Ausdehnung nimmt mit der Temperatur zu und
mit deren Sinken ab. Eine vollständig mit Wasserdampf gesättigte Atmosphäre schlägt sich als Wasser nieder, wenn nur
ein wenig Dampf hinzutritt. Schlägt sich der Dampf in Tropfen-
form an kühlen, festen Gegenständen nieder, so erscheint er als
Thau und bei sehr geringer Temperatur als Reif. Gefriert das
Wasser zu Eis, so wird die Wärme des Wassers ausgeschieden,
wogegen das Eis beim Schmelzen Wärme aufsaugt. Daher
bringen Eisberge, welche unter dem 75—65° zu schmelzen beginnen, kalte Winde und regnerisches Wetter. Zuweilen liegen
Eisfelder an Westgrönlands Küste 5 Jahre lang und verderben
durch ihre Nebel die Graserute, und bei Neufundland wogen
Monate lang kalte, dicke Nebel, weil sich hier die Eismassen der
Davisstraße aus dem Arktischen Meere und die sibirisch-spitz-
bergischen Eisberge sammeln, schmelzen und warme Dämpfe aus-
strömen lassen, die in der kalten Luft zu Nebel zusammen

rinnen. Gletscher wirken bei ihrem Vor= und Zurückgehen auf dieselbe Weise.

Da nach Sonnenuntergang der Erdboden Wärme ausstrahlt, der Dampf in den kälteren Luftschichten über derselben schwebt und an kalte Gegenstände anschlägt, so setzt er sich an diesen als Thau an, besonders wenn die Nacht heiter und windstill, die Atmosphäre feucht oder der Himmel unbewölkt war. Dann bildet sich bereits vor Sonnenuntergang Thau und nimmt an Menge bis Sonnenaufgang zu, besonders im Herbst und Frühjahr, wo in den langen Nächten die Temperatur tief sinkt. Im Sommer dagegen entsteht er nur bei feuchter Luft. Reich an Thau sind also wasserreiche Gegenden und warme Küsten, wo er denn oft an den Bäumen wie Regen herabrinnt und diesen ersetzt. In Niederungen ist er stärker als an Abhängen, wo die abgekühlte Luft tiefer sinkt.

Da die obersten Pflanzentheile die meiste Wärme aus= strahlen, so füllt um sie sich die Luft mehr mit Dampf, und die Temperatur sinkt. Die mittleren Theile des Baumes setzen dief Abkühlung fort und erzeugen dadurch den Thau, wogegen sich unter den unteren geschützten Theilen des Baumes die Luft erwärmt und aufwärts steigt. Daher hindert Luftzug die Be= thauung, ebenso bedeckter Himmel oder Nebel, Gartenmauern oder Ueberdachung der Pflanzen. Lockere, feste und rauhe Körper strahlen leichter Wärme aus als glatte, namentlich polirte Metalle, erhalten also Thau. „Bei Sonnenaufgang sind die Wurzeln der Pflanzen in dem noch kalten Boden wenig thätig, und die Blätter, von der Sonne getroffen, würden welk, da ihre Aus= dünstung stärker wäre als die Wasserführung durch die Wurzeln. Daher schützt der Thau die Blätter vor der plötzlich eintretenden starken Ausdünstung, und die Pflanze gewinnt dadurch Zeit, in den Erregungszustand einzutreten, welcher dem Tage ent= spricht."

Sinkt durch die Ausstrahlung die Temperatur des bethauten Gegenstandes unter Null, so wandelt sich das Thautröpfchen in die feinen Eisnadeln des Reifes um, der zu krystallinischer Rinde werden kann. Thau entsteht in Jahreszeiten mit täglicher Tem= peraturschwankung, Reif und Beschlag im Winter. Ein starker

Kryſtalle an, wenn der Polarſtrom nur allmälig zum Weichen
gebracht wird, weshalb er oft einige Zeit dauern kann. Bei
ſehr ſtarkem Abſchlag bis über den Gefrierpunkt wird der Nieder=
ſchlag zu Glatteis, oder ſeiner Regen gefriert zu ſeinen Eisnadeln,
welche kniſternd zu Boden fallen, anheſten und ſich zu einem
glatten Ueberzuge vereinigen.

Nebel erſcheinen am häufigſten in den gemäßigten Zonen
und ſind faſt bleibend bei Ochotsk, den Aleuten, Californien,
Neufundland und in der Hudſonsbai, ſtehn tagelang an den Küſten
Norwegens, Hollands, Englands und Irlands und in Gebirgen.
Aufſteigende Nebel kündigen Regen an, fallende aber heiteres
Wetter. Luftſchiffahrer kamen durch Wolkenſchichten von 13,000 F.
Mächtigkeit. Höhen=, Heer= oder Moorrauch iſt namhafte Lagerung
von Dunſt, durch den die Sonne anfangs roth, Mittags weiß
ſcheint. Im Mai und Juni erſcheint er in Holland, Weſtfalen,
Süddeutſchland, in der Schweiz, Frankreich und Spanien. Oft
rührt er vom Moorbrennen her, ſteigt 1000 F. hoch und ver=
breitet ſich wohl über 1000 Quadratmeilen. In Spanien heißt
dieſer im Juli und Auguſt erſcheinende Rauch Calina, ſieht
anfangs bräunlich aus, wird dann bleigrau, rothbraun und rauch=
artig, verdeckt die Ferne, iſt aber einige tauſend Schritt weit
ganz klar. Erſt die Aequinoctialſtürme entfernen ihn.

Von chemiſchem Standpunkte aus hat Meißner die Wolken
ſtudirt, welche nach ſeiner Anſicht dann entſtehen, wenn das Gas=
gemenge Sauerſtoff enthält. Reines Waſſergas giebt nur ſeinen
Regen, und Regentropfen entſtehen erſt beim Herunterfallen.
„Die nebelbildende Eigenſchaft kommt ausſchließlich dem Antozon
zu, d. h. dem poſitiv electriſch erregten Sauerſtoff, während das
Ozon, der negativ elektriſch erregte Sauerſtoff, in den Oxydations=
prozeſſen, welche er unterhält, das Auftreten von Antozon
bewirkt. Vermöge der poſitiven Spannung der Atmoſphäre kann
das Waſſergas zu Nebelbläschen verdichtet werden, und je mehr
dieſe Spannung zunimmt, um ſo mehr Nebelbläschen nimmt die
Luft in ſich auf.“

Die Wolkenbildung iſt in ſofern ein Abbild des Bodens
unter ihr, als dieſelbe mehr oder weniger zur Verdichtung des
Waſſergaſes beiträgt. Ueber Waſſerflächen und Wieſen entſtehn
Wolken, über dürrem Boden löſen ſie ſich wieder auf. Dadurch

werden manche Berge, z. B. der Tafelberg an der Kapstadt, zu
sogenannten Wetterpropheten. „Der platte Gipfel desselben ragt
gewöhnlich in einen klaren heiteren Himmel hinein, hüllt sich
aber bei Südostwind in dichte Wolkenschleier. Innerhalb weniger
Minuten bilden sich dann gewaltige Massen schneeweißen Nebels,
die sich treiben und drängen und wieder von Neuem in der
Richtung des Windes herabzurollen scheinen, allein nicht über
die Ebene der Gipfelplatte hinausstreichen. Die Wolken verschwinden, indem sie nach unten sinken, noch ehe sie die halbe
Höhe des Berges erreicht haben, indem sie sich in der unteren,
noch nicht mit Wassergas gesättigten Luft wieder auflösen,
während die an der Spitze immer wieder von Neuem erzeugten
Nebelgebilde als Tafeltuch zurückbleiben."

Manche Wolkenformen dienen als Wetterzeichen. Die weißen
Federwolken des Cirrus erscheinen nach anhaltend heiterem Wetter
am Himmel und verkünden die Ankunft des warmen Aequatorial-
stromes, melden im Sommer Regen an, im Winter Schnee.
Verlaufen sie gegen den Wind spitz und theilen sich am andern
Ende in Aeste, so nennt man sie Windbäume; haben sie ver-
waschene Ränder, so darf man wegen vorbereiteter Verdichtung
Regen erwarten. Haufenwolken sind halbkugelig mit scharf be-
grenzenden, blendend hellen Rändern, gehn tiefer und langsam.
Sie sind Sommerwolken, die sich Mittags bilden bei aufsteigendem
Luftstrome, Abends in die warmen unteren Schichten niedersinken
und sich auflösen. Sie zeigen lange anhaltendes, gutes Wetter
an. Die grauen Schichtenwolken, oben und unten scharf begrenzt,
erscheinen auch als blendend weiße Wolkenschicht. Werden Federwolken zu weißen, runden, hochschwebenden Schäfchen oder
Lämmern, so erfolgt bald Regen, weil sie in diesem Falle
eigentlich hohe Haufenwolken sind und oft in Nimbus übergehn,
d. h. in einförmig graue Wolkenmassen mit zerfasertem und ver-
waschenem Rande. Dichte, weit ausgedehnte Federwolken nennt
man Federschichtwolken, welche oft lange schmale Wolkenstreifen
bilden, die sich in großem Kreisbogen über den Himmel erstrecken
und nahen, starken Regen anzeigen. Haufenschichtenwolken sind
in der Mitte verdunkelt, haben an den Rändern helle Kuppen
als ächte Gewitterwolken und entstehen, wenn der kalte nördliche

Die Höhe der Wolken kann man nur muthmaßlich ab=
schätzen und soll etwa 6000 F. betragen. In der Schweiz gehn
sie 5000 F. hoch, über Paris 3800 F., an den Pyrenäen
2800 F., an der schwäbischen Alp 1500—2400 F. Federwolken
sollen 10 — 14,000 Fuß hoch schweben, verändern ihre Höhe
aber an manchem Tage um 1000 F., in einem Monate um
5000 F., denn mit der Lufttemperatur nimmt die Höhe zu,
wechselt also mit den Tageszeiten und den Breitengraden.

Die Bewölkung ist im Winter bei Tage größer als bei
Nacht; im Sommer dagegen findet das Umgekehrte statt. Im
Januar zeigt sich ein Maximum, im September ein Minimum.
Im Winter herrschen der trübe Stratus und der Cumulostratus
vor; im Allgemeinen bedingen die warmen, feuchten oder trocknen
Luftströmungen Art und Menge der Bewölkung.

Auch die Feuchtigkeit der Luft hat ihre Gesetze, die man
aber noch wenig kennt. Im Sommer ist sie früh zwischen
8—9 Uhr und Abends zwischen 7—10 Uhr am höchsten, von
2—4 Uhr Nachmittags und gegen Sonnenaufgang am geringsten.
In Deutschland ist der Mai gewöhnlich der trockenste Monat,
Juni und Juli die regenreichsten. Nach dieser Feuchtigkeit
wechseln wir die Kleidung. Trockne Luft entzieht uns die Haut=
ausdünstung und wir frösteln, Kinder werden krank. Feuchte
Luft hindert die Hautausdünstung, macht schlaff und matt und
bewirkt Appetitlosigkeit und schlechte Verdauung. In Nord=
amerika macht die trockne Luft erbaute Häuser sofort bewohnbar,
gebacknes Brod wird am nächsten Tage steinhart, europäische
Fortepianos verderben, Tischler haben stärkeren Leim nöthig,
wogegen in der feuchten Luft Südamerika's der harte Rohrzucker
zu Syrup zerfließt.

Es wurde bereits öfter darauf hingewiesen, daß die Luft
auch Verbreiterin der Wärme als Temperatur und Klima ist.
Sie selbst aber steht in einem bis jetzt noch nicht aufgeklärten
Zusammenhange mit der Elektricität, die sich in Gewitterwolken
und Nordlichtern ausbildet und wieder mit dem Magnetismus
im Zusammenhange steht, dessen Einfluß auf Leben und Gedeihen
der Pflanzen und Thiere wir ahnen dürfen. Denn unsre Nerven=
und Muskelbewegungen sind elektrische Ströme, und den Magne=

tismus verwenden die Aerzte als Heilmittel. Wir müssen diesen wunderbaren, räthselhaften Naturkräften daher ein besonderes Kapitel widmen, da sie wieder mit Einschluß der Temperatur Pflanzen und Thieren Wohnort und Vertheilung vorschreiben.

Das Wetter und das Barometer. (Nach Mohn).

Die Luft, scheinbar untrennbar, besteht aus einer unendlichen Menge von Theilchen, von denen eines das andere drückt. Je nachdem die Luft als elastischer Körper sich auszudehnen sucht oder zusammengedrückt und verdichtet wird, muß der Druck, den sie ausübt, ein verschiedener sein, der sich genau berechnen läßt. Man mißt ihn mit dem Barometer, weil dessen Quecksilbersäule bei starkem Drucke steigt, bei schwachem dagegen fällt. Die Höhe dieser Bewegung liest man an einer Scala neben der Glasröhre ab. Auch benutzt man zu diesem Zwecke das Gefäß = oder Kapsel=, das Heber=, See=, Aneroid= oder Metallbarometer, über deren Gebrauch Mohn (Grundzüge der Meteorologie, Berl. 1875) genaue Anweisung giebt.

Man hat mittels eines Schreibstiftes, den man am Baro= meter anbringt, erkannt, daß täglich und jährlich der höchste Luftdruck (barometrisches Maximum) und der niedrigste (baro= metrisches Minimum) regelmäßig wechseln. Jenes tritt ein am Vormittag und Abend, dieses am Morgen und Nach= mittag. Am Tage verändert sich der Luftdruck stärker als des Nachts, und die Jahreszeiten wirken wie die Tageszeiten. Denn wenn die Luft über dem Boden durch Bestrahlung stark erwärmt ist, wird sie ausgedehnt und leichter, bildet daher einen aufsteigenden Strom, der auch die Wasserdämpfe mitnimmt, weil sie um $5/8$ leichter sind als die Luft. Steigt die verdünnte Luft empor, so nimmt natürlich der Luftdruck ab, hat im Sommer den niedrigsten Stand, bei schwerer (kalter) Winterluft den höchsten. Von einem Maximum aus nimmt dann der Luftdruck nach allen Seiten ab, von einem Minimum aus dagegen auf dieselbe Weise zu. Die erwärmte Luft erhält ein unstetes (labiles) Gleichgewicht, indem die leichte warme Luft durch die überlagernde kältere (schwerere) durchbricht und aufsteigt. In der Höhe kühlt sie sich ab, der Wasserdunst wird zu Wolken, läßt die gebundene Wärme frei, welche nun die Luft um sich her ausdehnt, wobei Tromben, Tornados u. s. w. entstehen können. Bei stetem (stabilem) Gleichgewicht dagegen besteht ein geringer Temperaturunterschied zwischen den einzelnen Luftschichten, so daß die einzelnen Lufttheilchen ihre Lage zu behaupten vermögen.

Viele Erscheinungen in der Luft werden von den in ihr schwebenden Wasserdämpfen bewirkt, welche durch Verdunstung entstehen. Diese Dämpfe halten Wärme in sich zurück, die man gebundene oder latente Wärme nennt. Kühlen sie sich ab und verwandeln sich in Wolken und Regen, so wird jene Wärme wieder frei, da sie aus dem Wasser austritt, steigert also die Temperatur. Diese Zunahme der Luftwärme dehnt die vorhandenen Dunstbläschen aus und schafft dadurch Raum zur Aufnahme neuer Dämpfe. Hat die Luft endlich so viel Wasserdämpfe aufgenommen, als ihre Temperatur gestattet, d. h. ist sie gesättigt und hat den Thaupunkt erreicht, so übt sie zugleich auch das Maximum ihres Druckes oder ihrer Spannung aus.

Bei jeder Wolkenbildung wird die Luft unter der Wolkendecke durch frei werdende Wärme leichter, denn sie erhält höhere Temperatur, indem die Verdichtung des Wasserdampfes zugleich die Kraft des aufsteigenden Luftstromes vermehrt, der nun rasch nach allen Seiten über der Wolke abfließt, wodurch die Luftsäule selbst leichter wird. Niederschlag wirkt daher im Sommer, wenn er aus großer Höhe kommt, abkühlend auf die unteren Luftschichten, denen er die Wärme entzieht, im Winter dagegen erwärmend, weil dicht über der Erde Wärme frei wird. Fallender Niederschlag übt durch seine kühle Schwere einen Druck aus, der sogleich verschwindet, wenn der Regen den Boden erreicht hat. Daher die Bewegung im Barometer vor, während und nach Regen.

Bei steigender Temperatur nimmt die Menge der Wasserdämpfe in Folge der vermehrten Verdunstung zu. Daher entstehen große Wolkenschichten, welche sich am Himmel wie ein Schirm ausbreiten und die Bestrahlung des Bodens durch die Sonne verhindern, also kühlen Schatten geben. Zugleich hemmen

sie aber auch die Wärmestrahlung des Bodens und halten dadurch
die untere Luft warm., Wasserdämpfe verlangsamen daher das
Steigen der Temperatur, und da sie um $^5/_8$ leichter sind als die
Luft, so nimmt der Luftdruck bei starker Verdunstung ab, wie
es das Barometer anzeigt. Diese Vertheilung des Luftdrucks
bedingt weiterhin die Krümmung der Windbahn, wie z. B.
Minima und Maxima des Luftdrucks sich vorzugsweise im Winter
bilden, denn mit dem Minimum bewegt sich das Windsystem
fort, welches dann spiralförmige Wirbel beschreibt, indem es sich
durch Zuströmen neuer Luft fortwährend thätig erhält, sich
gewissermaßen wie ein drehendes Rad weiter schiebt. Winde
gehn daher bei barometrischem Minimum nach der Seite des
geringsten Luftdrucks, beim Maximum drehn sie sich um dasselbe
und veranlassen in diesem Falle ein Niedersteigen trockner Luft.
Verdichtet sich dieselbe über dem Boden durch aufgenommene
Dämpfe, so fließt von oben stets Luft nach, weil die verdichtete
Luft geringeren Raum einnimmt, so daß nun ein starker Luft=
druck entsteht. Bei warmen Winden tritt das Gegentheil ein, weil
die Luft sich ausdehnt, aufsteigt und ausbreitet, also weniger lastet.

Die kältesten Winde kommen als die schwersten von den
beiden Kältepolen her, wogegen im stark bestrahlten Innern der
Festländer im Sommer warme Winde entstehen. Treten im
Sommer kalte Winde ein, so stammen sie aus dem Eismeere,
dessen Temperatur sie mitbringen. Kalte und warme Land=
winde sind trocken, Seewinde feucht aus naheliegenden Ursachen.
Bei uns ist im Winter der Ostwind feucht, weil er Schneedunst
enthält, im Sommer trocken, der Westwind dagegen im Winter
trocken, im Sommer feucht, in Südwestsibirien der Südwind
trocken, da er aus Steppen kommt, der Nordwest als Seewind
feucht. Auf der Westseite der Festländer der gemäßigten Zone
bringen im Winter Nordostwinde den höchsten Luftdruck, Süd=
westwinde den niedrigsten; dagegen steigt auf der Ostseite der
Luftdruck bei Nord und Nordwest und fällt bei Süd und
Südost. Im Sommer drehn sich die Winde auf der Westseite
der Sonne entgegen, auf der Ostseite folgen sie derselben, weil
sie stets dem niedrigsten Luftdruck zuströmen.

Die Größe der Verdunstung ist je nach Tages= und Jahres=
zeiten, nach Breitengraden und Winden verschieden. Denn in

Cumana z. B. sammeln sich jährlich 3520 Millimeter Wasser=
dampf, in Sidney 1200, in Madeira 2030, auf den Azoren 1000,
in Marseille 2300, in Holland 600—800, in London 650, in
Ostschottland 800. Der Wetterkundige (Meteorologe) mißt die
Feuchtigkeit der Luft mit dem Daniellschen Hygrometer (Feuchtig=
keitsmesser) oder mit dem trocknen und feuchten Thermometer
des Psychrometers oder mit dem (freilich unsichern) Haarhygro=
meter. Er unterscheidet absolute (überhaupt mögliche) und
relative (grade vorhandene) Feuchtigkeit, um daraus Luftdruck,
Wind und Wetter im Voraus zu berechnen. Er hat gefunden,
daß täglich der Dampfdruck von Sonnenaufgang bis 9 Uhr
Vormittag steigt, bis 2 Uhr nachläßt, bis Abends 9 Uhr wieder
steigt in Folge der auf= und absteigenden Luftströme, worauf sich
Nachts der Wasserdampf in Thau verwandelt. Ebenso regelt
sich die Ab= und Zunahme der Feuchtigkeit jährlich je nach dem
Breitengrade, der Höhe des Ortes und den herrschenden Wind=
und Meeresströmungen, so daß ein sehr verwickeltes System ent=
steht, in welchem sich nur der Fachmann zurecht findet. Denn
die Sonnenwärme hat ja auch ihre Tages= und Jahresperioden,
und Meeresströmungen verbreiten ihre Temperatur bis in ferne
Küstenländer. Das Mittelmeer ist z. B. im Westen 18—19°
warm, im Osten 21—24°, das Schwarze Meer 14°, das Rothe
Meer im Norden 27°, im Süden 29°, bei Aden 34°. Das
Mittelmeer in der Tiefe bei Gibraltar 3°, weiterhin 12° warm,
die nördliche Nordsee 0°, die südliche 5—6° (wegen der Bänke
und Untiefen). Je mehr man die sogenannten Naturkräfte
erforscht, um so mehr erkennt man, daß sich jeder Windzug,
jedes Wölkchen nach Ort und Zeit individualisirt, sich zu einem
Sonderwesen ausbildet.

Viertes Kapitel.

Wärme und Elektricität der Luft.

～～～～

Wärme und Temperatur.

Wärme und Licht sind nicht besondre Stoffe, wie man früher glaubte, sondern eine Bewegung des Aethers, welche in Form einfallender Sonnenstrahlen sich verbreitet. Man muß die Wärme als gewaltige Weltmacht auffassen, weil sie die Ursache der Luft= und Meeresströmungen wird, das Wachsen der Pflanzen, das Leben des thierischen Körpers bedingt, denn ihre Jahres= menge bedingt das Klima, sie selbst heißt Temperatur, so bald sie in Luft und Wasser wahrgenommen wird. Dabei zeigt sie aber auch für sich ein selbständiges Leben, weil sie sich stets nach obwaltenden Verhältnissen abändert. Daher erleiden manche Gegenden große Abweichungen der Temperatur. Das Schwarze Meer ist seit 2000 Jahren wiederholt gefroren; im Jahre 870 konnte man von Venedig nach den ionischen Inseln zu Wagen über das Eis fahren, im Jahre 1292 von Christiania über die Ostsee bis Jütland reiten. Paris hatte im Sommer 1793 eine Wärme von 38° R., im Winter des Jahres 1795 eine Kälte von 23°, Berlin im Jahre 1834 über 39° Wärme, im Jahre 1823 aber 28° Kälte. Der Reisende Lyon erduldete zu Murzuk 56° Wärme, südlich davon 3° Kälte, bei welcher

die Brunnen des Nachts froren. Teniffier fand in Arabien und
bei Suez 52° Wärme, Franklin im Fort Entreprise 49° Kälte.
Simpson in einem andern Fort 53° und Back gar 56° Kälte.
Selbst bei starkem Feuer herrschten im Zimmer 11° Kälte, so
daß alles Flüssige gefror, Holz sich spaltete, die Haut Risse
bekam. Dagegen stieg an demselben Orte die Sommerhitze auf
41°. Als die Russen 1840 einen Feldzug nach Chiwa unternahmen, überfiel sie eine Kälte von 43°, auf welche eine
Sommerhitze von 46° folgte.

Diese große Abwechselung liegt in der Ursache des Ent-
stehens der Wärme, deren ab- und zunehmendes Maß in einer
Gegend, in der Zone, im Körper u. s. w. man deren Temperatur
nennt. Die Bewegung der Wärme wird offenbar durch die
Sonnenstrahlen bewirkt, mit denen Wärmestrahlen verbunden
sind. Je höher die Luftsäule emporragt, um so weiter liegen
ihre Atome auseinander; über dem Erdboden dagegen sind sie
am dichtesten neben einander gerückt. Durch diese Zwischen-
räume dringen die einfallenden Sonnenstrahlen und erwärmen
die von ihnen getroffenen Luftatome. Da nun die oberen
dünnen Schichten mehr Wärmestrahlen durchlassen, so wirken
diese auf hohen Bergen weniger als im tiefen Thale. Unter
dem Einflusse der Wärme dehnen sich jedoch auch die Luftatome
aus, geben ihren Ueberschuß an Wärme an die kältere Umgebung ab (strahlen Wärme aus) und verbreiten (leiten) dieselbe
also weiter, so daß die Wärme selbst unstet aus einem Körper
in den andern übergeht und dabei zugleich Veränderungen in
den Körpern selbst bewirkt. Die untere Luftschicht wird nun
auf dreifache Weise erwärmt: von den abwärts gerichteten
Sonnenstrahlen, von den zurückgeworfenen Lichtstrahlen und von
der Erdwärmestrahlung. In Folge dieser Einwirkung dehnen
sich diese unteren Schichten aus, recken, strecken und heben sich
und geben dadurch die Veranlassung zu Windströmungen, indem
sich die ungleich erwärmten Luftschichten auszugleichen und ins
Gleichgewicht zu setzen suchen. Je wärmer daher das Land ist,
um so größer wird der Unterschied zwischen oberer und unterer
Luft, so daß sich eine Schwankung der Sommer- und Wintertemperatur auch nach der Höhe zu herausstellt, die z. B. am
Bernhard um 13°, in Genf um 16°, in München um 19°

schwankt. Unter gleichen Breitengraden liegen Edinburg, Bergen, Stockholm, Petersburg und Irkutzk, und doch beträgt der Unterschied der Sommer= und Wintertemperatur im Westen 12—24°, in Sibirien 58°, der von Manchester, Moskau, Kasan, Jakutzk 11—33°, der von Paris, Prag, Krakau, Nikolajew 17—22°.

Stuber hat die Schwankungen zusammengestellt, die in den Jahreszeiten und den Monaten einzelner Länder vorkommen, und liefert folgende Tabelle der Schwankungen:

	in den Jahreszeiten	in den Monaten
Paramaribo	0°	2°
Isle de France	6°	7°
Kalkutta	8°	11°
Palermo	2°	13°
Rom	14°	16°
Karlsruhe	20°	19°
Berlin	18°	19°
Petersburg	24°	28°
Enontekis (Labrador)	29°	32°
Melville=Inseln	38°	40°

Denn es kommt bei der Wärme und Temperatur darauf an, in welcher Richtung und Menge die Sonnenstrahlen auffallen und von der Erdoberfläche wieder ausgestrahlt werden, also die Luft zweimal durchschneiden. Mit den Breitengraden nehmen Licht und Wärme ab, doch wirken diesem Unterschiede Wind und Meer ausgleichend entgegen, welche Wärme bergende Wasserdämpfe durch alle Breiten tragen und deren Temperatur daher ver= ändern. Noch gelang es der Wissenschaft nicht, für jede Be= sonderheit der Wärmevertheilung den erklärenden Grund aufzu= finden. Denn die Temperatur verändert sich an jedem Tage, und die einzelnen Körper nehmen in verschiedenem Maße Wärme auf und leiten sie weiter.

Genaue Untersuchungen haben erwiesen, daß die Arten des Bodens und der Gesteine auf verschiedene Weise Wärme leiten. Auf Gebirgen ist die Temperatur des Bodens bei einem Fuß Tiefe derjenigen der Luft gleich, weshalb Pflanzen gedeihen und Blumen lebhafte Farben erhalten durch die stärker wirkenden Sonnenstrahlen. Ein bewachsener Boden ist kühler als ein

kahler, und bei bedecktem Himmel hat der Boden die Temperatur
der Luft. Metallplatten erkalten schneller als Holz, und unter
den Tropen hat der Boden eine Wärme von 42 °, am Orinoco
von 50 °, in Aegypten von 54 °, in Südafrika und Senegambien
wie in Neuholland von 56 °. Außerdem nimmt dunkler Boden
mehr Wärme auf, weißer Thonboden wenig und langsam, hält
sich lange feucht und giebt die Wärme bald wieder ab. Im
Walde kühlt die obere Laubdecke die Luft des Nachts ab,
der Thau sinkt zu Boden und verdampft, wärmt also dann
wieder die obere Laubdecke, so daß unten im Walde kühle Luft
herrscht.

Um 1 F. tief in den Boden einzudringen, braucht die Wärme
9¹/₂ Stunde, und im Ganzen ist der Boden bei einigen Fuß
Tiefe wärmer als die Oberfläche, denn die Jahreswärme dringt
tiefer ein, weshalb Bäume mit tief gehenden Wurzeln ein kaltes
Klima vertragen, da die Kälte nur sehr langsam in den Boden
hinabsteigt, dann sich aber auch lange behauptet. In der York-
factorei der Hudsonsbailänder thaut der Boden nur 3 F. tief
auf und bleibt 17 F. darunter noch gefroren. Unter den Tropen
ist die Luft wärmer als das Wasser, unter andern Breiten hat
die Meeresoberfläche mehr Wärme als die Luft, doch fließt am
Meeresboden ein kalter Wasserstrom hin. Denn in das Meer
bringt die Tagestemperatur nur 50—60 F. tief ein, die Jahreswärme 900 — 1200 F., und wo das Meer schnell erkaltet, da
darf man Untiefen erwarten. Das karaibische Meer ist bei
1400 — 3000 F. Tiefe um 17 ° R. kälter als die Oberfläche,
der atlantische Ocean am Aequator um 21 ° R., und in den
heißesten Meeren findet man in der Tiefe 1 ° R., so daß man
beim Hinabsteigen in das Meer alle Temperaturen der Zonen
durchmachen würde. Selbst bei Spitzbergen ist das Wasser in
der Tiefe nur um 1 ° kälter als das Tropenmeer, und im grönländischen Meere soll die Wärme sogar zunehmen, weil dort der
Golfstrom eindringt.

Die Ostküsten der Festländer haben eine geringere Temperatur als die Westküsten, weil die Ostpassate kältend einwirken.
Nain auf Labrador hat z. B. 3 ° Kälte, Neu-Archangelsk am
Stillen Meere 6 ° Wärme, jenes im Sommer 6 ° Wärme, dieses
13 °. Bäume, welche in Rom schon im Januar blühen, kommen

in Boston erst im Mai zur Blüthe, in New-York, unter der Breite Neapels, tritt die Blüthenzeit mit der von Upsala ein, und Astrachan hat eine Sommerwärme wie Bordeaux, weshalb dort noch Wein wächst.

Weil die Wärme die Bedingung für Temperatur und Klima ist, so sollten dieselben unter den verschiedenen Breitengraden stetig und diesen Graden entsprechende sein, aber dieses sogenannte mathematische Klima kommt sehr selten vor, weil eine Menge von Nebeneinflüssen dasselbe abändert. Es wirken ein die Stärke der Besonnung, die Erhebung des Landes, Winde und Meeres= strömungen. Man unterscheidet daher ein oceanisches und con= tinentales Klima. In jenem kühlt im Sommer das Meer, weil es Wärme in sich zurückbehält, im Winter dagegen wärmt es, weil das Meer nun seinen Wärmeüberschuß an die kältere Luft abgiebt. Das Land dagegen erwärmt sich im Sommer stärker als das Wasser, giebt aber diese Wärme schneller wieder ab und ist im Winter kälter als das angrenzende Meer. Länder mit continentalem Klima haben daher heiße Sommer und kalte Winter, die mit oceanischem Klima (Küstenländer) feuchte Sommer und milde Winter. Da große Wälder die Ausstrahlung des Bodens hindern, so kühlen sie die Luft ab, wie auch ein mit Gras und Kraut bedeckter Boden weniger Wärme zurückstrahlt als ein kahler und sandiger, und ein nasser sich schwer erwärmt. Von dem Aequator nimmt die Wärme nach den Polen zu wegen dieser Nebeneinflüsse sehr unregelmäßig ab, da z. B. die langen Sommertage der gemäßigten Zone 3 Stunden länger Sonnenschein haben als Nachtkühle, und die Polargegenden Wochen und Monate lang fast 24 Stunden hindurch von der Sonne beschienen werden. Jakutsk ist daher im Juli wärmer als Berlin, Uralsk hat 35° Wärme, das gleich liegende England nur 19°, und wenn in Surinam die Temperatur nur um 1° schwankt, so beträgt der jährliche Temperaturunterschied in Sibirien 110°, in Kanton 13°, in Havanna 4°. Im Ganzen bleibt die Wärmemenge, welche die Erdoberfläche erhält, in jedem Jahre dieselbe, aber sie vertheilt sich je nach Umständen sehr verschieden. Doch erstrecken sich diese Abweichungen über weite Gebiete und liegen die Witterungsgegensätze seitlich neben ein=

diese Jahreszeit in Europa mild auf, welches dann aber ein
kaltes Frühjahr zu erhalten pflegt. Wenn Polarwinde lange
Zeit über Nordamerika nach dem Aequator flossen, so erhält
Europa einen Nachwinter. Denn der als NW. einfallende kalte
Strom verdrängt den SW., dreht sich dann schnell nach NO.,
durchbricht den südlichen Strom und gelangt auf die Westseite
des Polarstromes. Dieser wird erst später vom Aequatorialstrome
durchbrochen, weshalb es häufig Maikälte in Deutschland und
Westeuropa giebt. Solche Rückfälle erscheinen in Europa nach
milden Wintern seitlich oder westlich, nach strengen aber nördlich.
Dazu vermehrt klarer Himmel die Ausstrahlung, weshalb sich
in der Wüste die Reisenden Palmblätter auf die Augen legen,
um nicht zu erblinden, wie die Besteiger hoher Berge die Augen
durch Florbrillen schützen. In der Sahara schwankt aber auch
die Temperatur binnen 24 Stunden um 30°, weil auf glühend=
heiße Tage so kalte Nächte folgen, daß das Wasser in den
Schläuchen gefriert. Während unter den Tropen also an jedem
Tage gewissermaßen das Klima zwischen Sommer= und Winter=
temperatur wechselt, geschieht dies in den Polargegenden nur in
den beiden Jahreszeiten. Man sagt daher mit Recht, die nörd=
liche Erdhälfte ist der Condensator (Verdichter) der Wasser=
dämpfe, die südliche dagegen deren Reservoir (Sammelort), wes=
halb jene regenreicher und wärmer ist, als sie es nach ihrer
geographischen Lage sein sollte.

Je höher die Luft steht, um so mehr nähert sie sich der Tempe=
ratur des Weltraumes; denn hoch steigende Luftschiffer fanden in
Höhen von 21,000 F. 7—32° Kälte. Ebenso nimmt die Wärme an
steilen Bergen mehr ab als auf Hochflächen, besonders bei Tage
und im Sommer. Eine Erhebung von 552 F. entspricht einer
Annäherung von 20 Meilen an den Pol. Der Bernhard hat
0°, Quito und Bogota auf den Hochflächen des südlichen
Amerikas 12—14°, wogegen die Schneegrenze von der Temperatur
des heißesten Monats abhängt.

Einfluß der Temperatur auf die Gesundheit.

Man hält im Allgemeinen das Klima für etwas Unveränderliches, da indessen die Bodenbeschaffenheit auf dasselbe einwirkt, so wird es umgewandelt, wenn der Boden durch Entholzung, Bearbeitung, Versumpfung ein andrer wird. In Bivarais
wird der Wein nur noch an einigen günstigen Stellen reif;
Paris erzeugt keinen trinkbaren Wein mehr wie zu Kaiser Julians
Zeiten, und im Weichselthale enthält keine Rebe mehr kelterbaren
Saft. Vor Zeiten waren Schottland und dessen Inseln bewaldet,
selbst Island trug einst Waldung, wo jetzt faule Moore das
Land ungesund machen. Wo am Makenzie Moosflächen sich
ausbreiten, da jagten vor Zeiten die Eingeborenen Wild im
Hochwald, welcher früher auch Lappland bedeckte. Heute weicht
derselbe bereits auch von den Küsten des Weißen Meeres tiefer
ins Land zurück.

Besonders wichtig für das Klima ist die Beholzung oder
Entholzung, Ueberschwemmung oder Entwässerung, je nachdem
der Boden Wärme aufsaugt oder verschluckt. Der Wüstenring,
welcher 132 Längengrade lang von der Sahara bis zur Gobi
sich ausdehnt, erzeugt durch den bestrahlten Sand eine Wärme
von 40—48°, wogegen die grasbedeckten Steppen einen reichlichen Thaufall verursachen. Gras und Kräuter erniedrigen in
England zehn Monate lang die unteren Luftschichten auf den
Nullpunkt des Thermometers. Werden daher abkühlende Wälder
niedergeschlagen und in Grasflächen oder Getreidefelder verwandelt,
werden Sümpfe ausgetrocknet oder bisher fließende Wasser in
solche umgewandelt, so ändert sich auch das Klima. Als man
in Venezuela Flüssen den Weg zum Meere absperrte, sammelte
sich deren Wasser zum See von Venezuela an, welcher je nach
der Abholzung oder Beholzung der Umgegend ab- oder zunimmt.
In Ascension versiegte eine Quelle, als man den Berg ihres
Ursprunges entwaldete, und erschien wieder, als später ein neuer
Wald heran gewachsen war. Seit man auf den Antillen die
Wälder abgetrieben und den Boden zu Zuckerplantagen verwendet hat, nahmen die Quellen ab und leiden diese Inseln an
Wassermangel, und nach der Vernichtung der Wälder ist Mejico

waldlos gemacht sind, fehlt es sogar an Thau, verdorren die Kräuter und wechselt Dürre mit verheerenden Regengüssen. Vor Jahrhunderten soll der Karst Waldungen getragen haben, seitdem ist er öde Steinwildniß.

Wenn also der Landmann den Boden studirt, um danach zu bemessen, wie er denselben zu bewirthschaften hat, so beob= achtet auch der Arzt denselben aufmerksam, weil er das Klima erforscht, welches wieder die Ursache zu Krankheiten werden oder dieselben heilen kann. Mühry hat nach ärztlichen Berichten eine besondre Krankheitsgeographie zusammengestellt. Jede Zone hat ihre vorherrschende Krankheit, weil das Klima irgend ein Organ angreift. In kalten Ländern werden die Athmungsorgane über= mäßig gereizt, weshalb leicht Lungenkrankheiten entstehen, wo= gegen in heißen Ländern, wo Hitze, Feuchtigkeit und Nachtkühle schnell wechseln, die Unterleibsorgane leiden. Da wo in den Mangrovewaldungen verwesende, organische Stoffe sich anhäufen, bilden sich töbtliche Fieber, weil die faulende Luft zersetzend auf das Blut wirkt, so daß ein Aufenthalt von wenigen Stunden in solcher Luft töbtlich werden kann. In Südeuropa beginnen die Wechselfieber im October, in Afrika dauern sie vom September bis April, und ihnen fielen mehr als 80 europäische Reisende zum Opfer. Im Missisipidelta machen die Zucker= und Baum= wollanpflanzungen die Luft ungesund; doch waren die Swamps (Moore) in der Nähe im Naturzustande nicht ungesund, sondern wurden es erst in der heißen Jahreszeit, als man sie theilweise zu Reisfeldern benützte. Auffallend ist es, daß in diesen Moor= seen ein Cypressenurwald steht und im Innern dieses Sumpf= waldes gesunde Luft geathmet wird.

Miasmen (töbtliche Sumpfluft) findet man im Delta des Niger, streckenweise am Nil, an der Sierra Leonaküste, in Ba= tavia, Guiana, bei Neu-Orleans u. s. w., Fieber in tiefliegenden Gegenden Spaniens und Sardiniens, in Apulien, bei Rom, in Toscana, Griechenland u. s. w. Man nennt diese Sumpf= gegenden Maremmen, und deren böse Fieberluft Malaria. Wo Gebirge die Küste erreichen, kennt man keine Malaria, weshalb man die Ortschaften auf Gebirgen anzulegen pflegt. Besonders wüthet diese töbtliche Luft vom Juni bis September, und dann am heftigsten bei Nacht oder Thaufall, wogegen die Gefahr mit eintretendem Regen aufhört. Merkwürdiger Weise widerstehn Neger der Malaria und dem kalten Fieber, erliegen aber leicht der Schwindsucht, können sogar in Algerien, Aegypten, Ceilon, Mauritius u. s. w. nicht aushalten.

Manche Küsten haben ihre besonderen Krankheiten, z. B. herrscht gelbes Fieber am Nordufer des karaibischen Meeres, das Jemengeschwür am Rothen Meere, das Berriberri in Ostindien, der nordische Aussatz Spedalsked in Norwegen, Island, Grön= land und Kamtschatka. Andre Krankheiten beschränken sich auf gewisse Gebiete, wie die Pest z. B. von Aegypten aus sich über Arabien verbreitet, auch wohl nach Europa verschleppt wird, aber nie nach Amerika kam. In Konstantinopel und Kairo erschien sie früher alle 3—5 Jahre, in Mosul und Bagdad alle 30 Jahre, in Persien sehr selten. Sie verschwindet bei eintretendem Froste oder bei einer Hitze von 20° R. Die Ursache des Kropfes schreibt man dem Trinkwasser zu, und der Cretinismus erscheint in einigen Gebirgsthälern der Alpen, in den Pyrenäen, in Nord= amerika, Island, Lappland, Kleinasien, Algerien, im Himalaja, auf den Sundainseln, in Venezuela, Neu = Granada, Brasilien, Peru, Ceilon, Madeira, und wird dadurch beseitigt, daß man die Kranken in Höhen mit gesunder, frischer Luft bringt. Er scheint also seine Ursache in feuchter Thalluft zu haben.

Einige Gegenden endlich sind wegen ihres mörderischen Klimas verrufen, andre wieder wegen der heilsamen Luft von Kranken als Heilorte besucht.

Unter den Tropen ist zur Regenzeit das Klima auch für die Eingeborenen ungesund, und in der trockenen Jahreszeit treten typhusartige Fieber auf, gelbe Fieber, Ruhr, Pocken, Typhus, Pest, in den Uebergangszeiten endlich Scharlach, Blattern, Kolik, Masern und Cholera. Augenkrankheiten sind die Folgen des raschen Temperaturwechsels; auch wird dadurch das Nerven= system angegriffen, weshalb Wahnsinn, Schlaganfälle und Läh= mungen häufig vorkommen. Besonders ungesund sind Acapulco, Panama, Vera=Cruz, Guayaquil, Callao, Arica, Jamaica, Gua= deloupe, Martinique, Guyana, Neu=Orleans, in Afrika Angola, Benguela, Guinea, Sierra Leona, Senegambien, die Niger=

der obere Nil, in Asien Ceilon, Bengalen, Birma, Java, Sumatra und Timor.

Kranke suchen das milde Herbstklima von Genf und Lausanne am Nordufer des Sees auf, wo hohe Berge gegen den Nordwind schützen, verbringen den Winter in Hastings, Brighton, Wight, in einigen Orten Waadtlands, auf den Kanalinseln Jersey und Guernsey, an der Küste der Bretagne. In Norderney und Misdroy bei Wollin herrscht mildes, gleichmäßiges Klima, ebenso in Südfrankreich (Pau, Hyères, Toulon, Montpellier, Nismes, Aix), welches milde Winter und heiße Sommer hat. In dem lieblichen Nizza genießt man im Winter Frühlingstemperatur, mildern Seewinde die Hitze, kennt man Nebel, Eis und Schnee nicht, wogegen reichlicher Thau fällt und es nur an 38 Tagen regnet. Spezia hat ein ähnliches Klima, Pisa ist wärmer und trockner als Venedig, kühler als Nizza und Rom. Ueppige Vegetation entwickelt sich bei Palermo in dem gleichmäßigen, milden, mäßig feuchten Klima. Im Winter lebt es sich angenehm in der milden, feuchtwarmen Luft Venedigs, aber zur Octoberzeit kann man sich beim Bora im Zimmer nicht im Mantel erwärmen. Die Uebergänge der Tages- und Jahreszeiten gehn in dieser Inselstadt ganz unmerklich vor sich, die Witterung bleibt im Herbst und Frühjahr stetig, und die Luft trotz des fehlenden Regens feucht. Auch Meran und Botzen erfreun sich einer gleichmäßigen, windstillen, feuchtwarmen Temperatur und zahlreicher heitrer Tage; doch wehn im Winter eisigkalte Winde vom Gebirge herab. In dem gleichmäßigen Klima Malaga's herrscht steter Frühling, daher gedeihen hier sogar Datteln, sind Krankheiten selten und werden die Menschen alt. Gleiche Vorzüge besitzen einige Küstenstriche Portugals, besonders Villa nuova, auch Portimao, Tavira, Manchique, Coimbra u. s. w., wo aber zu Zeiten schon afrikanische Hitze eintritt.

Seit einiger Zeit schickt man Lungenkranke nach Madeira und Kairo, welche hier gesund werden und ein hohes Alter erreichen. Die mittlere Temperatur jener Insel beträgt 15°, fällt im kältesten Monat auf 8°, und steigt im wärmsten auf 25°. Dabei ist der Himmel stets heiter, giebt es weder kalte, noch schwüle Winde. Heiter und regelmäßig ist auch das milde Klima Kairo's, dessen Wintertemperatur noch 11° R. hat. Der

October gleicht dem deutschen Hochsommer, November und December dem deutschen angenehmen Herbst. Am kältesten ist es in den ersten sechs Wochen des Jahres, wo man bei Sonnenaufgang 3 ° R., am Mittage 10 ° hat und heftige Südwinde wehen. Vom Mai bis September steigt dann die Temperatur auf 18—32 °; daher dürfte die duftige Gebirgsluft von Mitteldeutschland gesünder sein, nicht nur am Rhein, sondern auch im schlesischen Reinerz. Unterleibskranken empfiehlt man Norwegen, besonders die milde Sommerluft Christiania's, und auch die gemäßigte Zone der südlichen Erdhälfte gilt für gesund, besonders Chile, Patagonien, Buenos Ayres, Montevideo, Rio Granda da Sul, das Kap der guten Hoffnung, Südaustralien, Vandiemensland und Neu-Seeland.

Betrachten wir nun die Wirkungen der Wärme näher, welche dieselbe auf die Wolken ausübt, um daran die Vermuthungen über das Wesen der Elektricität und des Magnetismus zu knüpfen.

Gewitter.

Die Regenwolken sind nicht blos Wasserbehälter und schwimmende Meere destillirten und dadurch nahrhaften Wassers, sondern zugleich auch große Elektrisirmaschinen, deren Explosion man Gewitter nennt. Indem sich die auf- und absteigenden, vom Winde durch einander geschüttelten Dampfbläschen reiben, erzeugen sie Elektricität. Daher sind heftige Regen gewöhnlich mit Gewitter verbunden, wenn sich die Wolken plötzlich verdichten, der Boden und die verschiedenen Luftschichten sehr abweichende Temperaturen und elektrische Spannungen haben, bis Blitze und heftige Entladungen das Gleichgewicht herstellen. Bald springen Blitze im Zickzack heraus, bald brechen sie als breite Feuerstreifen hervor, so daß der ganze Himmel in Flammen zu stehen scheint, oder es zucken von allen Seiten Blitze auf und rollen dröhnende, knackernde Donner. Dadurch werden die Wolken heftig erschüttert und ergießen sich in reichlichem Regen. Mitunter fällt Hagel,

der aus concentrischen Eishüllen besteht, welche einen krystallischen
Kern umschließen. Manche Gewitter kann man für Wirbelstürme
halten, deren Bitze 10—15 Kilometer weit aufzucken. Die Luft-
electricität ist im Winter am stärksten, im Sommer am schwächsten
und nimmt mit der Entfernung von der Erde an Stärke zu.
Gewitter entstehen im dichten Cumulusgewölk mit graublauer
Unterfläche, ziehn die entgegengesetzte Electricität an sich, deren
Vereinigung den Blitz erzeugt. Springt der Blitz auf die Erde,
so „schlägt es ein", trifft er einen Menschen, so treibt er die
eine Electricität des Körpers nach dem Kopfe, die andre nach
den Beinen und töbtet durch diese schnelle, gewaltsame Scheidung.
Da die Blitzwärme die Luft verdünnt, so stürzt schwere Luft in
den leeren Raum, und dies erzeugt den Donner, der zum Rollen
wird, wenn er in Zwischenräumen stoßweise erfolgt.

Die meisten Gewitter stehn hoch über dem Erdboden und
entwickeln sich besonders häufig in Gebirgen. Manche Felsen
sind so oft von Blitzen gespalten und zerrissen, daß man sie für
Blitzableiter halten könnte. Tyndall fand am Monte Rosa in
einer Höhe von 2900 Meter solche zersetzte Felsen, Humboldt
sah ähnliche Spuren von Gewittern am Toluca in Mejico
4620 Meter über dem Meere, und Peytier in den Pyrenäen
noch höhere. Daher meint Becquerel, daß Gewitter die Höhe
des Cumulus erreichen.

Am häufigsten kommen Gewitter in den Sackgassen und
Kesseln der Gebirgsthäler vor, und in der Sierra Nevada
Columbiens treten sie täglich von 2—4 Uhr regelmäßig ein
wie eine Theatervorstellung. Je mehr Regen nämlich ein Land
erhält unter den Tropen, um so mehr nimmt die Zahl der
Gewitterexplosionen zu. Daher erlebt man in Bengalen jährlich
50—60 Gewitter, in den Antillen 40, in den gemäßigten Zonen
20—30 im Sommer, in Westeuropa 5—10, Mittel- und Oberitalien 42—45, den Alpen 25—30, an der Ost- und Nordseeküste
10—12, und unter den Tropen fällt aller Regen unter Donner-
rollen nur aus Gewitterwolken.˙ In Osteuropa erlebt man nie
ein Gewitter im Winter, der in England sehr oft Hagel herbei-
führt. Nach den Polen zu nimmt die Zahl der Gewitter ab,
ja in Island und Spitzbergen fehlen sie und werden durch Nordlichter ersetzt, und wo es unter den Tropen nicht regnet, donnert

:s eben so wenig wie auf der hohen See der Tropen, wo Gewitter selten und dann 100 Meilen von der Küste entfernt sind.
In Frankreich kommen die Gewitter von Westen her, in Deutsch=
land und Rußland von Westen und Südwesten, wobei sie Thälern
und Flüssen folgen, dagegen Wäldern ausweichen. Auch behauptet
man von zwei Bergen, daß sie Gewitter ablenken.

Als der Ingenieur Kresting im Auftrage der Regierung die
Küste zwischen Bergen und Dronthein vermaß (1855), entdeckte
er einige Naturwunder. Als der Südost einige Tage geweht
hatte, quoll aus der Höhle des Wunderfelsens (troldjök) ein
gelblich grauer Rauch hervor und arbeitete sich mühsam an der
Felswand hinauf. Aus einer Seitenspalte des Felsens aber am
Jörendfjord schlagen bei Witterungswechsel Flammen und Rauch=
säulen heraus, denen Donner in der unzugänglichen Höhle folgen.
Aehnliches geschieht an der andern Klippenwand am Lysefjord,
welche 1000 Meter senkrecht abfällt und eine Grotte enthält,
zu welcher man sich an Seilen herablassen kann. Von Zeit zu
Zeit, besonders bei heftigem Ostwinde, springt aus dem schwarzen
Felsen ein Blitz heraus, verschwindet, erscheint wieder, verengt
sich, breitet sich dann aus und löst sich in einzelne Lichtstreifen
auf, ehe er die entgegengesetzte Felswand erreicht. Denn die
Feuersäule geht wirbelnd weiter und verursacht durch ihre Um=
drehungen das Verengern und Erweitern der blitzartigen Er=
scheinung. Man hört dabei schnell hinter einander heftiges
Knallen, welches an Stärke zunimmt, wenn die Flamme wie ein
Wasserstrahl aus dem Felsen hervorspringt. Ein heftiger Donner=
schlag begleitet sie und hallt dröhnend in langen Echos die enge
Meeresstraße entlang. Man könnte meinen, daß eine im Innern
der Felsenklippe verborgene Batterie von unsichtbaren Kasematten
aus die gegenüberstehende Felsenwand beschießt. (Reclus.)

Beccario in Turin hat sich Gewitter als besondres Studium
gewählt und giebt folgende Kennzeichen an. Zunächst entsteht
in den Wolken ein eigenthümliches Gähren. Die scharf um=
grenzten Wolken, welche auf einander gehäuften Baumwollballen
gleichen, schwellen an, werden an Zahl geringer, an Umfang
größer, haften dabei fest an ihrer ursprünglichen Basis, wogegen
die gebrochenen Umrisse allmählig verschmelzen. Dann taucht

Himmel ihre Farbe mit, indem sich ihre Oberfläche ausgleicht, welche bisher Erhöhungen und Vertiefungen hatte. Von der höchsten Stelle dehnen sich die Wolken wie lange Aeste aus, welche, ohne sich abzulösen, nach und nach den ganzen Himmel überdecken. Mit ihnen entstehen aber auch kleine weiße, isolirte, scharf umgrenzte Wolken, die sich rasch, aber unsicher bewegen und sich endlich mit der Hauptwolke vereinigen, an deren dunkler Masse sie als weiße Flocken haften. Hat die Gewitterwolke die größere Hälfte des Himmels überzogen, so tauchen viele kleine Nebenwolken auf als abgerissene und zersetzte Wolkenbruch= stücke, aus denen hier und da lange Arme hervorschießen. Nähern sich zwei solche Wölkchen, so strecken sie sich die Arme entgegen, stoßen sich aber ab, sobald sie sich berühren, und ziehn ihre Arme zurück.

„Gewitterwolken", sagt Dove, „sind gewöhnlich dick, isolirt und weit ausgedehnt, und entstehen in heißer Jahreszeit durch feuchtes Wetter, indem die mit Feuchtigkeit gesättigte warme Luft durch eine Temperaturerniedrigung Wasser ausscheidet. Ihre Veranlassung ist also der aufsteigende Luftstrom oder die Ver= drängung des Aequatorialstroms durch den Polarstrom oder die entgegengesetzte Bewegung. Es mischen sich also verschiedene Luftströme, bilden plötzlich Wolken mit hoher elektrischer Span= nung, daß Blitze herauszucken und durch Regenniederschlag die frei werdende Elektricität sich in der Luft zerstreut. Die schnellen Niederschläge wiederholen sich in der Gewitterwolke, daher auch die Blitze, nach denen dann der Regen dichter fällt. Der auf= steigende Strom führt die feuchte Luft hoch empor, daher dringen die seitlichen und kälteren Luftschichten in den verdünnten Raum ein, senken sich und geben zu plötzlichen Niederschlägen Veran= lassung, in deren Folge die elektrische Spannung so groß wird, daß Blitze hervorbrechen. Da sich der aufsteigende Strom zur Zeit der größten Tageshitze am Stärksten entwickelt und dann voll Wasserdampf ist, so bilden sich dann auch die heftigsten Niederschläge. Die herabstürzenden Luftmassen verursachen den aus der Wolke wehenden Gewittersturm, welcher nur kurze Zeit währt, da die Wolke, welche er treibt, sich nur über einen kleinen Raum erstreckt. Gebirgswetter entstehn auf doppelte Weise: entweder steigt die erhitzte Luft an einer Gebirgswand empor

bei heftig wehendem Südwinde, oder in einem Thalkeffel ent=
wickelt sich ein auffteigender Strom, welcher dann von einem
kalten erfaßt wird, sobald er über die Seitenwände hervortritt.
Gewitter des auffteigenden Stromes gehn bald vorüber, ändern
das Wetter nicht und können sich täglich zu derselben Stunde
wiederholen.

„Kalte Polarftröme erzeugen Schneegestöber und heftige
Kälte bei Nordost, im Sommer dagegen tritt Windstille ein,
wenn der kalte Strom am warmen sich aufftaut und die Luft
drückend macht, bis das Gewitter losbricht. Oft folgen der
Gewitter mehrere auf einander, wobei die Luft sich ftark abkühlt.
Siegt der Südwind, so entftehn für längere Zeit Weftgewitter
mit kaltem, regnerischem Wetter; siegt dagegen der Aequatorial=
ftrom, so bringen die Gewitter Wärme. Diese Gewitter gehn
hoch und langsam, weil der Nordstrom nur nach und nach
weicht, und find seltener. Platzregen endlich find ftille Gewitter
mit geringer elektrischer Spannung." Gewitter haben wie Wirbel=
ftürme ihren regelmäßigen Weg, gehn oft 5 Meilen in der Stunde,
verbreiten durch ihre Wafferdämpfe, welche die rasche Ausdünstung
des Körpers hindern, Schwüle, und kommen zu allen Tages=
und Jahreszeiten vor. Selten kommen sie des Nachts, öfter am
Nachmittag und im Sommer. Unter den Tropen sieht man sie
täglich, im Norden auch im Winter. Dann schlagen sie oft ein,
weil sie der Erde näher find, und erzeugen heftige Stürme.

Was die Blitze anlangt, so fahren sie meist zur Erde nieder,
d. h. sie schlagen ein, schmelzen Metalle, zerschmettern Bäume,
verglasen Felswände u. s. w., und find nur 36 Meilen weit
zu sehen, Donner nur 4 Meilen weit zu hören. Stehn also
Gewitter unter dem Horizonte, so sehn wir ihren Wiederschein
als Wetterleuchten, von entfernten sehn wir den Blitz, hören aber
den Donner nicht. Dieser entfteht dadurch, daß in der erschüt=
terten Luft leere Räume sich bilden, in welche die umgebende
Luft mit Gewalt hineinftürzt, die Lufttheilchen sich dabei weithin
verschieben und durch Zusammenziehung und Ausdehnung einen
rollenden Wiederhall verursachen. Bei bedecktem Himmel erzeugt
sogar ein Kanonenschuß ein mehrfaches Echo, ein Piftolenschuß
gar einen Wiederhall von $\frac{1}{2}$ Minute.

Aufmerksame Beobachter unterscheiden vier Arten von Blitzen:
1) seltene Feuerkugeln, 2) seltene schlangenartige Blitze, welche
schwach und farbig leuchten, 3) zackenförmige mit scharf begrenztem
Rande, feurigen, mehrfach gebrochenen Streifen und weißer, bläu-
licher, rother oder violetter Farbe, und 4) ganze, das scheinbar
geöffnete Gewölk durchleuchtende Blitze, welche schwächeres rothes
oder bläuliches Licht haben und bei manchen Gewittern mehrere
Stunden lang rasch nach einander aufflammen. Mohn unterscheidet Flächenblitz, der die ganze Oberfläche der Wolke erleuchtet,
den Zickzackblitz, eine Reihe von Funken, und den Kugelblitz, der
selten, aber heftig ist.

Gewitter sind also wässrige Niederschläge, bei denen sich
Elektricität in Folge besonderer Einflüsse und Verhältnisse entwickelt. Da sie wegen der grellen, zerschmetternden Blitze und
weithin rollenden Donner zu den großartigsten Naturerscheinungen
gehören, so wurden sie von den alten Völkern am meisten gefürchtet und verehrt, wie heute noch die unwissende Menge des
Landvolks und der Städte vor Gewittern erschrickt, sich verbirgt
oder zu Schutzmitteln greift, welche der Aberglaube erfunden hat.
Wetter- und Gewittergottheiten waren ursprünglich die ältesten
Götter, deren oberster daher vorzugsweise den Blitz schleuderte,
der germanische Wolkengott Thor den zermalmenden Steinhammer,
welcher den Blitz bedeutete, wie das Rollen des Donners durch
das Rädergerassel des über die Wolken fahrenden Gottes verursacht ward. Aus Blitzen erkannten die Etrusker den Willen
der Götter und bildeten diese Wahrsagekunst zu einer besondern
priesterlichen Wissenschaft aus, welche auch die Römer annahmen,
weil sie einen passenden Vorwand gab, lästige Volksbeschlüsse zu
beseitigen. Auch die alten Peruaner beteten den Blitzgott an,
und in der christlichen Legende spielt der Blitz eine große Rolle,
weil sie Heilige an die Stelle der heidnischen Götter setzt.

Wir beurtheilen allerdings den Blitz gegenwärtig sehr pro-
saisch, indem wir ihn eine elektrische Erscheinung nennen, aber
über das Wesen und die Natur der Elektricität, welche mit Licht,
Wärme und Magnetismus in Verbindung steht, sind wir noch
im Unklaren. Wir finden sie wieder im Zucken der Muskeln
und Nerven, sie durchfluthet Luft, Wolken und Erdrinde, man
experimentirt und heilt mit ihr, kann sich aber trotzdem über

viele Eigenthümlichkeiten ihrer Wirkungen keine Rechenschaft geben. Der Telegraph ward durch sie zum Boten, der in wenig Stunden den Weg rings um den Erdball macht, und der Oeko= nom muß beim Betrieb seiner Wirthschaft wohl auf diese wunder= bare Kraft achten, die im Erdboden weilt und mit ihrer Stief= schwester in der Luft in Verkehr steht. Das räthselhafte Elms= feuer ist ausströmende Elektricität, die man nur bei dunkler Nacht sieht, wo sie dann an Grasspitzen, an Pferdemähnen, an Hut und Handschuhen, an den Ohren und dem Schweife der Thiere, besonders aber bei Schnee und Regen aufleuchtet. Peltier will sogar an der Wolkenfarbe die Art der Elektricität erkennen, da eine negativ elektrische Wolke bleigrau, eine positiv elektrische weiß, rosaroth oder orangefarben aussehe, und Lecquerel behauptet, daß der Wasserdampf der Gewitterwolke positiv elektrisch sei, welcher die negative Elektricität des Erdbodens entgegenströmt und dadurch eine Ausgleichung des Unterschiedes erzeugt. Phillips hält die Erde für neutral, die unteren Luftschichten für positiv, die oberen für negativ elektrisch.

Je höher man sich in die Luft erhebt, um so größer wird die Spannung der positiven Elektricität, wogegen das Wasser negativ elektrisch wirkt und unter Einfluß positiver Elektricität schneller verdunstet. Bei heiterem Wetter ist die positive Elek= tricität der Luft vor Sonnenuntergang gering, steigt allmälig bei Aufgange und erreicht nach einigen Stunden ihr Maximum, um dann wieder bis einige Stunden vor Sonnenuntergang zu fallen. Die Nacht hindurch steigt sie anfangs und sinkt dann bis Sonnenaufgang. Im Winter ist die Elektricität stärker als im Sommer, bei Schnee und Nebel die Luft positiv elektrisch, bei Regen dagegen negativ. Bei bedecktem Himmel zeigen die verschiedenen Wolkenschichten ihre besondre Elektricität, selbst beim Gewitter wechselt positive und negative Elektricität, und bei starker Spannung leuchten Wassertropfen beim Aufschlagen, ja sogar der Schnee thut dies. Alle Wolken sind daher elektrisch, Gewitterwolken im hohem Grade, deren Entladung von örtlichen Einflüssen abhängt. (Dove).

Meißner hält die atmosphärische Elektricität für die Folge eines großen Oxydationsprocesses, welcher ununterbrochen auf

mit einem brennbaren Körper, und zerlegt sich der neutrale
Sauerstoff in positiven (Antozön) und negativen (Ozon). Die
meisten Oxydationsprocesse binden Ozon und lassen Antozön
frei, denn es verbrauchen 1000 Millionen Menschen täglich
1500 Mill. Pfd. Sauerstoff. Bei heiterem, wolkenlosen Himmel
ist die Atmospäre in allen Jahreszeiten und Tagesstunden
positiv. Da nun die Gewässer verdunsten und Salze ausscheiden,
so führt das Wasserstoffgas der Luft positive Elektricität zu.
　　Weiteres über das dunkle Kapitel der Elektricität lehrt die
Physik.

Nord- und Südlichter.

Chemiker behaupten, daß es Farben giebt, welche wir nur
mit Hilfe geeigneter Instrumente wahrnehmen; nur aufmerksame
Beobachter bemerken das Erdlicht, obschon es stärker ist als das
des ersten Mondviertels, wie auch die Venus zuweilen im eignen
phosphorischen Scheine leuchtet. Am deutlichsten sieht man das
Erdlicht Nachts bei trocknem Nebel, und Arago hält den stillen
Lichtprozeß großer Wolken sowie das schwache verschwimmende
Licht, welches in tiefbewölkten, mond- und sternlosen Herbst- und
Winternächten unsre Schritte leitet, für die Wirkungen des Erd-
lichtes. Eine räthselhafte Erscheinung des Luftlebens sind auch
die Nord- und Südlichter, jene stillen, farbenreichen, electrischen
Gewitter der langen Polarnacht, welche bei Tage wie weißliche
Wolken aussehn, so daß nur der Magnet ihre Gegenwart an-
zeigt, und welche den tropischen Gewittern entsprechen. Der
Forscher gebraucht den Magneten als Senkblei, welchen er in
die räthselhafte Tiefe der magneto-elektrischen Strömungen wirft,
um sich von deren Thätigkeit zu unterrichten. Nordlichter als
Wirkungen des Erdmagnetismus ordnen sich nach den magnetischen
Kraftlinien der Erde.
　　In Mitteleuropa sind Nordlichter so selten, daß viele
Menschen sterben, ohne je den märchenhaften Anblick eines solchen
Lichtgewitters gesehn zu haben, die französische Commission

dagegen zählte 1838—39 in Norwegen binnen 206 Tagen
152 Nordlichter, denn sie pflegten nur bei bedecktem Himmel zu
fehlen. Man vermuthet, daß diese Lichtspiele in bedeutender
Höhe entstehen, und zwar 150—860 Kilometer hoch, sich 80
bis 860 Kilometer weit verbreiten, daher weithin können gesehn
werden. Ob bei ihrem Erscheinen ein Geräusch entsteht, wird
bezweifelt, jedenfalls rührt es dann von dem Klirren der Eis=
krystalle der Wolken her. Nordlichter kommen in einem Ovale
vor, welches von der Hudsonbai, Labrador, Südgrönland, Island,
Finnmarken bis über das karische Meer, Nordsibirien, das Berings=
meer und Nordamerika sich ausdehnt. Oft stehn sie 20 Meilen
über der Erde als Strahlenring, von dem wir nur einzelne
Theile sehn, so daß die Strahlen in Einem Punkte, der Krone,
zusammen zu laufen scheinen.

Sehr verschieden ist die Dauer der Nordlichter, da sie mit=
unter einige Tage und Wochen am Himmel stehn und bei trübem
Wetter als heller Schimmer auch am Tage wahrnehmbar werden.
Ueber die Natur dieser Lufterscheinungen ist man noch nicht
einig; doch zeigen sie große Aehnlichkeit mit elektrischen Strö=
mungen. Denn sie wirken auf Magneten und Telegraphendrähte,
und die Farben ihrer Bogen, Wolken und Streifen gleichen
denen der elektrischen Funken, welche durch verdünnte Luft zucken.
Nordlichter begleiten die Erde auf ihrer Umdrehung und stehn
vielleicht unter dem Einflusse der Sonnenflecken. Forster will
beobachtet haben, daß Südlichter blaßbläulich und weniger bunt=
farbig sind als Nordlichter. Die oberen Luftschichten scheinen
ihm positiv elektrisch, die unteren aber negativ geladen zu sein.
Da die verdunstende hoch steigende Feuchtigkeit der Luft unter
den Tropen positiv electrisch ist und die oberen Luftschichten in
dieser Spannung erhält, bis Stürme und Regengüsse das Gleich=
gewicht herstellen, so nimmt jenseits der Tropen diese Electricität
ab, und es entsteht nur ein stilles Zusammenfließen im Nordlicht
als Ausgleich der elektrischen Spannung.

Der Ausgangspunkt des Nordlichts liegt in der Nähe des
magnetischen Poles, welchen Roß auf der Halbinsel Boothia
Felix entdeckte; daher sieht man es in Norwegen gegen Nord=
westen, in Grönland im Westen, von Melville aus im Süden.
Im hohen Norden sind Nordlichter selten, obschon der Winter

ihre Jahreszeit ist und sie auch nur von 8 Uhr Abends bis
3½ Uhr Morgens nach der Versicherung Bravais' erscheinen.
Hayes sah im Smithsund deren nur drei, wogegen jährlich
wenigstens 40 derselben in der 500 Kilometer breiten Strecke
von Südgrönland bis Nordsibirien zu sehn sind. Viel häufiger
leuchten sie auf in der Zone der Hudsonsbai, Labrador, Island,
und Nordskandinavien. Nach Süden zu werden sie immer
seltener, unter dem Wendekreis des Krebses ganz unbekannt. In
Havanna sieht man in 100 Jahren nur 6 Nordlichter, und noch
seltener auf der ganzen südlichen Erdhälfte. Im Jahre 1859
ward als Seltenheit ein Nordlicht bis Kalifornien und dem Ural
sichtbar, nach vier Tagen ein andres von den Sandwichinseln
bis Nordamerika, Europa und Sibirien, und zugleich leuchtete
ein Südlicht bis Valparaiso, und nach Hobarton's Beobachtungen,
der von 1841—48 34 Südpolarlichter in Tasmanien sah, fielen
29 mit Nordlichtern in dieselbe Zeit. Glaisher endlich hat bemerkt, daß Nordlichter ihre bestimmten Perioden haben, in denen
sie häufiger und seltener vorkommen, und daß dieselben mit denen
der Sonnenflecken zusammenfallen, welche Schwabe aufgefunden
hat, d. h. daß sie 58—60 Jahre umfassen und wieder in sechs
Unterperioden von je zu 10 Jahren sich theilen. Gewöhnlich ist
der untere Rand des Nordlichtes schärfer begrenzt als der ver-
schwommene obere, auch sieht der Himmel unter dem unteren
Rande schwärzer aus als gewöhnlich. Oft besteht der Lichtbogen aus einzelnen Strahlen, die nach unten gerichtet sind,
dabei verschiedene Länge haben und über den Bogen hinzu-
wandern scheinen. Gewöhnlich verändert der Bogen stets Form
und Stellung oder erscheint zusammenhangslos über den Himmel
zerstreut, so daß Lichtwellen über den Himmel zu fließen
scheinen.

Die allgemeinen Charaktermerkmale dieser „magnetischen
Gewitter" sind nach Reclus, Humboldt, Bravais u. A. folgende.
Bereits am Morgen vor der nächtlichen Erscheinung bemerkt
man einen unregelmäßigen stündlichen Gang der Magnetnadel.
Tief am Horizonte, wo dieser von dem magnetischen Meridian
durchschnitten wird, schwärzt sich der vorher heitre Himmel. Nun
erscheint der erste noch ungewisse Schimmer des Nordlichts im
Norden des Horizontes wie eine unentschlossene Morgendämmerung.

Ein breiter, düstrer Wolkenabschnitt — vielleicht dichter Nebel — der fern auf dem Meere lastet, zeichnet sich schwarz vom Himmel ab in der Richtung nach dem magnetischen Pole und erhebt sich 8—10 Grade. Bald erhebt sich ein Lichtbogen über der dicken Wolkenschicht wie eine ungeheure Wölbung von einem Ende der Erde bis zum andern.

„Der gelblichweiße Schimmer des veränderlichen Lichtbogens nimmt an Glanz zu, ohne die Sterne zu verlöschen, welche wie durch einen Rauch hindurch blitzen. Er flammt auf, schwankt zitternd und rückt weiter wie eine vom Winde getriebene Flamme. Mitunter baut er sich symmetrisch auf wie flammende Thor-wölbungen eines Hauses mit dunkler Vorderseite; die Farben der Wölbungen gehn bald ins Braune oder Violette über, doch den dunklen Rand begrenzt ein breiter, hell leuchtender Licht-bogen von weißer Farbe, die ins Gelbe übergeht. Der Licht-bogen selbst weicht 5—18° vom magnetischen Meridian ab nach der Magnetdeclination des Ortes zu. Im hohen Norden er-scheint der rauchähnliche Kugelausschnitt weniger dunkel, manch-mal gar nicht. Oft steht übrigens der Lichtbogen stundenlang, ohne Strahlen zu schießen, oft schließen sich zwei, drei und mehr Feuerbogen an oder runden sich vielmehr über dem ersten ab, und ihre concentrischen Feuerstreifen leuchten hoch in den Himmel hinein bis zum Zenith. Nach einiger Zeit erleuchten nur diese Bogen den Weltraum, aber plötzlich sieht man farbige Strahlen aus den Bogen gegen den Zenith in sich kreuzenden Bündeln schießen. Unten sehn dieselben grün aus, in der Mitte goldgelb, dann purpurroth; doch wechseln oft schwarze oder dunkelviolette Strahlen mit jenen Lichtstreifen und verdunkeln sie. Je stärker die ganze magnetische Entladung ist, um so leb-hafter spielen die Farben vom Violetten ins Bläulichweiße durch alle Abstufungen bis ins Grüne und Purpurrothe, denn auch jeder elektrische Funke erscheint erst bei heftiger Spannung gefärbt.

„Dabei verändert das Nordlicht fortwährend seine Gestalt. Bald ruhen die beiden Bogenenden auf dem Horizonte nicht mehr, sondern die Lichtmasse schwankt hin und her und ent-faltet sich wie ein ungeheurer befranster Vorhang; bald vereinigen

sie wie durch Rauchsäulen von einander getrennt, und bald
erlischt ihr Glanz, bald lebt er wieder auf. Dabei wechseln
die Strahlen an Länge und Glanz, bald wird die Erde beleuchtet,
bald bleibt sie dunkel. Im magnetischen Zenith erscheint der
Himmel schwarz, aber ringsum bilden die Strahlen eine Art
von Krone. Hierauf nimmt der Glanz der Strahlen und Bogen
ab, man sieht sie zucken wie ein sterbendes Licht, und es bleiben
nur einzelne schimmernde Strecken übrig wie ferne Blitze eines
Gewitters, und dann sieht man auf dem Cirrus noch ein dünnes
Leuchten wie Phosphor; denn das magnetische Licht verschwindet
wenn die Sonne aufgehn will."

    „Die magnetischen Feuersäulen", bemerkt Humboldt, „steigen
bald aus dem Lichtbogen allein empor, bald mit schwarzen,
dickem Rauche ähnlichen Strahlen gemengt. Bald erheben sie
sich gleichzeitig an vielen entgegen gesetzten Punkten des Horizontes
und vereinigen sich in ein zuckendes Flammenmeer von unbeschreiblicher Pracht, welches in jedem Augenblick seinen leuchtenden
Wellen andre Gestalt giebt und zuweilen so stark ist, daß man
es bei Sonnenschein sehn kann. Um den Punkt des Himmels-
gewölbes, welcher der Richtung der Neigungsnadel entspricht,
schaaren sich endlich die Strahlen zusammen, und bilden die
sogenannte Krone. Sie umgiebt den Gipfel des Himmelszeltes
mit einem milderen Glanze und ohne Wallung im ausströmenden
Lichte. Nur in seltenen Fällen gelangt die Erscheinung bis zur
vollständigen Bildung der Krone, mit derselben hat sie aber stets
ihr Ende erreicht. Die Strahlungen werden nun seltener, kürzer
und farbenloser. Die Krone und alle Lichtbogen brechen auf.
Bald sieht man am ganzen Himmelsgewölbe unregelmäßig zerstreut nur breite blasse, fast aschgrau leuchtende, unbewegliche
Flecken. Auch sie verschwinden früher als die Spur des rauch-
artigen Kreisabschnittes, der noch tief am Horizonte steht. Es
bleibt nur ein weißes, am Rande gefiedertes Gewölk übrig,
welches auch wohl in kleine, rundliche Häufchen mit gleichen
Abständen getheilt ist."

    Der deutsche Astronom Argelander, der sich längere Zeit
in Abo am finnischen Meerbusen aufhielt und oft Gelegenheit
hatte, Nordlichter zu beobachten, giebt folgende genaue Be-
schreibung derselben: „Ein eigenthümliches schmutziges Ansehn

es nördlichen Himmels in der Nähe des Horizontes verkündet
u Voraus das Erscheinen des Nordlichts. Bald wird die Farbe
unkler und zeigt sich ein Kreisausschnitt von geringerer oder
rößerer Ausdehnung, von einem lichten Saume eingefaßt. Jener
Ausschnitt hat das Aussehn einer dunkeln Wolkenwand, durch
velche aber die Sterne durchscheinen. Bei heller Dämmerung
rscheint der Lichtsaum nach innen zu braunröthlich und geht
aach außen in die dunkle Grundfläche über.

„Dieser Kreisausschnitt (Segment) oder Grundlage (Basis)
ist von glänzend weißer, etwas ins Bläuliche fallender Farbe,
bei der Dämmerung gelblich, bei heller Dämmerung grünlich.
Die Breite ist verschieden und der untere Rand scharf begrenzt.
Nimmt aber die Breite zu, so wird der Rand immer ver-
waschener und verfließt endlich als Schein in das allgemeine
Licht des Himmels. Dann ist die Helligkeit, welche er verbreitet,
sehr stark und kommt derjenigen des Vollmondes gleich. Ebenso
verschieden wie die Breite (25 — 180°) ist die Ausdehnung und
Figur des Saumes. Die Figur gestaltet sich um so regelmäßiger,
je schmaler und deutlicher begrenzt der Saum ist; doch wird sie
stets kreisförmig, zuweilen deutlich elliptisch. Mit den Enden
berührt er zuweilen den Horizont, häufiger jedoch ruhen beide,
oder wenigstens das eine, auf unregelmäßigen Dunstmassen, die
mit der Basis zusammen fließen. Die Mitte der Basis und
des Saumes, in welcher diese zugleich ihre größte Höhe über
dem Horizonte erreichen, liegt nicht bei allen Erscheinungen in
derselben Himmelsgegend, sondern schwankt um den Nord= und
Westpunkt herum.

„So ist der Anfang jedes Nordlichtes und häufig bleibt
das Aussehn ohngefähr dasselbe während mehrerer Stunden,
ohne daß neue Erscheinungen sich zeigten. Indessen herrscht
keineswegs vollkommene Ruhe darin. Im Gegentheil ist die
ganze Figur in fortwährender Bewegung; sie erhebt und senkt
sich, zieht sich nach Osten oder Westen, zwar nicht heftig, aber
doch so, daß man nach Verlauf einiger Zeit den Unterschied
deutlich merken kann. Plötzlicher und merklicher sind die Ver=
änderungen der Gestalt, indem bald an der einen, bald an der
andern Stelle Basis und Lichtsaum aus der regelmäßigen Form

und dann diese breitere und hellere Lichtmasse sich fortbewegt. Am Heftigsten aber werden sie, wenn das Nordlicht sich weiter ausbildet und Strahlen zu schießen anfängt. Dann sieht man den Lichtsaum an einer Stelle bedeutend heller werden, in die Basis hineingreifen, und es steigt ein heller Schein von der Farbe des Lichtsaumes in die Höhe, ohngefähr halb so breit als der Vollmond, selten breiter, in der Mitte heller, nach beiden Seiten schwächer, aber deutlich vom Himmelssaume sich abscheidend. Mit Blitzesschnelle schießt er auf, oben züngelnd und in mehrere schwache Strahlen zerspalten, nimmt er die Figur eines Strahlenbüschels an. Meistens erhebt er sich senkrecht, selten in einer gegen den Horizont gesenkten Richtung, sich bald verlängernd, bald verkürzend behält er doch im Ganzen, oft während mehrerer Minuten, seine Gestalt bei, aber selten bleibt er auf derselben Stelle, sondern bewegt sich vielmehr nach Osten oder Westen, zuweilen wie vom Winde bewegt und sich krümmend. Allmälig wird er blasser und verschwindet endlich, um andern Strahlen Platz zu machen, die dasselbe Spiel von vorne anfangen.

„Wenn nun nicht ein, sondern 5—6 Strahlenbüschel an verschiedenen Stellen aufsteigen, wenn endlich gar aus der ganzen Länge des Saumes dicht an einander Strahlen sich erheben, sich entweder alle nach einer Richtung bewegen oder in verschiedenen Richtungen von und zu einander ziehen, sich bis zum Zenith erheben und sich so dicht drängen, daß man ihre Anfänge nicht mehr unterscheiden kann, dann gewährt das Nordlicht einen unbeschreiblichen Anblick. Der ganze nördliche Himmel ist von zuckenden Flammen erfüllt, die vom Bläulichweißen durch alle Abstufungen der Farben bis ins Purpurrothe spielen und gar durch das Zenith bis an den hellen südlichen Himmel ziehn. Nur in der Nähe des Zeniths bemerkt man nichts von der allgemeinen Beweglichkeit und Veränderlichkeit. Im matten Lichte glänzt jene Stelle ruhig fort, gleichsam der Pol der ganzen Erscheinung, und darum die Krone genannt. An ihrer Beharrlichkeit scheitert die Wuth der Strahlen. Wie diese auch von allen Seiten auf sie einstürzen, sie vermögen sie nicht zu durchbrechen. Sie allein gewährt dem Beobachter einen festen Anhalt; wo er sonst seine Augen hinwendet, immer Neues und Neues

gewahrt er, und kaum faſſen kann er die Herrlichkeit. Erſt
wenn nach oft mehrſtündiger Dauer allmälig wieder Ruhe ein=
tritt, wenn die Farben nach und nach verſchwinden, die einzelnen
Strahlen ſich wieder unterſcheiden und verfolgen laſſen, immer
kürzer werden und endlich ganz aufhören, dann kommt der Be=
obachter vom Entzücken zum ruhigen Prüfen. Die Pracht des
Flammenmeeres iſt verſchwunden, und nur blaſſes Lichtgewölk,
einem Rauche ähnlich, erinnert noch daran. In langſamer Be=
wegung ſchwebt es auf und ab, hin und wider, erhebt ſich end=
lich immer mehr, wird immer ſchwächer, bis es einem unſchein=
baren weißen Dunſte gleicht. Zuletzt ſteht nur die Baſis und
der Lichtſaum noch da, anfangs noch in unregelmäßiger Form
und chaotiſch durch einander gemengt, allmälig wieder regel=
mäßig ſich geſtaltend. Nach kurzer Dauer bilden ſich wieder
neue Strahlen, aber die Kraft iſt gebrochen, der Stoff ver=
braucht. Nur hin und wider erſcheinen ſie, nicht vermögend,
ſich über einige Grade zu erheben, verſchwinden bald, um zu=
weilen wieder neuen Platz zu machen, bis endlich Baſis und
Lichtſaum immer ſchwächer werden, und zuletzt auch dieſe von
dem Blau des Himmels nicht zu unterſcheiden ſind.

„Doch erreichen nur wenige Nordlichter die eben beſchriebene
vollkommene Ausbildung; die Krone entwickelt ſich ſelten. Meiſten=
theils erhebt ſich, nachdem das Nordlicht einigemal Strahlen
geſchoſſen hat, das an den Enden der Baſis gelagerte unregel=
mäßige Gewölk und überzieht in wenigen Augenblicken den
ganzen Himmel mit einem dichten Schleier. Dann bricht ſich
zuweilen ſpäterhin das Gewölk wieder, und in Wolkenſpalten
ſieht man noch lange den Lichtſchimmer, auch wohl einzelne
Strahlen. Verſchwinden dagegen die Baſis und der Lichtſaum
allmälig, ohne daß es trübe geworden iſt, ſo kann man mit
ziemlicher Gewißheit darauf rechnen, daß den folgenden Abend
ein neues Nordlicht ſich zeigen werde.

„Häufiger nimmt das Nordlicht eine andre Form an. Es
bildet ſich nemlich in einiger Höhe über dem Lichtſaum ein
neuer Lichtbogen, gewöhnlich mit dem Saume und der Baſis
concentriſch, meiſt ſchmäler als jener, an beiden Seiten ſcharf
begrenzt und von lebhaftem Glanze. Er bietet im Ganzen die=
ſelbe Erſcheinung dar, wie der Lichtſaum, das Auf = und Ab=

steigen, das allmälige Sichverschieben nach der einen und andern Seite, das Strahlenschießen. Nur kommen aus ihm mehr Strahlen hervor, meist dicht bei einander, und der ganze Lichtbogen scheint in Strahlen sich aufzulösen. Einen schönen Anblick gewährt es, wenn aus dem Saum und Bogen zugleich Strahlen aufsteigen. Dann schießen die ersten nur bis an den Bogen hinauf, die späteren aus diesem noch höher aufwärts, und erst wenn er sich ganz aufgelöst hat, vermischen sie sich miteinander. Zuweilen bilden sich solche Bogen in bedeutender Höhe, fast durch das Zenith gehend, und schießen dann keine Strahlen, sondern verschwinden nach etwa einer halben Stunde wieder allmälig. Uebrigens hat jedes Nordlicht seine Eigenthümlichkeit, und auch eine gewisse Periodicität läßt sich nicht leugnen, denn im Mai und August sind sie selten, im Juni und Juli fehlen sie ganz."

Südlichter sieht man oft, Nordlichter bis Peru und Mejico, gleichzeitig in Rom, Peking, Pennsylvanien und England. In Island, Grönland, Neufundland, am Sclavensee und in Nordcanada entzünden sie sich zu gewissen Jahreszeiten fast jede Nacht, und die Shetländer nennen sie den lustigen Himmelstanz. In Italien sieht man sie selten, in Nordsibirien sehr oft, wo sie in gewissen Gegenden besonders prachtvoll sich entwickeln, wogegen ihr Glanz abnimmt, wenn man sich vom Ufer des Eismeeres entfernt, und am magnetischen Pole erscheinen sie weder öfter noch glänzender als anderswo. Franklin sah am Bärensee ein Nordlicht, und 4½ Meilen von ihm bemerkte ein andrer Reisender gar nichts.

Man hält das Nordlicht für einen Prozeß zur Wiederherstellung des gestörten Gleichgewichts, und die Wirkung auf die Magnetnadel ist nach dem Maße der Stärke in der Explosion verschieden. Die aufschießenden Strahlencylinder hat man mit der Flamme verglichen, welche in dem geschlossenen Kreise der Volta'schen Säule zwischen zwei weit von einander entfernten Kohlenspitzen entsteht, und die von dem Magnete angezogen oder abgestoßen wird. Gronemann, Astronom zu Groningen, meint, das Nordlicht werde durch Wolken kosmischen Stoffes erzeugt, der durch die Berührung mit der Erdatmosphäre glühend wird.

In der That zeigt das Spectrum die Linien des Kohlenspectrums, d. h. des wenig leuchtenden Theils der Lichtflamme.

Nordlichter haben jährliche und säculare (von 55 und 11 Jahren) Perioden, erscheinen in den Aequinoctien häufig, im Sommer und Winter selten; am seltensten waren sie 1730, 1751, 1758, 1811 und 1849, im 16. Jahrhundert häufiger als im 17., und die meisten werden 1947 leuchten.

„Auffallend", bemerkt Reclus, „ist der Zusammenhang des Polarlichtes mit den feinsten Cirruswölkchen. Der tellurische Magnetismus offenbart sich hier in seiner Wirkung auf den Dunstkreis, auf die Verdichtung der Wasserdämpfe. Thienemann hält die Schäfchen für die Unterlage des Polarlichtes, worin ihm Polarreisende beistimmen, weil das Polarlicht die lebhaftesten Farben dann schießt, wann in den hohen Luftregionen Massen von Cirrostratus schweben und so dünn sind, daß ihre Gegenwart nur durch die Entstehung eines Hofes um den Mond kann erkannt werden. Die Wolken ordnen sich zuweilen schon bei Tage auf eine ähnliche Art als die Strahlen des Nordlichts und beunruhigen die Magnetnadel. Bei einem großen nächtlichen Nordlichte erkannte man früh am Morgen dieselben an einander gereihten Wolkenstreifen wieder, welche vorher geleuchtet hatten. Eine Eigenthümlichkeit ist das Hin = und Herschwanken oder Fortschreiten des Treffpunktes der Strahlen. Humboldt sah sie auf den Anden 14,000 F. hoch sich ebenso entwickeln wie über den Ebenen, und sie entstehn bei ruhiger Luft und heitrem Himmel."

Lottin beobachtete in den Finmarken in 206 Tagen 143 Nordlichter, deren Wesen er beschreibt: „Des Abends zwischen 4—8 Uhr färbt sich der obere Theil des feinen Nebels, welcher fast beständig nach Norden hin in einer Höhe von 4—6° sich erhebt. Dieser lichte Streifen nimmt allmälig die Gestalt eines blaßgelben Bogens an, dessen Ränder verwaschen scheinen, und dessen Enden sich auf die Erde aufstützen. Dieser Bogen steigt allmälig in die Höhe, sein Gipfel aber bleibt in der Richtung des magnetischen Meridians. Schwärzliche Streifen trennen dann den Bogen zu Strahlen, die sich bald rasch, bald langsam verkürzen oder verlängern, oft so weit, daß sie ein Bruchstück eines ungeheuren Lichtgewölbes bilden. Der Bogen steigt nach

dem Zenith zu, der Glanz der Strahlen wächſt der Reihe nach
von einem Fuße zum andern, von Weſten nach Oſten ſich oft
wiederholend, und auch horizontal bewegt ſich der Bogen wie
ein vom Winde bewegtes Band. Verläßt ſein Fuß den Hori=
zont, ſo werden die Biegungen zahlreicher und deutlicher; es
entwickelt ſich ein langes.Strahlenband mit zierlichen Windungen
und vereinigt ſich endlich zur Krone. Dieſe leuchtet ſtark,
ſchnell ſchießen Strahlen in die Höhe, bilden und entwickeln
ſich in Biegungen, und die Strahlen färben ſich roth, grün und
blaßgelb. Dieſe Farben behalten ihre Lage und bleiben durch=
ſichtig. Endlich verſchwindet die Erſcheinung plötzlich oder
allmälig, bis ſich ein neuer Bogen bildet, deſſen Gipfel
den magnetiſchen Zenith erreicht, die Strahlen ein breites,
rothes Band bilden. Immer neue Bogen entſtehen, oft neun
hinter einander, bis ſich die Erſcheinung mit der Morgenröthe
erſchöpft."

    Gedenken wir ſchließlich noch einiger Lufterſcheinungen!
Geht Licht durch die kleinen Oeffnungen der Dunſtbläschen,
ſo entſteht ein Hof oder Ring um Sonne oder Mond. Brechen
ſich dagegen Lichtſtrahlen an den Eiskryſtallen der höchſten Wolken,
ſo entſtehen Nebenſonnen und Nebenmonde. Jene Kryſtalle ſind
ſechseckige Säulchen, die verſchiedene Stellungen zur Sonne
haben, ſo daß die zurückgeworfenen Strahlen auf verſchiedenen
Wegen zum Auge gelangen, und wir Kreiſe, Bogen und Streiſen
ſehn. Durchſchneiden andre Lichtbogen einen ſolchen Kreisring,
ſo leuchtet der Kreuzungspunkt beſonders hell, und wir nennen
ihn Nebenſonne oder Nebenmond. —

    Wenn die untere Luftſchicht ſtark erhitzt und verdünnt, die
über ihr lagernde jedoch dichter iſt, ſo entſtehen verſchiedene
Brechungen des Lichtſtrahls und bewirken über Wüſten und
Polarmeeren Luftſpiegelungen. Es gelangen nemlich verſchiedene
Lichtſtrahlen deſſelben Gegenſtandes auf verſchiedenen Wegen ins
Auge, welches nun den Gegenſtand öfter, dabei verzerrt und
umgekehrt ſieht. Da die Luft die rothen Strahlen am leichteſten
durchläßt, ſo ſehen wir bei Lichtbrechungen Morgens und Abends
eine Röthe, und da ferner die blauen Lichtſtrahlen am leichteſten
zurückgeworfen werden, ſo erſcheint uns der Himmel blau, auf

hohen Bergen dunkelblau bis schwarz. Schweben sehr kleine Regentropfen in der Luft, so sehen wir unter dem Regenbogen noch abwechselnd grüne und rothe Streifen. Weiteres lehrt die Optik.

Der Erdmagnetismus.

Um die Erde schwingt sich vom Pol nach dem Aequator in Spirallinien der Strom einer wunderbaren Kraft oder eine Bewegung, die hervorbricht im Gewitter, im Polarlicht, sich in Eis und Wolken birgt, im geriebenen Bernstein und Siglack zeigt wie im Samen eines Rankengewächses am Orinoco, welches den Kindern als Spielzeug dient. Ampère behauptet, die magnetischen Ströme gehn von Osten nach Westen, also der Erdumdrehung entgegen, winden sich in Spirallinien um die Erdkugel und verbinden die beiden Pole wie die Batterie eines Apparates. Gauß berechnet die Kraft der Erde als Magneten auf 8464 Trillionen mal stärker als die Kraft des künstlichen Magneten.

Vor 700 Jahren lernten Italiener den Magnetismus zur Magnetnadel benutzen, wie es die Chinesen schon vor 2000 Jahren verstanden, und im Jahre 1700 verfertigte Halley eine magnetische Karte. Anfangs meinte man, die Magnetnadel zeige stets grade nach Norden und dem Polarsterne, aber bald bemerkte man unter den verschiedenen Breitegraden Abweichungen, worüber die Matrosen des Columbus nicht wenig erschraken. Gegenwärtig kennt man sie genau und hat sie auf die Seekarten eingetragen. Die Abweichung rechts oder links vom Meridian nennt man Declination, die senkrechtartige, welche Normann 1589 entdeckte, heißt Inclination. Wenn man sich nemlich dem magnetischen Pole nähert, so senkt sich das Nordende der Nadel nach und nach gegen den Boden und würde auf dem Pole selbst senkrecht stehn. Auf der südlichen Halbkugel steht die Nadel auf dem magnetischen Meridian dem Boden parallel, um sich dann mit der Südspitze zu senken und auf dem magnetischen

mung an allen Orten stündlich, täglich, jährlich und periodisch,
ohne daß man die Ursache anzugeben vermag. Man vermuthet,
daß die Ursache des Magnetismus in der Erdumdrehung und
Sonnenwärme liege. Die Strömungen selbst mögen durch die
Verschiedenheit der Erdtheile, der Temperaturen, durch den Gang
der Erde um die Sonne und die Ungleichheit der Schnelligkeit
bei diesem Umlaufe, durch das Fortrücken im Weltraume, die
Reibung der Wolkenhülle am Erdkörper u. s. w. veranlaßt und
bedingt werden.

Selbst die magnetischen Pole haben keine bleibende Stätte,
sondern wandern um die astronomischen Pole. Der magnetische
Pol, welchen Roß im Jahre 1832 auf der Halbinsel Boothia
Felix 20° südlich vom Nordpol und 99° westlich von Paris
fand, ist seitdem um einige Grad weiter nach Osten gerückt.
Gauß berechnet, der südliche Pol müsse 161° entfernt im Süden
von Australien unter dem 14.° 55' liegen. Die geschwungene
Linie des magnetischen Aequators beginnt östlich von den Karo-
linen, geht durch die Sundainseln, Hinterindien, Aethiopien und
Sudan, bei der Thomasinsel vorbei, biegt oberhalb Brasiliens
und Peru's nach Amerika hinüber und krümmt sich also hinauf
gegen Norden in den Festländern der Alten Welt, gegen Süden
in der Neuen Welt. Jetzt rückt auch diese Linie von Osten
nach Westen ihre Kreuzungspunkte mit dem Erdäquator weiter.

Da die magnetischen Pole einander schräg gegenüber liegen,
so streichen auch ihre Ströme in derselben Richtung über die
Erdoberfläche. Diese geschwungenen Linien biegen sich auf der
atlantischen Seite gegen Westen ein, auf der andern gegen
Osten, auf der Scheidelinie beider zeigt die Magnetnadel grade
nach Norden. Verbindet man die Orte, wo die Magnetnadel
mit dem Meridian einen rechten Winkel bildet, durch isogone
Linien, als Punkte mit gleicher mittlerer Inclination, so erhält
man viel unregelmäßige Kreise, die bald von Norden nach
Süden, bald von Osten nach Westen gehn.

In der alten Welt geht diese Linie ohne Declination im
Osten von Spitzbergen aus, berührt Archangel, geht das Wolga-
thal hinab bis zum Kaspisee, schräg durch Persien, über Hindostan
und die Sundainseln und endlich plötzlich quer durch Australien
nach dem südlichen Pole. Westlich von dieser Linie nimmt die

Declination in Europa und Afrika gegen Westen nach und nach
zu, verringert sich im Atlantischen Ocean, um auf den Zeropunkt
an den Küsten der Neuen Welt zurückzukehren. Die zweite
Linie ohne Declination, die amerikanische, läuft vom magnetischen
Pole westlich von der Hudsonsbai aus, durchzieht die großen
Seen, eilt an Philadelphia und Washington vorbei, beugt nach
den Antillen hinüber aus, durchschneidet den Erdtheil von der
Mündung des Amazonenstromes bis Rio Janeiro, um durch den
Atlantischen Ocean nach dem südlichen magnetischen Pole zu
eilen. Westlich von dieser Linie weicht die Magnetnadel nach
Osten aus, nimmt schnell über Amerika zu, schreitet langsam
über das Stille Meer vor und nimmt dann ab, um östlich von
China und Sibirien eine magnetische Insel zu bilden, wo die
Declination ebenso ist wie im Atlantischen Meere.

Diese isogonen Linien rücken hin und her, wenig bei Spitz=
bergen, den Antillen und China, sehr stark dagegen in West=
europa. In Paris z. B. schreitet die Abweichung jährlich um
5 Minuten vor, und wird in 448 Jahren grade nach Norden
weisen. Die declinationslose Zone bewegt sich von Rußland
nach Polen vor, wird über Deutschland und Frankreich gehn
und dann nach Osten umkehren. Wir wissen noch wenig von
diesen Vorgängen, bei denen kürzere und längere Schwankungen
eintreten und jedenfalls mit den Aequinoctien und Solstitien im
Zusammenhange stehn. Nach Cassini nähert sich in Westeuropa
der Compaß dem Osten in der Zeit von dem Aequinoctium des
März bis zum Solstitium des Juli, dann geht die Magnetnadel
nach Westen, verlangsamt sich nach und nach und erreicht gegen
Ende des Winters die größte Declination gegen Westen. Um
ihren alten Stand wieder zu erreichen, braucht sie drei Viertel=
jahre. In Amerika ist der Gang der Magnetnadel ein sehr
verschiedener und entspricht der Veränderlichkeit desselben in
Europa, wo in Paris z. B. der Unterschied seit 1784 bereits
20 Minuten beträgt.

Beträchtlich sind auch die täglichen Schwankungen, die in
Frankreich z. B. 5—25 Minuten betragen. Die Nadel dreht
sich von O. nach W. zwischen 8 Uhr Morgens und 1 Uhr
Nachmittags, geht dann nach O. zurück und steht 10 Uhr Abends

Schwankungen stärker, in der heißen Zone geringer, nehmen in der südlichen Halbkugel nach Süden zu, wogegen nach Norden hin die entgegengesetzte Bewegung stattfindet.

Verbindet man die Punkte mit gleicher Inclination, so erhält man die regelmäßigen Curven der isoclinen Linien, welche von dem Einflusse der Festländer abhängen und sich unter vielen Abweichungen parallel neben einander schwingen. Verbindet man endlich die Orte, wo die Bewegungen der Magnetnadel gleiche Kraft haben, so erhält man die isodynamischen Linien, die den isoklinen gleichen, aber nie mit ihnen zusammenfallen. Der dynamische Aequator, wo der Erdmagnetismus die geringste Stärke zeigt, geht über Peru, Brasilien, schräg durch Afrika, nach Südasiens Halbinseln und Inseln, und über ihm bewegt sich die Magnetnadel am Langsamsten, besonders im Atlantischen Meere und nimmt unregelmäßig nach Norden und Süden zu. Roß fand in der südlichen Halbkugel den dynamischen Pol unter dem 16. Grade in der Nähe von Eisbergen, wo die Bewegungen der Nadel fast dreimal stärker waren als in den brasilianischen Meeren. Im Norden giebt es zwei dynamische Pole; der eine liegt westlich von der Hudsonsbai, der andre in Sibirien nicht weit von der Lenamündung. Da die Isothermen (Wärmegleicher) auch zwei Pole haben, in der alten und neuen Welt, so besteht jedenfalls irgend welche Verwandtschaft zwischen ihnen und den isodynamischen Linien.

Ursachen und Wirkungen des Magnetismus.

Gauß hat berechnet, daß $3\frac{7}{10}$ Kubikfuß Erde wie ein einpfündiger Magnet wirkt, so daß man die Erde als einen ungeheuren Magneten betrachten muß. Alle bekannten Stoffe werden wenigstens so lange magnetisch, als sie von Elektricität durchströmt werden. Die Chinesen benutzten schon in alten Zeiten eine magnetische Wage mit einem beweglichen Arme, der nach Süden wies, als Wegweiser, um sich durch die Steppen der Tartarei und durch das Indische Meer leiten zu lassen. Doch sind die geschwungenen Linien der magnetischen Strömung sehr veränderlich. In Europa greift die Abweichung nach Westen aus, von Asien her bringt eine östliche gegen Europa vor, und in London wie's 1657, in Paris 1669 die Magnetnadel grade nach Norden. In Nordostasien und in der Südsee findet man zwei Systeme isogoner Linien von eiförmiger Gestalt. Diese Veränderlichkeit der magnetischen Linien störte sogar einigemal das Recht des Grundbesitzes, wenn man zu verschiedenen Zeiten mit der Boussole die Ländereien vermaß, wie es in Jamaica und England geschah, wobei man nachträglich bemerkte, daß sich seit 1660 die Compaßrichtung um 14 Grade verändert hat.

In dem ostasiatischen Ovale nimmt die Abweichung von außen nach innen zu, in dem der Südsee ist es umgekehrt. Auf der nördlichen Halbkugel rückt täglich das Nordende der Magnet= nadel von 8½ Uhr Morgens bis 1½ Uhr Mittags von Osten nach Westen vor, auf der südlichen in entgegengesetzter Richtung, und zwischen beiden liegt ein unveränderliches Gebiet. Um den Magnetismus durch genaue Beobachtungen kennen zu lernen, hat man seit 1828 auf Humboldt's Anregung magnetische Warten errichtet von Toronto in Obercanada bis zum Kap der guten Hoffnung und Vandiemensland, von Paris bis Peking.

„Das Schwanken und Wechseln der magnetischen Kraft läßt sehr verschiedene, eigenartige Systeme von elektrischen Strömen vermuthen. Der tellurische Magnetismus, dessen Hauptcharakter eine ununterbrochene periodische Veränderlichkeit ist, wird ent= weder der ungleich erwärmten Erdmasse oder jenen galvanischen Strömen zugeschrieben, welche wir als Elektricität in einem in sich selbst zurückkehrenden Kreislaufe betrachten. Der geheimniß= volle Gang der Magnetnadel ist von der Zeit und dem Raume, von dem Sonnenlaufe und der Veränderung des Orts auf der Erdoberfläche gleichmäßig bedingt. Magnetische Gewitter fühlt man Tausende von Meilen weit gleichzeitig, und sie pflanzen sich in kurzen Zwischenräumen allmälig in jeder Richtung über die Oberfläche der Erde fort. Die Zuckungen der kleinen mag= netischen Nadeln, wären sie auch in größten Tiefen aufgehangen, messen die Entfernungen, die sie trennen. Sie lehren, wie

Tage lang einhüllen, kann aus den Neigungsverhältnissen der
Nadel wissen, ob er sich nördlich oder südlich vom Hafen befindet." (Humboldt).

Thatsache ist es, daß Temperaturverhältnisse magnetische
und elektrische Ströme hervorrufen; die sich sehr weit verbreiten,
z. B. von Sicilien bis Upsala, von Kanada bis zum Kap der
guten Hoffnung und Vandiemensland, wo man die Spur verlor,
weil die Engländer, da es grade Sonntag war, es für gottloses
Thun hielten, während des Sabbaths die Scala der Magnetnadel abzulesen.

Licht und Elektricität wirken auf Pflanzen und Thiere ein,
wenn man auch das Wie noch nicht erforscht hat. „Geheimniß-
voll", sagt Kabsch, „ist der Ursprung des Lichts und sein Zusammenhang mit der Wärme und Elektricität. Manche Blumen
öffnen sich regelmäßig zur bestimmten Stunde, wobei vorzugsweise das Licht mitzuwirken scheint. Zwischen 3—5 Uhr früh
entfaltet der Bocksbart seine großen gelben Blüthenköpfe, zwischen
4—5 Uhr die Cichorie, zwischen 5—6 Uhr der Löwenzahn und
die Zaunwinde, sowie die Mimosenarten, um 6 Uhr der Sonchus
arvensis, um 7 Uhr der Lattich und die weiße Seerose, um
8 Uhr der Ockergauchheil, von 9—10 Uhr die Ringelblumen,
von 10—11 Uhr die gelbe Hemerokallis, von 11—12 Uhr die
Trigidia pavonia. In den Mittagsstunden von 1—2 Uhr ent-
falten sich die Blumen des Sonnenthaus, des Portulacks, andre
sind nur in den Nachmittagsstunden geöffnet, die Garten-Jalappe
erst 5 Uhr. Selbst später noch öffnen sich Pflanzen, die Nacht-
kerze und Abend-Lichtnelke von 6—7 Uhr, später die Königin
der Nacht, welche dann bis Mitternacht offen bleibt mit ihrem
großen Purpurkelche und köstlichen Vanilleduft aushaucht. Dagegen schließen andre wieder zur bestimmten Stunde ihre Kelche:
der Lattich um 10 Uhr Vormittags, die Cichorie um 11 Uhr,
die Ringelblume um 3 Uhr, die Seerose um 4 Uhr u. s. w.
Dagegen öffnen die Regenblumen ihre Kelche nur bei klarem
Himmel und schließen sie, wenn die Luftfeuchtigkeit einen gewissen
Grad übersteigt. Einige Wasserpflanzen ziehen des Nachts ihre
Blumen ganz unter das Wasser, die Seerosen meist nur halb,
weil die bei Tage ausgebreiteten Blumenblätter das Schwimmen
nicht mehr erleichtern."

Das Licht scheint vorzugsweise auf die Farbe der Blumen, ie Feuchtigkeit und Wärme auf die Fülle des Wachsthums, die Elektricität auf den ganzen Lebenstrieb einzuwirken. Unter den Tropen und auf hohen Bergen zeichnen sich die Blumen durch eurige, glänzende Farben aus in Folge der starken Lichtstrahlung. Auch soll das Licht das Blattgrün erzeugen, denn Pflanzen werden bleich und krank, wenn man ihnen das Licht entzieht. Je klarer und wolkenloser der Himmel ist, um so reicher ent= falten sich die Pflanzenfarben. In Betreff der Meeresgewächse herrschen im Norden die braunen Farben vor, unter den Tropen die rothen. Elektrische Erscheinungen begleiten jeden chemischen Stoffwechsel, und da in jeder Wolke elektrische Spannungen vorhanden sind, die Bäume den Wolken sich nähern, so strömen elektrische Bewegungen durch die Pflanzen wie durch den Thier= leib. Buff hat gefunden, daß sich die Wurzeln der Pflanzen sowie deren safterfüllten Theile in einem dauernden elektro= negativen Zustande befinden, während die feuchten oder befeuchteten Außenflächen der frischen Zweige, Blätter, Blumen oder Früchte dauernd positiv elektrisch sind. Die Reizbewegungen der Pflanzen gleichen denen der Muskeln und hängen von elektrischen Ein= flüssen ab. Durch elektrisches Licht hat man mit Ausschluß der Sonne Blattgrün erzeugt. Bei elektrischen Entladungen übt das reichlicher vorhandene Stickstoffnitrit eine wesentliche Einwirkung auf die Pflanzenernährung aus, weshalb Gewitterregen nahr= hafter sind als Landregen. Da nun unter den Tropen die meisten und stärksten Gewitter vorkommen, so erzeugen sie einen üppigen Pflanzenwuchs und werden die Bäume nicht durch das stete Blühen, Grünen und Früchtetragen erschöpft.

Nach Maury zeigt der Dampf des salzigen Meerwassers beim Verdunsten positive Elektricität, das Wasser selbst negative, daher stammen die ungeheuren elektrischen Spannungen der Luft unter den Calmen, die in entsetzlichen Windstillen und rasenden Gewitterstürmen den Ausgleich suchen. Dort ist „die Atmosphäre dicht und drückend mit Ausnahme von ein paar Stunden nach einem Gewittersturme, wenn dichte Ströme von Regen niederstürzen, aber die brennende Sonne bringt bald wieder unerträgliche Hitze."

Pole, der eine in Nordamerika unter dem 78.° n. Br. und
98.° w. L. von Paris und mit einer Kälte von 15°, der
andre, den man durch Berechnungen fand, in Sibirien unter dem
79.° n. Br. und 120.° ö. L. mit 13° 75' Kälte. Zwischen
Beiden drängen sich Zweige des Golfstroms durch und drücken
die Kälte auf 8° herab. Kane sah daher im Smithsunde offnes
Meer, ein solches fanden russische Seeleute nördlich von Sibirien.
Parry bemerkte auf den Melville-Inseln Schneeeulen und Schnee-
mäuse, Middendorf jagte in Hemdsärmeln wegen der Hitze auf
den Tundras des Taimyrlandes nach Schmetterlingen, und auf
den Inseln Neu-Sibiriens leben Rennthierheerden und wandern
Lemminge in großen Zügen. In welchem Zusammenhange diese
Erscheinungen mit dem Magnetismus stehn, das vermögen wir
kaum zu ahnen. Doch veranlaßt es uns, schließlich einen Blick
auf das Klima und die theilweise Abhängigkeit unsres Kultur-
lebens von demselben zu werfen.

Fünftes Kapitel.

Das Klima und sein Einfluß auf das Pflanzen-, Thier- und Menschenleben.

~~~~~

Das Klima.

Vereinigen sich Luft- und Windströmungen, Erdbewegung, Temperatur, Höhe des Ortes, Regenmenge, Ebenen, Bergzüge, Flüsse, Seen, Wärme, Elektricität u. s. w. zu einer Gesammt- wirkung, so erzeugen sie das, was man Klima nennt, von welchem wieder Pflanzen- und Thierarten bedingt werden. Pflanzen und Thiere, welche eine bestimmte Temperatur verlangen, bezeichnen daher die Abstufungen des Klima's, z. B. Weinberge, Dattel- palmen, Oelbäume, Mais, Eichen, Kamele, Papageien, Rennthiere, Elephanten u. s. w. Rechnet man bei der stündlichen Veränderung der Temperatur die Wärme- und Kältegrade des Tages zu- sammen und dividirt mit 24 Stunden hinein, so erhält man die Durchschnittstemperatur des Tages. Auf ähnliche Weise gewinnt man die Monats- und Jahrestemperatur durch Division mit den Tageszahlen des Monats und mit den Monatszahlen des Jahres. Thiere und Pflanzen verlangen eine bestimmte Mittel- temperatur und wissen sich deren Abweichungen anzupassen. Manche Thiere haben einen Winter- oder Sommerschlaf, Bäume werfen die Blätter ab, um der Kälte weniger Angriffspunkte zu bieten. Es wirken aber so viel Nebeneinflüsse auf die Temperatur ein, daß man die wahre mittlere nicht sicher finden kann, und sie z. B. von Paris bis heute richtig nicht anzugeben vermag.

Lambert schätzt die Temperatur unter dem Aequator auf
1000 Wärmetheile, zwischen den Tropen auf 923, in den Polar=
gegenden auf 500. Aber bei jeder Meile, in jeder Minute treten
Abänderungen ein, so daß die klimatischen Linien ein Gewirr
von Windungen zeigen, in welchem sich nur das Auge des sach=
kundigen Forschers zurecht findet. Die mittlere Temperatur
dringt in den Erdboden in 9 Stunden nur 30 Centimeter tief
ein, bei 60 bis 130 Centimeter Tiefe bemerkt man in den ge=
mäßigten Zonen den Unterschied der Tagestemperatur nicht mehr.
Die Jahrestemperatur rückt abwärts 6 bis 8 Meter tief in den
Boden ein und ist wegen ihres langsamen Vordringens im Winter
am höchsten, wogegen im Sommer noch die Winterkälte im Boden
weilt, weil ihre Temperatur im Monat nur 1 Meter tief ab=
wärts geht, mithin die niedrigste Temperatur sehr spät ankommt.
In Brüssel gelangt erst nach 147 Tagen, d. h. am 12. December,
die Wärme vom 22. Juli in einer Tiefe von 8 Meter an, die
Kälte vom 13. Januar am 18. Juni, doch in den 28 Meter
tiefen Kellern der Sternwarte zu Paris herrscht stets eine
Temperatur von 11° 76', wie man sie in Norddeutschland bei
24 Meter Tiefe findet, im Steinkohlenfeld bei Edinburg bei 32
Meter Tiefe. In solchen Tiefen gleichen sich nämlich die Unter=
schiede von Wärme und Kälte aus, was in Ländern mit gleich=
bleibendem Klima bereits wenige Decimeter unter der Oberfläche
geschieht, wogegen bei Jakutzk bei 15 Meter Tiefe noch 9 Grad
Kälte sich findet und erst bei 120 Meter Tiefe der Boden nicht
mehr gefroren ist.

Auffallend ist die Ungleichheit der Wärmevertheilung auf
der nördlichen und südlichen Halbkugel. Die Wind= und Meeres=
Strömungen der Tropen richten sich gegen Norden und führen
dorthin die Vorräthe der südlichen Wärme, wodurch sie also die
Kälte mildern und eine Temperatur erzeugen, wie man sie in
den höheren Breiten nicht erwarten sollte. Daher findet man
die Linie der höchsten Temperatur nördlich vom Aequator nicht
unter diesem selbst, denn die Sahara als das heißeste Land der
Erde liegt 21 Grad nördlich vom Aequator. In der nördlichen
Halbkugel fällt die größte Wärme in allen Jahreszeiten mit
Ausnahme des Winters nördlich vom 12. Breitengrade, und im
Winter haben die Aequatorialgegenden namentlich in Afrika die

meiste Wärme an der Nigermündung, also auf der Nordseite des
Aequators. Frühjahr und Sommer dauern ferner in den nördlichen Gegenden länger als in den südlichen, obschon die Sonne
im Winter und Herbst der Erde näher steht. In Folge der
schrägen Achsenstellung sind nämlich im Norden des Aequators
die Tage länger als die Nächte, weshalb die Länder mehr
Wärme erhalten und des Nachts weniger von ihr verlieren als
im Süden der Erdkugel. Außerdem verdunsten die südlichen
Meere stärker und mildern dadurch die Hitze, aber diese Dünste
fallen in der nördlichen Halbkugel als Regen nieder, wobei dessen
Wärme frei wird und in die Lufttemperatur eintritt. Die Wolken
tragen also nicht nur Wasser, sondern auch Wärme nach dem
Norden, führen eine Art Luftheizung ein und sind für Europa
gradezu Oefen, die uns wärmen. Denn selbst wenn die Dünste
als Schnee niederfallen, wird Wärme frei und mildert das
strenge Klima. Endlich führt ja der Golfstrom das ganze Jahr
hindurch den Ländern der gemäßigten Zone in der nördlichen
Halbkugel Wärme zu.

Derselbe Gegensatz wiederholt sich zwischen der östlichen und
westlichen Halbkugel. Californien und Oregon haben milderes
Klima als Japan und die Mandschurei, Westeuropa so viel
Wärme als die 20 Grad südlicher liegende Ostküste Nordamerika's,
denn Westamerika wird von einem Golfstrome bespült, Ostasien vom
Polarstrome, der Beringsstraße, und die Südwestwinde schieben
die kalten Nordostwinde seitwärts. Labrador und die Hudsonsbailänder haben gefrornen Boden unter Breitengraden, wo in
Europa Wälder und Getreidefelder gedeihen. Denn an Nordamerika's Ostküste geht der aus der Hudsonsbai kommende Strom
des Polarmeeres mit seinen Eisbergen und kaltem Wasser vorüber und drückt dadurch die Temperatur der Küstenländer herab,
daß er deren Wärme zum Schmelzen der Eismassen verwendet,
wogegen die Küsten- und Binnenmeere Nordeuropa's vom Antillenmeere her durch den Golfstrom stets warmen Wasserzufluß
erhalten. Außerdem schickt auch die Sahara ihre Wärme nach
Europa und Ostasien als heiße Winde, und da die Meere das
ganze Jahr hindurch Wärme ansammeln, so drücken sie dadurch
die Winterkälte herab. Der Osten sendet zwar im Winter kalte,

stellen sich die Kjölen, Subeten, Karpathen und Alpen entgegen als Schirm und Auffangeschild für West= und Südeuropa. Während also Nordostwinde die Temperatur herabsetzen, kühlen Südwestwinde im Sommer, weil sie Feuchtigkeit mit sich führen, wogegen sie im Winter durch ihre höhere Temperatur wärmen.

Einen andern Gegensatz im Betreff der Temperatur bilden die Küsten und das Binnenland. Das Meer gleicht nämlich die Temperaturen aus, weil kalte und warme Wasserströme sich mischen; es hat also nicht die scharfen Unterschiede der Breitengrade. Daher mildert das Meer auch an der Küste Wärme wie Kälte und erzeugt eben oceanisches Klima, welches selbst den Unter= schied der Jahreszeiten verwischt. Dasselbe macht in kalten Ländern den Winter zum Herbst, verlängert das Frühjahr bis in den Sommer hinein, und die großen Temperaturgegensätze der Binnenländer verlieren sich auf dem offenen Meere. Plymouth, unter gleichem Breitegrade mit Warschau liegend, hat als Küsten= stadt ein anderes Klima als die polnische Binnenstadt. Paris 43° Mitteltemperatur, Cherbourg nur 36°, aber dieses ist im Winter um 3° wärmer, im Sommer um 1° kühler, weil das Meer Wärme verschluckt. Welch ein Unterschied zwischen England= Irland und dem unter gleichen Breitengraden liegenden Hoch= asien! Irland „der Smaragd des Meeres" oder „das grüne Eiland" hat stets grüne Vegetation, in England gedeihen Myrthen und Lorbern, während die Steppen der Baschkiren im Sommer dürr werden, im Winter verschneien. Bei Astrachan muß man im Winter die Rebstöcke wegen der Kälte mit Erde bedecken.

Auch Gebirge verändern das Klima, je nachdem sie kalte oder warme Winde aufhalten. Wälder schützen den Boden gegen die Sommerhitze, hindern mit ihren Zweigen die Ausstrahlung des Bodens, weshalb es im Winter im Walde wärmer ist als im Freien. Sie kühlen also im Sommer und wärmen im Winter. Feuchter und sumpfiger Boden endlich nimmt die Wärme lang= samer auf als trockner Sandboden, hält sie aber auch länger fest, und so wechseln dann an demselben Orte oft täglich und monatlich die Temperaturen.

Wie unscheinbare Verhältnisse auf das Klima einwirken, zeigt nachfolgende Thatsache. In Baiern hat man durch sorg= fältige Beobachtungen den Einfluß des Waldbodens auf das

Klima erforfcht. Es ift nach Ebermayer erwiefen, daß die mittlere Temperatur des befchatteten Waldbodens bis zu einer Tiefe von 4 Fuß geringer ift (um 1° 5 R.) als die einer wald= lofen Fläche. Im Sommer beträgt diefer Unterfchied faft das Dreifache, verfchwindet aber im Winter ganz. Auch die Be= fchattung durch Baumkronen mäßigt die Temperatur, fo daß Sommer und Winter um 7 Grade verfchieden find. Nach auf= wärts nimmt die Wärme der Luft vom Boden bis zu den Baumkronen allmälich zu, in den Kronen felbft ift fie etwas geringer als auf freiem Felde. Daher ftrömt bei ftiller Luft bei Tage ein Luftftrom aus dem Walde ins Freie, des Nachts vom Felde in den Wald. Die großen Entwaldungen machten daher das europäifche Seeklima continentaler und wärmer und wirkten dadurch auf eine Aenderung der natürlichen Verbreitung der Pflanzen ein.

Die relative Menge des Wafferdampfes ift im Walde ftets größer als im Freien, und zwar im Sommer um 9, im Herbft und Frühjahr um 5 bis 6 Procent, weil die Vegetation eine größere Verdunftungsfläche bildet, zugleich aber auch der Wald= boden und Sümpfe langfamer verdunften, und zwar faft dreimal langfamer, ja bei Waldftreu und abgefallenem Laube fechsmal, weil der Wald die Luftftrömungen hemmt. Auf die Regenmenge dagegen fcheint der Wald geringen Einfluß zu haben, weil die Baumkronen den Regen auffangen und dann wieder verdunften, ohne daß der Boden davon Gewinn hat. Boden ohne Laubftreu vertrocknet fchnell, weil fie die Verdunftung hindert und den Wurzeln Zeit läßt, das Waffer aufzufaugen. Seit man an fumpfigen Stellen der Mittelmeerufer den auftralifchen Eucalyp= tus globulus anpflanzt, hört das Malariafieber auf, denn die Wurzeln faugen viel Waffer auf, weshalb der Baum fchnell wächft, bei Malaga z. B. in 5 Jahren 18 Meter hoch mit einem Stamme von 80 Centimeter Umfang.

Da fich in der Tiefe des Meeres um Spitzbergen 7 bis 17° Wärme finden foll, fo folgert Chavanne, das Polarland gehe über den Pol hinweg; die Oftküfte (von 25 bis 170° öftl. Länge) fei 2 Grade (84 und 85) breit, die Weftküfte (von 90 bis 170° weftl. Länge) etwa 6 Grade (84 bis 80) breit. Das Meer zwifchen dem Polarlande und der Nordküfte Amerika's werde

von einem Arm des durch die Beringsstraße eindringenden warmen
Stromes durchzogen und stellenweise eisfrei. Der zwischen der
Bäreninsel und Nowaja Semlja nach Nordost treibende Golfstrom vereinigt sich östlich der neusibirischen Inseln mit dem
westlichen Arme des Beringsstromes, und das Meer zwischen
Spitzbergen und der Beringsstraße ist stellenweise eisfrei, im
Sommer und Herbst schiffbar. Der Weg zum Pole muß also
zwischen Spitzbergen und Nowaja Semlja oder von der Beringsstraße aus nördlich gehen.

Vertheilung der Temperatur nach den Klimas.

Wohin wir auf Erden blicken, Alles predigt uns vom
Wandel der Dinge, und überall, wo wir allgemeine Gesetze gefunden zu haben meinen, stoßen wir auf Ausnahmen, weil sich
das Leben überall individualisirt. In jedem Lande hat jeder
Monat, jeder Tag seine veränderliche Temperatur, jeder Berg
sein besondres Klima. Aus dem Aufhören des Weinbaues in
manchen Gegenden folgert man, daß das Klima sich verändert
hat. Von Carcassone ist der Oelbaum 16 Kilometer weit nach
Süden zurückgewichen seit 100 Jahren, das Zuckerrohr ver-
schwand aus der Provence, die Orangenbäume des Hyères wichen
den Maulbeer- und Mandelbäumen, an den Gebirgen gingen die
Nadelwaldungen in 200 Jahren um 100 Meter abwärts, und
in Ungarn dringen die Steppenpflanzen immer weiter nach
Westen vor, begleitet von den großen Temperatursprüngen des
Steppenklimas. Seit 100 Jahren nahm in manchen Gegenden
Deutschlands die Kälte zu, der December ward kälter, der
Januar wärmer, und in England steigerte sich nach Glaisher's
Berechnung im Januar die Wärme um 1° 66'. Dagegen
scheinen Island und Grönland seit dem 14. Jahrhundert kälter
geworden zu sein, da manche Bäume nicht mehr fortkommen und
Thäler unbewohnbar wurden. Palästina und Syrien sollen nach
Fraas deshalb unfruchtbar geworden sein, weil das Land sich

hob und die Berge weniger Regen erhielten. Solche Thatsachen kennt man, besitzt aber keine Erklärungsgründe.

Ebenso unsicher sind unsre Kenntnisse über die Abnahme der Temperatur nach den obersten Luftschichten zu, da man dieselbe nur auf den Hospizen von St. Bernhard und Gotthardt beobachtet hat. Nach Helmholtz nimmt die Wärme von unten nach oben im Sommer um je einen Grad ab mit 160 Meter Erhebung, im Winter bei 240 Meter, da des Nachts und im Winter die Temperaturunterschiede geringer sind. Nach Studer dagegen findet man bei 400 Meter Höhe 10° Wärme, bei 1300 Meter 5°, bei 2200 Meter, den Schmelzgrad des Eises und darüber hinaus, sinkt mit 180 Meter die Temperatur um je einen Grad, bis muthmaßlich der Weltraum eine Temperatur von 60° Kälte erreicht. Solche Angaben beruhen indessen oft nur auf Berechnungen, die zuweilen zu sehr verschiedenen Ergebnissen führten. Niemand kennt ja die Temperatur des Weltraums, und die Berechnungen derselben weichen um 100 Grad von einander ab. Auf den Gebirgen giebt es kalte und milde Winter, je nachdem kalte oder warme Winde sich länger behaupten.

In den einzelnen Ländern sind die Temperaturunterschiede sehr groß, daß man staunen muß, wie der menschliche Körper sie ertragen kann. Back erlebte in Englisch-Nordamerika 56° Kälte, in Semipalatinsk in Sibirien muß man 58° aushalten, wogegen Duveyrier im Tuareglande der Sahara 67° Hitze überdauerte, so daß der menschliche Organismus einen Temperaturunterschied von 125° ertragen kann. In manchen Ländern verändert sich die Temperatur im Jahre um 80°, denn Franklin fand in den Gegenden, wo Back so große Kälte ausstand, eine Sommerwärme von 30°, im Ganzen also einen Temperaturunterschied von 86°. In Nizza beträgt die größte Hitze 43°, der jährliche Temperaturunterschied 61°, in Südfrankreich 45°, bei Genua, in Madeira u. s. w. 20°, und diese Gegenden gelten für besonders gesunde. In Singapore dagegen schwankt die jährliche Temperatur nur um 2°, und nach Dove ist der Juli in Europa der heißeste Monat, in welchem daher die meisten Verbrechen, die meisten Wahnsinnskrankheiten vorkommen. Er ist aber auch der Kriegsmonat, weil man dann im Freien ohne

Korn für die Menschen hat. Im Juli und August findet sich nicht nur von den übrigen Monaten her ein Wärmeüberschuß vor, sondern die langen Tage vermehren denselben noch. Dieser wird erst im December und Januar aufgezehrt, weshalb die größte Kälte erst mit dem Februar eintritt. Aus derselben Ursache fällt die größte Tageswärme als Nachwirkung der vorangegangenen Bestrahlung auf die Nachmittagsstunden von 1 bis 2 Uhr, und ist es eine Stunde vor Sonnenaufgang am Kältesten, weil dann aller Wärmevorrath des Tages aufgezehrt ist. In Paris ist es um 2 Uhr Mittags am Wärmsten und früh 4 Uhr am Kühlsten.

Um eine Uebersicht über die Vertheilung der Temperatur zu gewinnen, verband Humboldt die Orte, welche gleiche Temperatur haben (Isothermen) durch Linien, welche mancherlei Schwingungen und Windungen zeigen. Er fand dabei den Wärmeäquator, der von Panama aus über Venezuela, Guyana, die Marannonmündung, über den Ocean nach der Sahara hinüber streicht, Südasien berührt und im Osten nicht weiter verfolgt ist. Seine Temperatur schwankt zwischen 25 bis 30°. Doch giebt es in der Tropenzone wärmere Striche, welche wie Inseln in kühleren Temperaturen liegen, wie man auch kältere Inseln im warmen Luftstrome entdeckt hat. Die Krümmungen der Isothermenlinien sind auf der südlichen Halbkugel ziemlich regelmäßig, weil das Land abnimmt, das ausgleichende Meer also stark einwirkt, und im südlichen Eismeere folgen sie den Breitengraben, weil das Meer sehr inselarm ist. Nur da weichen sie nach Norden zurück an den Küsten, wo in Westafrika und Westamerika die kalten Wasserströme entlang ziehen. Auf der nördlichen Halbkugel durchschneiden sie die Breitengrade unter verschiedenen Winkeln. Sie bilden doppelte Wogen, deren Kamm sich gegen Westeuropa und Kalifornien richtet, wogegen die niedrigsten Senkungen auf der Ostseite dieser Erdtheile liegen. Die größte Höhe erreichen sie bei Neu-England, Neu-Fundland, Irland und Nordengland, wo der Golfstrom fließt. Die Linie von Nord-Carolina durchschneidet Südfrankreich u. s. w. Jedenfalls giebt es auf jeder Erdhälfte auch zwei Wärmepole, aber man hat sie noch nicht aufgefunden.

Um übrigens die Karte der Wärmelinien zu vervollständigen,

)at man die Orte mit gleicher Winterkälte (Isochimenen) und die mit gleicher Sommerwärme (Isotheren), auch die mit gleicher Frühlings- (Isoeren), Herbst- (Isomoteporen) und Monats-temperaturen (Isomenen) verbunden, welche ein sehr verwickeltes System darstellen, und nach denen sich Pflanzen und Thiere ver-theilen. —

Indem wir begannen, die uns umgebende Luft zu betrachten, führte sie uns zu den Gasen, aus denen der Erdkörper seine Gebirge, Ebenen und Meere schuf, zwang uns, mit Wolken und Wärmestrahlen die Zonen zu durchwandern, und ließ uns da, wo wir unveränderliche Naturgesetze gefunden zu haben meinten, in unermeßliche Abgründe der Naturgeheimnisse blicken. Woher stammen Wärme, Schwere, Elektricität, Magnetismus? Sind sie Erzeugnisse des organischen Lebens der Erde oder liegen sie im Sonnensystem oder jenseit desselben im Weltraume? — Wir wissen es nicht. So gering also auch die sicher gewonnenen Ergebnisse unsrer Forschungen sind, so beweisen sie doch das Streben der Menschheit nach Wahrheit und die unabmeßbare Entwickelungsfähigkeit des menschlichen Geistes. Der wahre Genuß besteht ja nicht im Besitzen, sondern im Erstreben, und Humboldt nennt mit Recht das Erkennen und den Wissenstrieb die Aufgabe und Zierde der Menschheit.

Unsre Untersuchungen führten bis zum Klima. Wollen wir dieses Thema weiter verfolgen, so führt es uns in die Pflanzen- und Thiergeographie und nöthiget uns, auch die Weltgeschichte vom Standpunkte physikalischer Einflüsse aufzufassen, was auf sehr anregende, aber schwer zu beantwortende Fragen führt. Die Ergebnisse solcher Untersuchungen führen bis jetzt nur zur Vereinfachung der Fragen, nicht aber zu deren abschließender Entscheidung. Gar Vieles von dem, was man in Büchern und Zeitschriften als Thatsache angegeben findet, ist nur Theorie oder Hypothese eines einzelnen Gelehrten.

Pflanzen= und Thierleben im Allgemeinen.

Schon in den ältesten Zeiten suchte der Mensch die Fülle der Thier= und Pflanzengestalten übersichtlich zu ordnen, indem er gleichartige Dinge mit demselben Worte bezeichnete. Dann versuchte er, Pflanzen und Thiere in Klassen und Arten zu sondern, um sich deren Menge faßlich zu machen. Indessen jeder Reisende und Forscher entdeckte neue Arten und Unterarten, das System mußte verändert und erweitert werden, und endlich gab man den Gedanken ganz auf, durchgreifende, unabänderliche Unterschiede der Arten, ja sogar des ganzen sogenannten Thier= und Pflanzenreiches festzustellen. Linné, der Schöpfer des ersten großen Systems, kannte z. B. nur fünf Arten von Schlupfwespen, Gravenhorst 1646 europäische Arten, und diese Zahl hat sich bis jetzt bereits vervierfacht. Linné kannte nur elf Arten von Eingeweidewürmern, Rudolphi deren über 1100, jetzt führt man 11,000 auf. Die Teichmuschel trägt deren $\frac{1}{2}$ Million bei sich, eine andere nur zwei Linien große Schnecke ernährt 200 Schmarotzer, in denen wieder Schmarotzer leben. Jedes Organ, selbst Auge, Blut, Gehirn, Herz birgt Schmarotzerthiere, und die Trichinen zwischen den Muskeln werden durch ihre Menge tödtlich. Die Zahl der Fisch= und Säugethierarten hat sich seit Linné versechzehnfacht, die 44,000 Insektenarten Linné's brachte Humboldt auf 80,000, die 6000 Pflanzenarten de Candolle auf $\frac{1}{2}$ Million. Humboldt schätzt die cultivirten Pflanzen auf 35,600 Arten, alle Phanerogamen auf 285,000.

Man zählt etwa 18,000 Arten von Wirbelthieren und 93,000 oder 165,000 von wirbellosen, gar über 1000 Infusorienarten, 80,000 Insekten=, 9060 Mollusken=, 7000 Vogel= und 1400 Vierfüßlerarten. In Medusen hat Piazzi Smith 5 bis 6 Millionen Infusorienschalen gefunden als Nahrungsreste. Dem entsprechend ist die Vermehrung mancher Thiere, denn der Häring hat 20= bis 37,000 Eier, der Karpfen 200,000, die Schleie 383,000, der Flunder über 1 Million, der Stör $1\frac{1}{2}$ Million, der Kabeljau 10 Millionen. Scoresby fand das grönländische Meer auf 2000 Quadrat=Meilen 100 Faden tief voll Medusen, von denen $\frac{1}{4}$ Kubikmeile 4750 Billionen enthielt. Medusen=

schwärme sind oft meilenlang, daß 80,000 Menschen sie in 5000 Jahren nicht zählen könnten. Am Texcucosee in Mejico sammelt man Fliegeneier und ißt sie roh oder gebacken. Marien- und Sonnenkäfer erscheinen oft in meilenlangen Zügen, Heuschrecken, Termiten, Springböcke, Bisons schätzt man nach den Stunden ab, welche ihr vorüber eilender Zug währt. Frösche werden unter den Tropen zur Landplage und Wale erlegt man jährlich an 20,000. Seevögel kommen auf manchen Inselklippen in solcher Menge vor, daß man bei jedem Tritt auf Vögel und Eier tritt, die Kerguelen und Falklandsinseln mit Pinguinen wie mit einer Kruste bedeckt sind. Selbst Eisschollen waren zuweilen von Seehunden dicht überlagert, so weit das Auge reichte. Auf der Bäreninsel erschlug man in einigen Stunden 900 Wallrosse, auf Nowaja Semlja 30,000 Lummen, schoß auf 10 Schuß 150 Vögel. Auf Spitzbergen lebten vier russische Matrosen 6¹⁄₂ Jahr von der Jagd, Nowaja Semlja ernährt viel Rennthiere, und mit Gänsen und Lemmingen füttert man dort die Jagdhunde. Tange werden 400, Schlingpflanzen 600 Fuß lang. Nicht minder groß ist das Alter der Pflanzenarten; denn die 600 Fuß mächtigen Alluvialschichten des Missisippithales schätzt Lyell auf 158,000 Jahre. Sie haben zu unterst ein Lager von Gräsern und Kräutern (alte Prärien), das 15,000 Jahre zum Entstehen gebrauchte, und darüber stehn in zehn Schichten Lager von Cypressen, Sandmassen und Eichen mit kenntlichen Jahresringen. Ueberall thut sich, wohin wir blicken, die Unermeßlichkeit der Schöpfung auf.

Um eine Uebersicht zu gewinnen, stellte Humboldt ein Verzeichniß von Gewächsen zusammen, die so häufig in gewissen Gegenden vorkommen und so hervortreten, daß sie denselben ihren landschaftlichen Charakter verleihen. Es sind dies die 1100 Palmenarten, die krautartigen, baumhohen Bananen oder Pisangs, die Malvaceen und Bombaceen mit colossal dickem Stamme, großen herzförmigen Blättern und prachtvollen Blüthen (Affenbrodbaum), die Mimosen mit feingefiederten Blättern und schirmartig verbreiteten Zweigen (Akazien, Cäsalpinen), die 440 Arten der Haidekräuter, die 900 Arten der Proteaceen, die seltsam gestalteten Cactus als die Quellen der Wüste, die 114 Euphorbienarten, die grellbunten Orchideen, die Nadelhölzer, blattlosen

Cajuarien, baumartigen Schachtel=, Bambus= und Farrenarten, die
200 Pothosarten mit krautartigem Stengel und großen Blättern,
die Lianen, Zwiebelgewächse, Mangrovebäume mit stelzenartigen
Wurzeln u. f. w. Indessen diese Eintheilung wird dadurch eine
unzuverlässige, daß oft der Mensch gewaltsam eingegriffen hat,
indem er ausrottete oder verpflanzte und verbreitete, z. B. Haus=
thiere, Getreide, Obstbäume und Handelspflanzen.

Auch Winde und Wasser, selbst Vögel, welche Samen ver=
schlucken und wieder auswerfen, tragen zur Verbreitung der
Thiere und Pflanzen bei, weshalb man von Raupen=, Krabben=,
Fisch= und Froschregen spricht. Pelz= und Seehundsjäger erlegen
zu Hunderttausenden das Wild, z. B. in Rußland jährlich 4
Millionen Eichhörnchen. Die Tarantel kam 1782 mit Getreide
von Afrika nach Italien, die Hessenfliege auf gleiche Weise von
Europa nach Nordamerika, die Bettwanze und orientalische
Schabe mit Hausgeräth von Asien nach Europa, Termiten auf
Schiffen nach Rochefort, ebenso Schiffshalter und Schildkröten.
Der Haussperling folgt dem Getreideanbau vom Mittelmeer=
gestade aus durch alle Länder gleich der Hausmaus, die Haus=
ratte wanderte im Mittelalter von Asien nach Europa, die
Wanderratte im 18. Jahrhundert aus Indien über Persien nach
Rußland, setzte 1772 bei großer Dürre über die Wolga, wanderte
nach Polen und Deutschland, gelangte zu Schiffe nach England,
Paris und Nordamerika.

Erleichtert wird diese Verbreitung durch die Lebenszähigkeit
mancher Geschöpfe, namentlich der mikroskopisch kleinen, die man
im Schnee, in den Haarspalten der Gletscher und in siedenden
Quellen findet. Doch werden auch Millionen von Fliegen und
Raupen von schmarotzenden Pilzen umgebracht. Im Golfstrome
leben zahllose Globerinen, zwischen denen große Kieselschwämme
mit durchsichtiger Sarcode (Zelle) stehn, und diese Schwämme
beherbergen in ihren Kanälen kleine Muscheln, Seesterne und
Crustaceen. Huxley hielt diese Urzellen, von denen man nicht
weiß, ob sie Thier= oder Pflanzenanfang sind, für das Urleben
und nennt diesen Zellenschlamm des Meeresbodens daher Bathy=
bius. Es schwanken also, wohin wir blicken, die Grenzen der
Systematik und erweitern sich noch täglich. Auch kennen wir
die Widerstandsfähigkeit der Thiere und Pflanzen gegen äußere

Einflüsse noch zu wenig, um uns über ihre Verbreitung Rechenschaft geben zu können.

Lärche und Zwergbirke z. B. vertragen 32° R. Kälte,
Palmen und Orchideen gehn bei weniger als 8° Wärme aus.
In Afrika gedeihen Gewächse bei 48 bis 64° R. Wärme, da-
gegen blühen Soldanellen und Saxifragen im Eiswasser der
Gletscher oder in Höhlen ewigen Schnees. Auf Island wachsen
Charen in heißen Quellen, in denen man Eier kochen kann, in
einem ostindischen Bache von 86° C. Wärme leben Fische und
am Ufer grünt Rasen, Thymian wächst am Fuße des Geysir,
in Senegambien gedeihen Pflanzen bei 76° C. Wärme, in
Quellen zu Bona bei 96° C., am Baikalsee bei 75° C.;
Oscillatorien fand man in Quellen von 75° C., Conferven in
siedendheißen Quellen, Insekten in den Bädern zu Aix bei 45° C.,
Muscheln in 60° heißen Quellen. In den Karlsbader Quellen
bei 74° C. entdeckte Bischof Infusorien u. s. w. Prüfen wir
nun die Lebensbedingungen der Geschöpfe!

Jede Pflanze verlangt einen besonderen Boden und eine
bestimmte Jahres-Temperatur. Die Sonnenwärme wirkt nur
allmälig, weil am Tage der aufsteigende Saft verdunstet und
abkühlt, des Nachts die Ausstrahlung wirkt, im Herbst die Cir-
culation der Säfte nachläßt. Im hohen Norden begünstigen die
langen Sommertage den Pflanzenwuchs, doch geht die Gerste,
die drei Monate lang eine mittlere Wärme von 6° braucht, im
Norden nicht so hoch als an den Alpen, und an den Anden
steigen Getreidearten von 5 bis 6° Wärme 12,800 Fuß hoch),
Bäume nur 10,700 Fuß. In Upsala reift der Weizen gleichzeitig mit dem englischen, Gerste zehn Tage früher. Diese letztere
gedeiht noch auf den Faröer (90° R.) und bei Altru in Lappland
(8° R.), nicht aber bei Jakutzk (12° R.). Denn sie braucht zur
Reise eine Wärmemenge von 1200°, Weizen 1600°, Mais 2000°,
Wein 2300°, Dattelpalme 4800°, Kokospalmen noch mehr,
wogegen Alpen- und Polarpflanzen sich mit 40 bis 250° be-
gnügen. In England reifen Pflaumen und Trauben nicht,
wachsen aber Myrthen, Lorbern und andere südliche Gewächse
im Freien. Früchte reifen um so später, je länger die Zeit
dauert, bis sie die erforderliche Wärmemenge erhalten. In
Greifswalde blühen Bäume 36½ Tag später als ihre Art-

genoſſen in Parma, in Süddeutſchland 5 bis 6 Tage ſpäter
als in Smyrna, doch in Kaaſjord unter dem 70° nördl. Breite
wachſen Erbſen in 24 Stunden 3 Zoll. In Deutſchland bewirkt
eine Bodenerhebung von 100 Fuß eine Verſpätung der Reiſe
von 1 bis 1½ Tag, eine ſolche von 1000 Fuß einen Unterſchied
der Entwickelung von 10 bis 14 Tagen. Denn an den Bergen hinauf
findet wegen der abnehmenden Wärme derſelbe Wechſel der Pflanzen
ſtatt wie unter den entſprechenden Breitengraden. An den Alpen
z. B. folgen auf einander: Weinſtock, Kaſtanie, Nußbaum, Eiche,
Buche, Wieſen mit Eichen und Erlen, Eber- und Bergeſchen,
endlich baumloſe Alpenweide. An den Anden bildet ſich eine
andere Scala: Zuckerrohr, Indigo, Banane, Kaffee, Baumwolle,
Mais, Bataten, Getreide, Nuß- und Apfelbäume, Weizen, Gerſte
(bis 10,200 Fuß), Kartoffeln (12,300 Fuß), Weiden für Lamas,
Schafe, Rinder und Ziegen, und mit 14,800 Fuß beginnt die
Schneegrenze. In Deutſchland geht die Eiche nur 2400 Fuß
hoch, die Buche 3000 Fuß, Nadelholz 5500 Fuß, Birke 6000
Fuß, Zirbelkiefer 6300 Fuß.

Jede Zone hat ihre beſondere Grenzen für die einzelnen
Pflanzen je nach Lage und Richtung des Gebirges, vorherrſchen-
der Windſtrömung u. ſ. w. Jeder Berg und Gebirgshang beſitzt
wieder ſeine beſondre Pflanzenſcala oder Pflanzenthermometer,
ſo daß ſich allgemeine Geſetze kaum aufſtellen laſſen. Gewöhnlich unterſcheidet man vier Baumzonen: 1) immergrüne Nadel-
wälder, 2) Wälder von kätzchentragenden Bäumen mit abfallenden
Blättern und ſchöner Frühlingsvegetation, 3) formen- und
farbenreiche tropiſche Urwälder und 4) Wälder mit ſteifem Laube
oder ſchattenloſen Bäumen.

Schwieriger iſt es, die beweglichen Thiere, die oft maſſen-
weiſe auswandern und wie Pendel über den Zonen ſich je nach
dem Temperaturwechſel hin und her ſchwingen, ſogar im Meere
auf- und abziehn, in Zonen einzutheilen. Schnecken leben acht
Monate in den ausgetrockneten Flußbetten der Tropen, in Para
wandern Fröſche und Kröten heerdenweiſe nach feuchten Gegenden
aus, wogegen in Patagonien eine Krötenart die heißeſten Sand-
hügel, Eidechſen und Mäuſe die trockenſten Gegenden der Erde
bewohnen und bei Feuchtigkeit auswandern. Man hat beobachtet,
daß ſich bei zunehmender Temperaturerniedrigung das Haar ver-

längert, bei großer Wärme ganz schwindet, viele Thiere einen Winter- oder Sommerschlaf haben, am heißen Mittag alle Thiere erschlaffen und rasten, Kröten oft viele Jahre lang im Schlamme schlafen, wobei dieser zuweilen zu Stein und Kerker wird. Lebhaftes Licht erzeugt lebhafte Haar-, Feder- und Schuppenfarben. In heißen Ländern herrscht die schwarze Farbe vor, in kalten die weiße; mit Abnahme des Lichtes gehn die Farben in Blau, Grün, Rostroth, Braun, Grau und Weiß über, und die Farben der Meerespflanzen wie Fische sollen je nach der Tiefe mit Violet oder Blau anfangen, bei größerer Tiefe grün, gelb und braun werden und in purpurner Tiefe mit Roth endigen.

Andere Gesichtspunkte haben einzelne Forscher aufgestellt. Im Norden entwickelt sich das Leben langsamer und tritt der Winterschlaf ein; die Schöpfung ist arm an Arten, aber massenhaft in Betreff der Zahl der Individuen. Der kleine Wasserhüpferling (cyclops quadricornis) kann sich z. B. aus einem Individuum in Einem Jahre auf 4000 Millionen Individuen vermehren, der Kabeljau nach Leeuwenhoek auf 10 Millionen, der Pilz nach Fries auf 10 Millionen. Jene Thiere, welche Eier legen und für ihre Jungen nicht sorgen, legen viel Eier, weil eine Menge derselben von andern Thieren verzehrt wird, oder sonst umkommt. Alle Thiere ernähren sich von organischen Stoffen, aber je niedriger ihre Organisation steht, um so mehr leben sie von Fäulniß, werden aber um so fruchtbarer, vermehren sich ins Unendliche und dienen andern Thieren als Nahrung. Im dunkeln Ocean herrscht, wie Humboldt sagt, das Thierleben vor, auf den Festländern das Pflanzenleben, welches des Lichtreizes bedarf.

Wenn also unter den Tropen die meisten Arten vorkommen, so nehmen sie dagegen nach den Polen zu ab; doch steigt dafür die Menge der Individuen und senkt sich das organische Leben nach und nach bis zu der Tiefe des Meeresbodens hinab. Humboldt behauptet, das Leben eines Malers reiche nicht aus, um die Blüthen aller Schlingpflanzenarten der Tropen zu zeichnen, wo Bambuswälder die Stelle der Rasenflächen der gemäßigten Zonen oder die Mooseinöden der Polarzone vertreten. Die Tropen erzeugen Bäume mit nahrhaften Früchten oder

173

Zone entbehrlich und erſetzen die Stelle der Obſtbäume. Im
Süden der gemäßigten Zone werden Eicheln und Kaſtanien eßbar,
der Norden dagegen liefert zu ſeiner reichlichen Fleiſchnahrung
ſäuerliche Beeren, welche den Scorbut fern halten.

Im Norden findet man viel grabende ſowie thran= und
ſpeckreiche Thiere, unter den Tropen rieſige Dickhäuter, hoch=
gereckte Giraffen und langhalſige Strauße, blutgierige Raubthiere,
Hirſche, Antilopen und Wolfsarten, wogegen im Norden Füchſe,
Renn= und Elenthiere, Wieſel und Marder häufiger vorkommen.
Ebenſo leben vorzugsweiſe unter den Tropen viel geflügelte In=
ſekten, die nach Norden zu immer ſeltener werden und endlich
ganz fehlen, außerdem viele Amphibien, welche ſogar Bäume
erſteigen, Schlangen und Eidechſen, Klettervögel, Dünnſchnäbler
(Kolibris) und Baumläufer, Papageien und Affen, ſelbſt viel
mehr Fledermausarten als anderwärts. Giebt es doch in einer
einzigen egyptiſchen Pyramide mehr Fledermausarten als in ganz
Deutſchland, welches deren nur zwei bis drei beherbergt. Dem
Norden fehlen manche ſolcher Thiere ganz, dagegen iſt er reich
an Seevögeln, deren Spitzbergen z. B. 13 mal mehr hat als
Landvögel, weil das Meer reichliche Nahrung bietet. Einige von
ihnen ſind tüchtige Flieger, die weit hinaus aufs hohe Meer
nach Beute gehn, andre bedienen ſich der Flügel nur als Ruder=
werkzeuge. In Weſtauſtralien werden Eucalypten 400 bis 500
Fuß hoch, auf Nowaja Semlja reichen Sträuchlein kaum drei
Zoll hoch über den Boden.

Nach Delphino richtet ſich die Blüthezeit mancher Pflanzen
nach dem Erſcheinen jener Inſekten, welche die Befruchtung ver=
mitteln. Die Gewächſe, welche im Frühlinge blühen, bedürfen
zur Samenvertheilung des Windes, im Sommer dagegen ver=
richten Bienen dieſes Geſchäft, im Herbſte die Fliegen, zur
Pollenzeit die Schmetterlinge, weshalb die Blüthenform oft auch
der Körperform des erforderlichen Inſektes gleicht. —

Dieſe wenigen Bemerkungen zeigen, wie umfaſſend und ver=
wickelt die vorliegende Frage iſt, zu deren vollſtändiger Be=
antwortung unſere Wiſſenſchaft noch nicht fähig iſt.

Die Pflanzengeographie giebt außerdem über Manches un=
erwarteten Aufſchluß. Gall fand z. B. bei ſeiner Ueberwinterung
in der Polarisbai Weſt=Grönlands Stückchen Treibholz, in

welchem man jene Wallnußart erkannte, welche am Amur und in Japan wächst. Daraus muß man folgern, daß ein japanischer Meeresstrom ins Beringsmeer, dann nördlich an den Parry-Inseln und an der Nordseite des Grinnellandes vorüberzieht, um endlich südlich in den Smithsund einzubiegen, wo Hall eine beständige südliche Strömung entdeckte. Die Fluthwelle des Stillen Ocean bringt also in den Kennedy-Channel südwärts ein und begegnet im Smithsunde der atlantischen Fluthwelle der Baffinsbai. Die nördliche Fortsetzung des Kennedy-Channels ist der Robeson-Channel, von dem aus die Newman- und Polarisbai in die Küste Grönlands eingreifen. Robeson-Channel kann also nicht Grönlands Nordspitze sein, wie man bisher meinte, dieses zieht sich vielmehr nach dem Wrangelland hinüber und scheidet das Meer Spitzbergens vom eigentlichen Polarmeere. Das Klima war hier (82° nördl. Breite) milder, als man erwarten sollte. Die Küste war schneefrei, der Boden 1 bis 2 Fuß tief aufgethaut, von einer Moostundra überzogen, in welcher Weidenbüsche von ½ Fuß Länge am Boden hinkrochen. Hier nährten sich zahlreiche Bisamthiere, viele Vögel und Insekten. Dagegen stammt das Treibholz im Franz-Josefs-Fjord Ost-Grönlands von den Mündungen und Ufern der sibirischen Ströme, denn es besteht aus Lärchen, Fichten, Espen und Erlen. Man hat die Jahresringe hochnordischer Birken, Weiden u. s. w. gezählt und gefunden, daß sie 80 bis 150 Jahre alt waren. Im Franz-Josefs-Fjord werden Weiden und Birken strauchartig 1½ Meter hoch, und die Weidenrose prangt in reichem, scharlachrothem Blüthenschmucke. Algen wachsen trotz der monatlangen Finsterniß und bei der Kälte ebenso wie im Sommer, ernähren also die Seethiere auch im sonnenlosen Winter. Noch ist nicht erforscht, welchen Einfluß die langen Tage und das Licht auf den Pflanzenwuchs haben. Blattgrün und Stärkemehl entwickeln sich bei längerer Beleuchtung stärker, daher haben alle Bäume in Norwegen größere Blätter und frischeres Grün.

Das Pflanzenleben im Besonderen.

Die Lebensprozesse sind Gedanken der Schöpfung, sagt Baer, auf die Erde herabgebracht. Nach eignem Rhythmus und zu eignem Typus baut sich der organische Lebensprozeß den Leib aus Stoffen, die er der Außenwelt entnimmt. In der Pflanze erkennen wir die leibliche Form der Selbständigkeit, im Thiere kommen Empfinden und Willen dazu, wenn auch in verschiedenen Graden. Der Mensch ist der am selbständigsten entwickelte Gedanke der Schöpfung. Instinct dient nur zur Erhaltung der Art, nicht zur Veredelung, er ist der Ausfluß des Weltganzen und geht nicht aus körperlichen Verhältnissen hervor. Diese Auffassung klingt wissenschaftlicher als die Stoffvergötterung Häckels.

Der Erdkörper ist an und für sich, behauptet Reclus, durch die Harmonie seiner Formen, den Rhythmus seiner Thätigkeiten und die Symmetrie seiner Kräfte und Gegenkräfte zum Ausbilden der Einzelwesen in individueller Daseinsform gezwungen. Jeder Wassertropfen, jede Quelle und Wolke, jeder Berg und jedes Gebirge bildet sich in der besonderen Gestaltung unter dem Einflusse örtlicher Verhältnisse aus. Jedes Leben individualisirt sich nach Klima, Boden, Wärme, Feuchtigkeit zu einem Einzelwesen, weshalb sich die Fülle der Dinge nicht classificiren läßt, was man bisher vergeblich versucht hat. Man ist ja noch nicht einig über den Begriff der Art, Gattung, Nebenart u. s. w., und nur Schulpedanten quälen die Jugend mit unhaltbarer Systematik, wofür sie Schleiden verdientermaßen geißelt. Strom, Pflanze und Thier sind jeden Tag andere; denn jedes Wesen besteht aus einer Welt unruhiger Moleculen, welche in ihren Bewegungen zwar den Weltgesetzen gehorchen, aber sich dabei auch harmonisch zu einem Gesammtorganismus zusammen ordnen, mit der Außenwelt in Wechselwirkung treten und sich doch als Einzelwesen behaupten. Muschelkalk, Kreide, Steinkohlen u. s. w. bestehn aus organischen Resten, und aus den Leichenäckern der Vergangenheit wächst das frische Leben der Gegenwart hervor, so daß wir die Grenze zwischen Tod und Leben nicht mehr zu finden vermögen. Untergehende Weltstädte und Kulturreiche werden der Dünger für Zukunftsmenschen.

Alles und Jedes arbeitet an dieser steten Umwandelung mit, selbst der Regenwurm, welcher wühlend die Dammerde auflockert und verbessert. Er verzehrt Erde und giebt, nachdem er den nahrhaften Theil ausgesogen hat, den Rückstand wieder von sich, welcher den schönsten Boden bildet, den man in Häufchen vor dem Eingange seines unterirdischen Pfades liegen sieht. Aber Burmeister übertreibt hier, wie so oft, die Naturwahrheit, wenn er schreibt: Es giebt kein Stäubchen des feineren Humusbodens, der nicht durch die Eingeweide eines Wurmes seinen Weg ge= nommen hätte. Indem Pflanzen leben und sich entwickeln, schützen sie den Boden gegen Sonnenschein, ziehen Regen herbei, saugen ihn mit Wurzeln und Blättern auf, lockern mit ihren Wurzeln den Boden auf, bedecken ihn mit ihren verwesenden Blättern und erzeugen Humus als das Werk ihres Lebens. Wo Pflanzen an Berghängen wachsen, überziehn sie denselben mit Humus, ohne dessen Schutz die Gesteine verwittern. Jede Pflanze schafft für das nachkommende Geschlecht nahrhaften Boden und ernährt Thiere aller Art, bietet ihnen Zuflucht und Wohnung. Die Elemente zerstören die Erdoberfläche, die Pflanzen bereiten sie zu Fruchtboden vor. Dennoch rottet der Mensch, der Lieferant, der mit Staatsschulden beladene Staat die Wälder aus und wundert sich dann, wenn der Boden aushungert und er selbst verarmt auf magerem Acker, wenn ganze Striche und Länder zu Steppen werden. Viele Ministerialräthe und steuer= erfinderische Finanzminister können dies bis heute nicht begreifen.

Da Pflanzen nur da gedeihen, wo sie geeigneten Boden und passendes Klima finden, so müssen sie sich umändern, wenn jene Lebensbedingungen sich umbilden, oder sie gehen zu Grunde, wie die Geologie beweist. Spitzbergens Steinkohlenlager zeigen, daß diese Insel einst warmes Klima besaß. Das Leben der Pflanze hängt ab von der mittleren Temperatur des Jahres und der Jahreszeiten, daher wachsen in Edinburg und Königsberg, London, Stockholm, Moskau und Genf dieselben Pflanzen, und manche Gewächse dienen gradezu als Bezeichnung der Temperatur, z. B. Palmen, Wein, Zuckerrohr, Buche, Krüppelholz u. s. w., da sie die Grenze der Pflanzenzone angeben. Um eine Pflanzen= karte zu entwerfen, rechneten Boussingault, de Candolle u. A. die Wärmegrade zusammen, welche jede Pflanze nöthig hat, indem

11*

sie an jedem Tage die mittleren Wärmegrade zählten, welche
über die erforderliche Temperatur hinausgingen, und dann diese
täglichen Temperaturen addirten. Manche Pflanze der Polarzone braucht nur 50° Wärme für das ganze Jahr, Gerste kommt
bei 5 bis 6°, Korn bei 7°, Mais bei 13°, der Weinstock bei
10° u. s. w. fort. Die Pflanzen der gemäßigten Zonen vertragen 10 bis 20° Kälte, wachsen aber nur, wenn das Thermometer nicht unter Null steht. Auf Gebirgen gedeihen Pflanzen
im Schnee, wenn Wasser ihre Wurzeln benetzt. Der Mandel-
baum geht die Donau hinab, durch die Steppen und bis über
den Ural, hält also trockne kalte Winter und glühend heiße
Sommer aus. In Madeira ruhen die Pflanzen im Winter, bis
ihr Gewebe wieder hergestellt ist, und bei der steten Frühlingstemperatur unter den Tropen rasten die Pflanzen im Winter,
behalten zwar die Blätter, erzeugen aber keine neuen und entwickeln Blumen und Früchte, wenn diese im Sommer als Knospen
erschienen.

Von großem Einflusse auf Pflanzen und Pflanzenarten bleibt
die Vertheilung von Feuchtigkeit und Trockenheit, welche beide
tödtlich für die Pflanzen werden, wenn sie ein gewisses Maß
oder eine gewisse Zeitdauer überschreiten. Steppen und regen-
reiche Gegenden haben daher ihre besonderen Pflanzenarten, und
die Grenze der Regenzone ist auch Scheidemark für die Pflanzenzonen. Außerdem wirkt das Licht ein, denn Sonnenstrahlen ersetzen die Wärme. Deshalb wachsen Pflanzen auf den Gebirgen
im Sonnenschein schneller, erhalten lebhaftere Farben und brauchen
weniger Wärme. Die chemischen Strahlen nehmen mit der
Wärme zu, sind daher unter den Tropen stärker (zu Para am
Amazonenstrom 7- bis 34 mal stärker als im Garten in Kew
bei London), verändern sich aber plötzlich zur Regenzeit, verschwinden bei Gewittern ganz und wirken erst wieder nach deren
Entfernung. In den gemäßigten Zonen schwankt die Wirkung
dieser Strahlen im Sommer und Winter zwischen 20 und 1 Grad.
Die weißen Wolken in der Höhe des Himmels erhöhen die
chemische Kraft der Sonnenstrahlen, doch nimmt diese bei Verdichtung der Wolken ab, besonders wenn sie als schwarze Masse
zwischen Sonne und Erde treten.

Wolken, Nebel und Dünste beeinflussen also das chemische

Klima, und dazu wirken noch chemische Stoffe ein (Kohlensäure,
Ammoniak, Wasserstoffe u. s. w.), welche die Erde ausathmet
und in die Atmosphäre sendet. Vielleicht giebt es sogar chemische
Winde. Manche Erscheinungen vermögen wir daher nicht zu
erklären. Auf den Faröer, die nur einen Grad Wärme weniger
haben als das waldreiche England, kommt nur Strauchwerk fort,
vielleicht weil die dicken Nebel die Sonnenstrahlen verschlucken.
Möglich ist es, daß die chemischen und leuchtenden Strahlen in
den langen Tagen des Polarsommers die schnelle Entwickelung
der Vegetation entwickeln, so daß die Pflanzen in wenig Tagen
Knospen und Blätter treiben und früher blühen. Je weiter
man nach Norden kommt, sagt de Candolle, um so mehr ersetzt
das Licht die Wärme. Wir ahnen kaum, welche Existenzbedingungen ein Pflanzenleben voraussetzt, und sind noch weit
entfernt von einer begründeten Pflanzengeographie. Denn „jede
Pflanze hat ihre Geschichte, ihre Wanderungen und Umwande-
lungen, ihr Stammland, ihre Gewohnheiten und Eigenheiten,"
so daß eine wunderbare, unabsehliche Manichfaltigkeit entsteht.
Manche Eibenbäume sollen 1200 bis 3000 Jahre alt sein. Die
Cypresse auf dem Kirchhofe zu Oajaca schätzt de Candolle auf
6000 Jahre, Lindby auf 870 Jahre. Es giebt Eichen von 1600,
Kastanien von 900, Linden von 600 Jahren. Ein Epheu bei
Montpellier soll 485, eine Flechte 40, ein Affenbrodbaum 5150,
Oelbäume auf dem Oelberge 800, eine 9 Fuß dicke Ceder auf
dem Libanon 900, die zu Chelsea 600, Kokospalmen 700 Jahre
erreicht haben, und Humboldt schätzt die Cypresse im Garten von
Chapullepec auf mehr als 5000 Jahre, da sie zu Montezuna's
Zeiten schon sehr alt war.

Wie sehr Sonnenlicht auf Pflanzen wirkt, das zeigt die
Cacalia ficoides, deren Blätter sich Nachts so mit Sauerstoff
füllen, daß sie Morgens ganz sauer schmecken, Mittags geschmack-
los, Abends bitter sind. Das Reifen der Früchte hängt daher
mehr von heitrem Himmel ab als von der Sommertemperatur.
Die blauen Strahlen des Sonnenspectrums haben den meisten
Einfluß auf das Keimen des Samens, die lichtvollen gelben aber
als chemische Strahlen wirken auf das Wachsen der Pflanzen.
Chemische Strahlen dringen in den Boden ein und verursachen

im Frühjahre vor, im Sommer dagegen die erwärmenden rothen
Strahlen, durch welche das Blühen und die Entwickelung der
Früchte ermöglicht werden. Im Frühjahr und Sommer wird
der zur Nacht von den Blättern aufgenommene Sauerstoff zur
Bereitung von Säuren, Oelen u. s. w. verwendet, im Herbst
scheidet er nicht aus, entfärbt und zerstört daher die Blätter,
der Stickstoff entweicht, und das Blatt verwest. Phosphorsaure
Pflanzen sind nahrhafter, schwefelreiche (Rüben, Senf) schmecken
scharfwürzig.

Manche Pflanzen haben daher einen engen Verbreitungsbezirk, einige verlangen süßes, andere salziges Wasser, müssen
immer oder nur zu Zeiten unter Wasser stehen. Es giebt Berg-
kletterer, Strand-, Wasser-, Felsen-, Ufer-, Luftpflanzen und
amphibische Gewächse, wo Fluß- und Seewasser sich mischen.
Jeder Fluß, jede Steinart hat besondere Pflanzenbewohner.
Manche Bachsteine tragen einen Urwald hin- und herschwebender
Conservenarten, so daß der Bach streckenweise ganz grün aussieht.
Morast- und Moorpflanzen dienen wie Schwämme zum Aufsaugen des Wassers, und in Strandgegenden wechseln die Pflanzen-
zonen, je nachdem Salzwasser den Boden benetzt oder nicht,
Sand, Lehm oder Kies den Strand bilden. Salzpflanzen ver-
leihen dem Boden ein bleiches, kümmerliches Aussehn; manche
Wasser begünstigen den Wuchs von Schilf, andere den von dichtem
Gehölz, welches viel Nässe verträgt; andre Pflanzen verlangen
salzigen Wasserdampf oder ziehn ihre Nahrung aus der Luft
(Orchideen, Bignolien, Euphorbiaceen, Flechten), die an Bäumen
und Felswänden hängen wie schwebende Blumengärten und die
Urwälder durch ihre Rankenguirlanden unzugänglich machen.
Jeder Baum trägt wieder eine kleine Welt von Pflanzen an der
Rinde, auf Zweigen und Blättern. Wieder andere, wie Trüffeln
und verwandte Pilzarten, leben unter dem Boden und erhalten
nur durch dessen Poren Luft. Dunkle Grotten und finstre
Wälder haben ihre blassen, krankhaft aussehenden Pflanzen und
erheben ihren zarten Stengel am Fuß der Bäume kaum über
den Moosteppich.

Jede Pflanze verlangt eine besondere Nahrung, welche sie
aus dem Boden aussaugt, weshalb manche Botaniker Kalk-,
Kreide-, Sand-, Granit- und andre Pflanzen unterscheiden. In-

dessen jede Pflanze entnimmt aus dem Boden nur das Auflös-
liche und für sie Genießbare. Denn die Fichten Norwegens
z. B. enthalten andere Bestandtheile als die der Jura, und von
den 43 Pflanzen der Kalkberge der Karpathen kommen 22 auch
auf den Granitgebirgen der Schweiz und Lapplands, von den
63 Pflanzen der schweizerischen Kalkalpen 36 auf ganz andern
Gesteinarten vor. Salzpflanzen lieben salzhaltigen Boden, Carex
aranaria Dünen, Schilfrohr Sand, Kastanien kieselhaltigen Boden,
andre bilden die Vorgehölze der Wälder oder mischen sich in
Getreidefelder. Dagegen wachsen italienische Pappeln, Platanen
und Rüstern gern an Wegen und um Gehöfte herum, und
Sennhütten sind von Nesseln und Rumex umgeben, welche büschel-
weise aus dem Grase hervorwachsen. Steppenkräuter stehn ge-
sellig neben einander, auch in Wüsten sieht man auf weiten
Strecken nur dieselbe Pflanzenart, am Utahsee nur eine Arte-
misienart, in Neu-Mejico nur die traurigen seltsamen Armleuchter
der gigantischen Fackeldistel.

Einen großen Theil des atlantischen Meeres von den Antillen
bis zu den Azoren und den Inseln des Grünen Vorgebirges
bedeckt wie ein Urwald der Sargassosee (fucus natans), welcher
den Matrosen des Columbus so große Furcht einjagte, weil er
die Schiffe aufzuhalten drohte. Diese Meereswiesen schwanken
mit den Wogen auf und ab, an ihrem Rande schäumt das Meer
wie an einer Insel. Fische spielen unter den Zweigen dieses
Waldes, Myriaden kleiner Thiere wimmeln durch einander,
Muscheln kriechen auf und ab an den Stengeln, Krebse scharren
im Boden, Schildkröten zehren behaglich an den Blättern, von
denen sich auch gewaltige Riesenthiere nähren, andre ruhen auf
den Blättern und lassen sich schaukeln oder wie auf einer Gondel
umhertreiben. Man hielt diese Wiese lange Zeit für die vom
Golfstrom zusammengeschwemmten Tange der Antillen, bis man
erkannte, daß der Fucus an der Oberfläche des Meeres ohne
Wurzeln wächst. Jeder Stengel endet unten mit einer Art
Wunde, ist nur Zweig einer andern Pflanze. Luftbläschen von
Beerengestalt, derentwegen man den Fucus auch tropische Wein-
rebe nennt, halten wie Schwimmblasen den Zweig über Wasser,
während Hunderte von blätterartigen Häutchen sich senkrecht über

Pflanzen bedürfen. Die Fucusinseln bleiben also auf derselben Stelle und häufen sich in Streifen an längs ihrer eigenen Grenzen.

Dieses Fucus- oder Varecmeer des nördlichen atlantischen Oceans, zwischen dem 16 bis 38° östl. Breite und 50 bis 80° östl. Länge gelegen, theilt sich in zwei Haufen und mißt etwa 10- bis 20,000 Quadratmeilen. Gleiche Meereswiesen finden sich im südlichen Theile dieses Meeres, im nördlichen und südlichen Stillen Ocean.

Keine Pflanze gedeiht also überall; je entwickelter ihr Bau, um so enger ihr Verbreitungsbezirk, weshalb Kryptogamen und Meerespflanzen sich am weitesten ausbreiten. Es finden sich auf der Hälfte der Erde 18 Arten, auf einem Drittel 117 Arten als gemeinsame Gewächse, die also fast überall vorkommen. Im Ganzen bedecken nach de Candolle Pflanzen den 150. Theil der Erde. Die neue Welt hat mehr Arten, weil sie sich durch alle Klimas zieht und ihre Berge in derseben Richtung fortstreichen, am Westabhange der Cordilleren das Meer fließt, am Ostabhange der Aequatorialstrom der Luft anschlägt. Inseln sind wegen des beschränkten Raumes arm an Arten, und von den Polen nehmen diese nach dem Aequator hin zu. Spitzbergen hat 90 Arten, Schlesien 1300, die Schweiz 2400, Sicilien 2750, Egypten 1000, England 1480 u. s. w.

Ueber die Grundgesetze der Pflanzenverbreitung sagt Griesebach: „Die Schöpfungsheerde sind geologischen Ursprungs, das letzte Ergebniß der schöpferischen Thätigkeit, welche die Organismen ins Leben rief. Die natürlichen Floren erhalten in ihrer räumlichen Begrenzung sich dadurch, daß sie an eine klimatische Lebenssphäre gebunden sind. Zu den geologischen und klimatischen Elementen gesellen sich endlich, je mehr der Schauplatz der Beobachtungen sich verengt, die Einflüsse des Bodens, von denen überall die topographische Verbreitung der Pflanzenindividuen bedingt wird. Erdkrume, Niveau und Wasserumlauf wirken nun auch mit, und je weiter eine Pflanze ihren Samen auszustreuen vermag, um so mehr erweitert sich ihr Verbreitungsbezirk. Wo Meere, Gebirge und Klima ein Gebiet scharf umgrenzen, da wird die Vegetation ein treues Abbild der Bodenbeschaffenheit. Der Boden wirkt aber auch durch seine chemischen Bestandtheile, und

Winde bringen so gut Trockenheit wie Regen." Unerwiesen ist es, ob die mittlere Jahreswärme oder die Kraft und Dauer der größten Wärme für das Pflanzenleben entscheidend sind. Hohe Gebirge, Meere und Wüsten hindern die Pflanzenverbreitung, Winde und Vögel befördern dieselbe. Als man in Montpellier syrische Wolle ausbreitete, um sie zu trocknen, fielen beigemischte Samen aufs Land, faßten Wurzel und erzeugten eine syrische Vegetation.

Pflanzenzonen.

Unger hat die Erdoberfläche in Pflanzenzonen, Schouw in Pflanzenreiche eingetheilt und die Verbreitung der Pflanzen durch eine besondere Karte veranschaulicht. Die Polarzonen haben keine Wälder, sondern nur Moose, Flechten und Beerensträucher, doch kommen in der kalten Zone, deren Nordgrenze Moore und Tundern bilden, bereits Bäume und Getreidearten fort, denn man trifft Nadel- und Birkenwaldungen. Die gemäßigte Zone, die bis zum 45° nördl. Breite reicht, hat Moore, Laub- und Nadelwaldungen, Wiesen, Südfrüchte, Obst, Gehölze und Getreide, wogegen in der heißen Zone Wiesen fehlen und durch Bambuswald, riesige Farrn und Rohrgewächse ersetzt werden. Palmen endlich, Bananen, Brodbäume, Gewächse mit aromatischen und narkotischen Säften kennzeichnen die Tropenzone. Der Harz der nordischen Fichten wird in der heißen Zone durch Gutta-Percha und Kautschuk vertreten, die Kartoffel durch Sago, der Holzapfel durch die Citrone, Roggen durch Reis, Wau durch Indigo, Kamillen durch Vanille, Tabak durch Kaffee u. s. w.

Trotz aller Genauigkeit haben solche Karten und Eintheilungen einen sehr zweifelhaften Werth, denn jedes Land wahrt gewisse Eigenthümlichkeiten, hat wohl gar seinen Nationalbaum, welchen das Volk in Liedern und Sagen feiert. Rußland besitzt Birkenwaldungen, deren Saft den Champagner des Nordens und die Rinde den Gerbstoff zur Juchtenbereitung liefern, Deutschland hat seine Dorflinden und Erinnerungszeichen, England seine Parks, bäume und gewaltige Kastanien, und bis in die Sahara hinein reichen Dattelwälder. Die Steppen Südafrikas prangen von vielfarbigen Heidekräutern und Zwiebelgewächsen, die Vereinigten Staaten verschönern sich im Herbst durch die wunderbare Farben= gluth der in allen Farben schimmernden Blätter. Riesengroße Araucarien bedecken die Westabhänge der südlichen Anden, deren Fuß Edelfrüchte umgrünen. In Australien retteten sich aus der Juraperiode die seltsam gestalteten Eucalypten und Casuarineen, und Neu=Seeland trägt noch Farrnwaldung von jenem Schnitt, wie ihn die Steinkohlenwälder zeigen. Es mischt sich also in der Pflanzenwelt Altes und Neues, was sich geographisch kaum übersehen läßt in Reihe und Glied.

Ihre größte Schöpferkraft bewährt die Natur im Aufbau der Urwälder. Feierlich erheben sich auf den Bergrücken in der kalten und gemäßigten Zone die Urwälder der dunkeln, finstern Nadelforsten. Wie unzählige Pfeiler eines Tempels steigen die graden Stämme empor, die oft bis zum Wipfel zweiglos sind und bilden düstre Gänge und Hallen geheimnißvollen Dunkels. Flechten und langes Moos haben sich an der Rinde angesiedelt, zwischen den durch einander verschränkten Zweigen fließt spar= sames Licht nieder und zeichnet helle Flecken auf dem grauen Flechtenboden. Weithin ranken die kriechenden Wurzeln und steigen hier und da über den Boden. Fernab liegt die Welt mit ihrem Treiben; der Wald lebt nur für sich, und in seinen Wipfeln braust und tönt es wie ein fern herüber gewehtes Glockengeläute.

Großartiger sind die tropischen Urwälder: ein Chaos von Grün und Baumarten, eine Aufstaffelung gemischter Wälder, ein Labyrinth von Baumformen und Pflanzenarten, in welchem sich nicht einmal der Kenner zurecht findet. Gipfel steigt über Gipfel empor, und sie bilden die geschwungene Linie der Wald= höhe, den Rücken des Waldgebirges. Diese Masse verschieden= artiger Bäume ist zusammen gekettet durch die Schlinggewächse, welche die Stärke eines Baumes erlangen und ihn an Länge des zweiglosen Stammes übertreffen. Selbst die Pflanzenleiche des abgestorbenen Baumes wird von den Schlingpflanzen noch einige Zeit aufrecht gehalten, ehe er auf den mütterlichen Boden der allernährenden Erde niedersinkt, und dann überwuchern den verwesenden Baum neue Pflanzen und errichten aus ihm selbst einen grünen, blumenbedeckten Grabhügel. Die durch Lianen verbundenen Riesenbäume sind ächte Aristokraten, und lassen die niederen Gewächse nicht zum Licht und Sonnenschein empor- kommen, halten sie in dunklem Schatten und feuchter Luft nieder, während sie frische Luft athmen und sich von Papageien und Affen unterhalten lassen. Der Baumaristokrat hat seinen Tod- feind in der Schlingpflanze, die ihn aussaugt wie der wuchernde Jude den leichtsinnigen Grundherrn, und ihn beim Fallen noch so lange in der Schwebe hält, bis sie ihn vollends ausgesogen hat. Die nordischen Wälder, aus gleichartigen Bäumen bestehend, sind wie ein freies Bauernvolk zu gegenseitigem Schutze bereit, der tropische Urwald ist ein Rassengemisch, in welchem eine Rasse sich auf Kosten der andern ernährt. Es giebt hier Große und Kleine, Herrschende und Unterdrückte, Wohllebende und Ver- kümmernde. Es herrscht ein allgemeines Aussaugungssystem, denn ein Schmarotzer muß wieder andre ernähren (Reclus und Kabsch).

Wie vom Aequator nach den Polen die Temperaturen und mit ihr die Pflanzen andre werden, so beobachtet man dieselbe Erscheinung an den Berghängen, an denen man beim Aufsteigen alle Pflanzenzonen durchwandern kann, worauf zuerst Humboldt aufmerksam machte, als er den Pic von Teneriffa bestieg, denn mit je 160 bis 240 Meter Höhe nimmt die Temperatur um einen Grad ab, so daß nun auch die Pflanzenwelt wechseln muß. Es reichen am Pic Drachenbäume, Bananen u. s. w. bis 300 Meter, Feigen, Wein und Cactus bis 720 Meter, Kulturgewächse bis 1000 Meter, Lorbeeren, Gesträuch, Rasen und Farrn bis 1200 Meter, und eine alte Fichte bezeichnet dann das Ende der grünen Gewächse. Denn von da ab sieht man nur Haidekraut und endlich das grauweiße Pfriemenkraut Retamas. In Co- lumbien an der Sierra Nevada de la Marta folgen die Pflanzen- zonen von der Kokospalme bis zur nordischen Fichte regelmäßig, ebenso am Pelvoux. Doch finden sich auch Abweichungen, und bis jetzt gelang es nicht, die Vegetationsgrenzen der Alpen fest- zustellen. Selbst die Grenzen der Kulturpflanzen steigen und sinken mit der Intelligenz der Bewohner. Je höher man steigt,

Knie- und Krummholz ein; nur Ranunkeln und Sarifrageen wagen sich bis zu den Flechten und der Schneegrenze vor, weshalb sie oft auch mitten im Sommer verschneien.

Jeder Berghang hat wieder seine besondre Pflanzenscala, weil gar vielfache Zwischenbedingungen einwirken. Winde, Steinblöcke, Lawinen und Gletscher bringen Pflanzen und Pflanzensamen ins Thal, wo dann fremdartige Kolonien von Alpenpflanzen entstehen. In Columbien kommen in einer Höhe von 2750 Meter Bananen und Zuckerrohr neben Eichen und Birken vor, am Bulkan Chiriqui grünen Eichen und Wiesen neben Palmen und tropischen Gewächsen und an der Cordillere von Baldivia steigen Bäume der Ebene bis zur unteren Grenze des ewigen Schnees empor. Denn jeder Thalkessel, jeder Berghang besitzt seine Eigenthümlichkeiten. Die Bergfichte steigt auf der einen Seite des Ventour 200 Meter höher als an der anderen, die grüne Eiche um 80 Meter. Auf der Südseite wachsen Oelbäume, auf der Nordseite Nußbäume und Fichten; Lärchen bedecken den Südabhang vom Monte Biso bis Col di Tenda, Fichten den Nordabhang, und unter den Tropen ist oft die Südseite der Berge bewaldet, wogegen die andere nur Kräuter trägt.

Pflanzenwanderungen.

Unerklärt bleibt es bis heute, daß zuweilen an weit von einander gelegenen Orten Pflanzen derselben Art wachsen, was nur durch geologische Veränderungen könnte geschehen sein. Die Polarzone der Schweiz hat dieselben Pflanzenarten wie Spitzbergen, Grönland und das arktische Nordamerika; von den 132 Phanerogamen des Faulhorns findet man 40 in Spitzbergen und Lappland wieder, dieselbe Beobachtung macht man im „Garten" des Gletschers Talèfre und bei den Pflanzen der Weißen Berge von Neu-Hampshire. Europäische Pflanzen der Alpen und Pyrenäen findet man auf den Berggipfeln des Atlas, der abessinischen Alpen, auf den Bulkanen Java's, auf den Anden und den Felsen Feuerlands. Selbst gleichartige Süßwasserpflanzen

wachsen in weit von einander entfernten Flüssen und Seen.
Westeuropa und Neu-Seeland haben 25 Alpenarten gemeinsam,
die Spartina findet man im Meere von Europa bis zu den
Vereinigten Staaten, bei Cayenne und Venedig und am Kap
der Guten Hoffnung. Die Alge Alterniflora wächst an der Küste
Nordamerikas bis Cayenne, dann nur an der Adourmündung in
Südfrankreich und bei Southhampton. Schiffe und Waarenballen, Winde und Meeresströmungen mögen Pflanzensamen ver-
schleppen, und manche Art derselben ist sehr zählebig, kann 37
bis 137 Tage im Meere liegen und doch keimfähig bleiben.
Brown sah Samen, der 150 Jahre im Herbarium gelegen hatte,
Keime treiben, und Weizen, den man in egyptischen Pyramiden
fand, war anbaufähig. Selbst Grassamen ging auf, der einen
Winter hindurch im Seewasser gelegen hatte, dann getrocknet
und ausgesäet war, so daß amerikanische Pflanzen, die bis Irland
schwimmen, dort keimen können.

Um sich zu erklären, wie in entfernten Ländern dieselben
Pflanzen vorkommen können, muß man die Geologie zu Hülfe
nehmen und die großen Veränderungen berücksichtigen, welche
die Erdoberfläche erlitt, da früher dort Festländer standen, wo
jetzt die Wogen eines Oceans rollen, da Inseln früher Halbinseln, Tiefebenen einst See- oder Meeresbecken waren. Mit der
Veränderung des Wohnortes mußten sich auch die Pflanzen
ändern. In der Tertiärepoche, der letzten vor unsrer Zeit,
hatte der Norden heißes Klima, mithin auch tropische und sub-
tropische Vegetation, welche später verschüttet und in Steinkohlen
verwandelt wurde. Nach und nach trat hierauf die Eisperiode
ein, die Pflanzen zogen sich in südliche Gegenden zurück, flohen
vor den Gletschern und Eisfeldern wie ein geschlagenes Heer,
konnten aber den Kampf ums Dasein nur an wenigen Stellen
aushalten. Dagegen rückten die Polarpflanzen siegreich vor,
besetzten in den heutigen gemäßigten Zonen weite Gebiete und
gründeten zahlreiche Kolonien. Als nun die Eisperiode ihr
Ende nahm und es wärmer und wärmer wurde, starben viele
nordische Pflanzen vor Hitze, die kräftigen wichen nach Norden
zurück, und die subtropischen Pflanzen rückten wieder vor, um
ihre alte Heimat von neuem zu besetzen. Nicht alle Polarpflanzen konnten nach Norden fliehen, sondern viele flüchteten

die Berggipfel hinauf, wo sie als versprengte Reste wohnen blieben gleich den Basken, Scoten und Ladinern. Kräftige Arten vermochten es, sich den Verhältnissen anzupassen oder sich gar als unveränderte Arten in ihren Schlupfwinkeln zu behaupten, bis das Exil ihre Heimat wurde, und die Einwanderer für Eingeborene galten. Als nun die subtropischen Pflanzen bei ihren Vorbringen auch die Berge erstiegen, wurden sie nach und nach andre, und es entstand eine Mittelklasse zwischen alten und neuen Pflanzen, welche nun auch weiter nach Norden vorzubringen vermochte.

Dazu kamen neue Landbildungen. Inseln erweiterten sich zu hohem Festland, Halbinseln wurden Insel, Küstenstrecken senkten oder hoben sich, Festländer trennten sich in Welttheile; es entstanden neue Meere und Meeresströmungen, Pflanzensamen wurde hin und her getragen von den Wogen und Winden, Berge thürmten sich auf, Flüsse gruben sich ein Bett aus, und so bildeten sich die nun getrennten Pflanzenarten unter den neuen Einflüssen zu Unter= und Nebenarten aus. China, Sibirien und Nordamerikas Westküste haben viel Pflanzen gemeinsam, müssen also einst Ein Festland gewesen sein. England hat vorzugsweise Continentalpflanzen, die Hebriden amerikanische Arten, und viele irländische Pflanzen stammen von Südfrankreich, Portugal, Madeira und den Azoren.

In England sind 83 Pflanzenarten eingebürgert, darunter 35 amerikanische, wogegen Amerika 172 ausländische Pflanzen erhielt, welche gar die einheimischen Gewächse unterdrückten. Alle erobernden Völker brachten auf ihren Heerzügen heimische Pflanzen und Thiere mit, von denen sie sich nicht trennen wollten, sondern dieselben in die neuen Provinzen verpflanzten. Selbst die Kreuzfahrer brachten viel orientalische Blumen und Bäume in ihre Heimath, wogegen andre Pflanzen= und Thier= geschlechter verschwunden sind sammt den Urbewohnern der Länder und Inseln, wie uns die in den Pfahlbauten vor= gefundenen Knochen, Samen und Blätter beweisen. In Irland ruhen große Wälder von Fichten und Eichen unter Mooren, auch auf den Shetlandsinseln gräbt man Tannenbäume aus Mooren aus und eine dieser Arten, die abies pectinata, fehlt jetzt in ganz Britanien und Scandinavien. Helena besitzt von seinen 746 Phanerogamenarten nur noch 52, und die alten Wälder von 800 Hektaren sind von Schweinen und Hunden verwüstet.

Selbst Waldbrände veranlassen einen Wechsel der Vegetation. Nach 290—330 Jahren entsteht nemlich ein Nachwuchs von ganz anderen Baumarten. Auf den Buchenwald folgt Eichen= wald, auf diesen ein Fichtenwald. Karl d. G. jagte zu Garardmer in einem Eichenwalde, wo jetzt nur Fichten wachsen, und bei Hagenau stand an der Stelle des heutigen Föhrenwaldes vor 150 Jahren ein Buchenwald. Selbst in den Prärien wechseln die Grasarten, und durch Nachgrabungen hat man in Dänemark die Aufeinanderfolge der Waldungen genau festgestellt. Also auch hier zeigt sich ein stetes Umwandeln.

Das Ergebniß dieser kurzen Andeutungen ist dieses, daß es uns noch an ausreichendem Material zu einer Pflanzengeographie fehlt. Wer hat denn in Rußland, Persien, Afrika u. s. w. die Pflanzenarten gezählt? Man ist ja noch gar nicht über die Eintheilung der Pflanzen in Haupt= und Unterarten einig, weiß noch nicht, welche Pflanze man die vollkommenste nennen soll, in welcher also die Pflanzenwelt gipfelt. Daher behalten die Pflanzengeographien unsrer Lehrbücher nur den Werth einer ganz allgemeinen Uebersicht, die voller Ausnahmen ist.

Das Thierleben auf dem Lande.

So wenig sich die Pflanzenarten wissenschaftlich feststellen lassen, ebenso wenig gelingt es mit den Thierrassen. In neuester Zeit versucht man sie nach der Entwickelung der Embryonen zu sortiren.

Schleiden schätzt die Arten der Thiere auf 260—280,000; doch werden der Arten immer weniger, je vollkommener das Thier organisirt ist. Von den 1400 Säugethierarten leben in Europa nur 121, und von den 8000 Vogelarten erreichen 5000

150,000 Arten. Unfaßbar ist die Menge der Thiere, aber wir bemerken wenig davon, weil sie sich verborgen halten, hin und her wandern, im Wasser, unter der Erde und auf Bäumen hausen. Luft und Meer sind die eigentlichen Schauplätze des Thierlebens, wogegen die Erde den Pflanzen angehört, die meisten Landthiere Pflanzen= und Samenfresser sind. Züge der Wander= tauben, die in der Stunde 80 Kilometer durcheilen, dauern manchmal ununterbrochen drei Tage lang; stundenlang ziehn Heuschreckenschwärme, den Tag verdunkelnd, über die Steppen, wobei ihr Flügelschlag wie fernes Meeresrauschen klingt. Mücken= schwärme verfinstern an den Seen Binnenafrikas die Luft, und ihre Leichen liefern eine Volksspeise; in Amerika schweben sie in dichten, meilenlangen Wolken um See= und Flußufer, und die Leichen mikroskopischer Seethierchen bilden Gesteinschichten von meilengroßer Mächtigkeit. Unter den Tropen belästigen die In= secten den ganzen Tag lang, weil eine Art die andere ablöst. An manchen Stellen des Orinoco bilden sie in der Luft eine 20 F. dicke Schicht, und in Brasilien hört man auf den am Ufer ankernden Schiffen das Geräusch der Insecten im Walde, ja Ehrenberg entdeckte in der Luft 400 Arten mikroskopischer Thierchen. Als Nordenskiölb an Spitzbergens Küste überwinterte, zeigten sich die Schneefelder streckenweise von mikroskopischen Algen roth, grün oder grünbraun gefärbt. „Geht man am Meeresufer im Winter hin, so verbreitet sich bei jedem Schritt in dem von der Salzfluth durchnäßten und dann getrockneten Schnee ein intensiver blauer Lichtschein aus, der von Millionen fast mikroskopischer Crustaceen herrührt. Sie leuchten, wenn der Schnee 10°, die Luft 33° C. Kälte hat. Man schreitet also in einer Mischung von Schnee und Flammen dahin, die nach allen Seiten umhersprühen und so stark leuchten, daß man fürchtet, Schuhe und Kleider zu verbrennen."

Je nach Wärme und Feuchtigkeit wechseln die Thierarten; manche leben im Gletschereise, andere in heißen Quellen, wogegen der Walfisch den warmen Golfstrom vermeidet; selbst die Haus= thiere verändern sich unter andern Zonen. Englische Pferde und Hunde erhalten in den Hochthälern des Himalaja dichte Wolle, wogegen in Südafrika Hunde und Schafe kahl werden, Hennen ihre Federn verlieren bis auf die Flügelfedern. Die Thierfarbe hängt oft vom Lichte ab; Höhlenthiere und Eingeweidewürmer sind augenlos und dunkelfarbig, unter den Tropen herrschen grellbunte Farben vor, und die Kolibris gleichen beschwingten Blumen. Bei den Vögeln sind Rücken, Kopf und Flügel heller und bunter als die übrigen Körpertheile. Licht macht die Thiere muthig und lebhaft, im Dunkeln verstecken sie sich furchtsam und regeln daher nach der Sonne ihre Thätigkeit, so daß man eine Thieruhr aufstellen könnte. In Amerika sind die 30 Bienenarten stachellos, wogegen ein Scorpionstich so giftig wirkt, daß er auf mehrere Tage sprachlos macht. Manche Thiere nehmen die Farbe des Bodens an, um unbemerklich zu bleiben, besonders Insecten, Raupen und Larven. Manche Raupen sehen grün aus, ihre am Faden schwebende Puppe aber gleicht einem ab= gestorbenen Blatte, ihr Schmetterling einem abgebrochenen Zweige. Am Amazonenstrome flattern zuweilen ungeheure Schwärme weißer Schmetterlinge wie Schneeflockengewirr auf und nieder und in sie flüchten sich anders gefärbte, um ihren Feinden zu entgehen. Fische, die auf sandigem Boden leben, sehen strohgelb aus, Vögel auf Kalkboden weiß, andre ändern mit den Jahres= zeiten die Farbe, wie es der Boden ihres Aufenthaltes thut.

Vögel verlangen zum Aufenthalt reine Luft, Eingeweide= würmer athmen Gase, Reptilien gedeihen in feuchter Sumpfluft, Eidechsen in Wüstenluft, und Süßwasserfische kommen im See= wasser um. Manche Thiere sind auf besondre Felsarten an= gewiesen, in welche sie sich einbohren. Vögel fressen meist Samen, aber auch Raupen und Larven, müssen daher wandern, um der Nahrung nachzugehn. Es fluthet vom Walde ins Feld, von der Wiese zum Garten, den Berg auf und ab ein steter Thierstrom. Schwärme von Schwalben fliegen täglich über den Mississippi ans andre Ufer nach Nahrung, bei Pest Raben meilenweit ins Gebirge. Auf dem Heimweg übernachten sie im Winter auf den Hausdächern Pest's, oder auf Eisschollen, indem sie sich im Kreise um eine Pfütze auf denselben stellen, sich von der Fluth stromabwärts treiben lassen, dann auffliegen und zu neuen Schollen zurückkehren, um eine gleiche Fahrt zu machen.

Jede Pflanze hat ihre Insectenart, die Nessel z. B. 80, die Eiche 184, welche sich auf den Blättern, in der Rinde, im

Pflanzen insectenlos, weil die einheimischen Arten an die Kulturpflanzen sich nicht gewöhnen können. Wo der Winter das
Pflanzenleben zum Stillstand zwingt, halten die Pflanzenbewohner
einen Winterschlaf, und die Raubthiere wandern aus. Verschwindet ein Baum, ein Gebüsch, ein Wald, so gehn viele Thiere
zu Grunde, viele Vögel finden keine Raupen, keinen Wohnplatz
mehr und wandern aus. Nun nimmt das Ungeziefer überhand
zum Schaden des wehrlosen Landmanns, der seine Feldpolizei
in den Vögeln vertrieb, die Insectenvertilger obdachlos machte.
Statt der sinnlosen Systematik sollte man in Schulen vom Nutzen
und Schaden der Thiere unterrichten, dann würde der Bauer
nicht mehr Fledermäuse, seine Wohlthäter, annageln!

Das reichste Thierleben findet man im Walde, doch leben
die größten Thiere nur auf großen Festländern, im Urwalde
Amerikas nur schwächliche Verwandte, und Inseln sind ärmer
an Thieren als Festländer. Selbst der Amazonenstrom scheidet
Thierbezirke, da ihn viele Vögel nicht überfliegen können. Ganze
Thierarten wechseln, je nachdem das Land Alluvium oder Dilu-
vium — alte oder neue Anschwemmung — hat. Herings- und
Walfischzüge bleiben oft viele Jahre aus und erscheinen dann
plötzlich wieder. Manche Thierarten sterben aus, andre verjüngen
sich. Die Affen der Gibraltarfelsen beweisen, daß diese einst
mit Afrika zusammenhingen, im Sundameere trennt eine schmale
Landenge zwei Thiergebiete, die Landenge von Suez die Korallen-
arten des Mittel- und Rothen Meeres. Auf jeder Seite der
Alpen und Pyrenäen kommen besondre Thierarten vor, und
Australien besitzt Thiere, die anderwärts nur noch als Versteine-
rungen der Juraperiode vorkommen.

Man hat versucht, die Thiervertheilung übersichtlich zu
machen, indem man sie nach Bezirken oder Provinzen eintheilte,
indessen solche Versuche haben nur einen theoretischen Werth.
Man kann eben nur einige allgemeine Gesichtspunkte aufstellen.
Die Polargegenden sind arm an Arten, diese aber unzählbar
reich an Individuen. Nach Süden zu wächst die Mannichfaltigkeit der Arten, und unter den Tropen sind die der alten und
neuen Welt sehr verschieden. Martins fand auf Spitzbergen
nur 4 Landsäugethiere, 12 Arten Zugvögel, 10 Fisch-, 23 In-
secten- und 13 Molluskenarten, nach Süden zu verzehn- und

verhundertfachen sich diese Zahlen. Bates sammelte in 12 Jahren am Amazonenstrome 14,712 Thierarten, darunter 8000 neue, und an Fischarten soll dieser Strom dreimal mehr besitzen, als das atlantische Meer. Natürlich nehmen die Thierarten an den Gebirgen hinauf ebenso ab wie nach den Polen zu, wo die Thierwelt wie auf dem Meeresgrunde, mit mikroskopischen Thieren endigt, wenn nicht der Wind größere Thiere dorthin treibt, da Reisende über dem Pichincha Condors schweben und Schmetterlinge flattern sahen.

Thierleben im Meere.

Das Meer ist das eigentliche Reich des Thierlebens. Unzählige Milliarden von Thieren leben bei und von einander. Da giebt es ein stetes Morden und Kämpfen um Leben und Tod. Da ist das ganze Meer zu Thieren und zu Schlachtfeld geworden, jeder Tropfen bewohnt, und sammeln sich Thierleichen zu Bänken, Inseln und Gebirgen an. Die Oberfläche des Meeres ist bedeckt von leuchtenden Thieren, der Boden von todten und lebenden Myriaden von Geschöpfen, jeder Gran Schlamm enthält deren Tausende von wunderbaren Formen, und Polypenthiere bauen Tausende von Inseln und Bänken. Heringe drängen sich zahllos an einander wie die Blätter des Waldes, und ihre Wanderzüge sind lebendige Savannen. Michelet nennt einen Heringszug eine auftauchende Insel oder untertauchenden Continent von Thieren, da er oft 30 Kilometer lang, 5—6 Kilometer breit und von Walen, großen Seethieren und Wolken von Seevögeln umschwärmt ist, die von Heringen leben und deren so viele zerfleischen, daß das Fett weithin das Meer bedeckt. Menschen fangen Heringe zu Milliarden, Stockfische zu Millionen wie Austern, Sardellen, Makrelen, Dorsche u. s. w. Denn für Millionen von Menschen liefern die Fische die tägliche und einzige Fleischspeise. Es vermehren sich aber die Fische so stark,

300 Trillionen und nach der dritten das ganze Meer anfüllen würde.

Das Meer beherbergt die kleinsten und die größten Thiere und selbst Fucusarten erscheinen thierartig. Ihre Fruchtkapseln haben keinen Kelch, keine Staubfäden, kein Pistill; dagegen bewegen sich die Samenkörnchen wie Thiere, als ob sie eignen Willen hätten, schwingen sich zum Licht und haften nur dort, wo sie einen geeigneten Platz finden, um ihre Zellen zu bauen. Man hat Wale von 30—36 Meter Länge, 20 Meter Umfang und 200 Tonnen Gewicht erlegt, die also an Masse 3000 Menschen — einem Regiment Soldaten — gleichkommen. Ein Cephalopode (cynea arctica) hatte 2 Meter Dicke und mit den Fangarmen 34 Meter Länge. Dagegen ist der Golf von Neugranada oft so voll Medusen, daß er weithin ganz gelb aussieht, Smith segelte 60 Kilometer weit durch Medusenschwärme. Diese leben von mikroskopischen Thierchen (Diatomeen), und eine Meduse kann täglich 700,000 solcher Kieselgeschöpfe verzehren. Medusen werden aber selbst von Walen und andern Fischen in ungeheurer Menge verschlungen. Bei den Matrosen heißen sie Meeresschaum oder Meerschmutz, bei den Peruanern lebendiges Wasser. An der Küste von Grönland segeln Schiffe zuweilen 300—400 Kilometer weit durch dunkelbraune oder olivengrüne Massen, welche aus Medusen von solcher Kleinheit bestehen, daß Hunderte in einem Centimeter Wasser Platz haben. Anderwärts bilden Salpen ungeheure „Meerschlangen", indem sich ein Thier an das andere anhängt. Sie sehen blutroth oder milchweiß aus, und jeder Tropfen mag so viel Thierchen enthalten, als die Milchstraße Sonnen hat. Kingman segelte einst im indischen Meere 40 Kilometer breit durch einen Zug hell leuchtender, milchweißer Thierchen, und lange noch sah er aus der Ferne den Horizont von diesem Wiederscheine schimmern. Nach zehn Jahren fand ein Seemann auf derselben Stelle eine gleiche Milchstraße. Im Hafen von Havanna gleicht die Meeresoberfläche in Folge der Menge von leuchtenden Schleimthierchen oft einem Feuermeere, jedes Wassertröpfchen einem Feuerfunken. Im persischen Meerbusen leuchten die Wogen von Meerthierchen oft so stark, daß die Araber behaupten, das Feuer der Hölle scheine durch die Felsen, den Meeresgrund und das Meer hindurch.

Wie ſeltſam endlich ſind die Geſtalten der Meeresthiere, der Fiſche, Schildkröten, Muſcheln bis zu den mikroſkopiſchen Kieſel- und Kalkpanzerthierchen! Ein Gran Sand enthält oft 8000 Foraminiferen, von denen es 2000 Arten giebt. Globe- rinen liegen 6000 Meter tief auf dem Boden und bedecken ihn meterhoch, und die geometriſchen Figuren der Diatomeenpanzer laſſen es zweifelhaft, ob ſie Thier- oder Pflanzengebilde ſind. Roß fand in der Baffinsbai lebende Thiere in einer Tiefe von 1890 Meter, im Südpolarmeere 720 Meter tief lebende Cruſtaceen, und auf dem Telegraphenplateau entdeckte man 6600 Meter tief 116 neue Thierarten. Anderwärts holte man 2268 Meter tief lebende Muſcheln und 13 Seeſterne empor und 262 Meter tief bei Spitzbergen eine farbenreiche Cruſtacee. Ja nach Ehrenberg giebt es auf dem Meeresgrunde ſogar leuch- tende Thiere, ſtark gefärbte Muſcheln und Polypen, von denen man bisher nur verſteinerte Exemplare kannte. Als der Tele- graph zwiſchen Sardinien und Genua gebrochen war, fand man ihn beim Heraufwinden von Polypen und Muſcheln bedeckt, und als man den zerriſſenen Telegraphen zwiſchen Sardinien und Algerien unterſuchte, der 2800 Meter tief gelegen hatte, war er von Meerthieren überzogen, die ſich auf ihn angeſiedelt hatten.

Im Meere laſſen ſich die Thierbezirke leichter abgrenzen, weil es eine gewiſſe gleichmäßige Temperatur behauptet. Trotz- dem darf die Vertheilung der Seethiere, wie ſie Forbes vor- ſchlägt, nur als Verſuch betrachtet werden. Er ſtellt Provinzen auf, welche er nach den in Maſſe vorkommenden Thieren charakte- riſirt, und an deren Grenzen dann Nebenarten in neue Provinzen überführen. Dieſe ſelbſt vergleicht er mit Nebelflecken, die in der Mitte hell leuchten, an den Grenzen ſich zerfaſern und ins Unfaßbare verſchwimmen. Die Provinzen oder Regionen um- ſchlingen die Erde wie Klimagürtel und fallen im Allgemeinen mit den Jſothermenlinien zuſammen. Die erſte Provinz umfaßt die Tropen, wo hellfarbige und geſtaltenreiche Fiſche vorherrſchen, das Waſſer von Geſchöpfen wimmelt, Korallenthiere ihre Inſeln bauen. Die Arten ſind hier ſehr verſchieden. Nördlich davon breitet ſich 6000 Kilometer breit eine unregelmäßige Zone aus, wo Strömungen, Winde und nahe Feſtländer abändernd ein- wirken, Thunfiſche, Schwämme und Korallen heimiſch ſind. Die dritte Zone ist die des Heringsfanges und die vierte die des Stockfisches. Nach den Polen zu nehmen die Arten ab. Im Mittelmeere z. B. giebt es 444 Seethiere, in der Ostsee nur 170, dort 600 Mollusken, hier nur 300, und in subtropischen Meeren sammelte man 829 Fisch=, 900 Krustaceen=, 2000 Mol= lusken=, 450 Korallen= und 300 andre Zoophytenarten.

Theilt man das Meer, in welches das Licht 150 Meter tief eindringt, in übereinander liegende Schichten, so mißt die oberste Zone 1—20 Meter, die Algenzone 20—50 Meter, wo helle Farben vorherrschen, 60 Meter tiefer geht die Korallenzone und mit 600 Meter hört das thierische Leben auf. Diese Be= hauptung ist durch die oben angeführten Thatsachen widerlegt und die ganze Theorie daher werthlos.

Das Thierleben im Meere verweist uns auf den Menschen, denn die Polypen der Weltmeere bauten für diesen gewaltige Steinburgen mitten in der unabsehbaren Fluth, auf denen die Völker der Südsee jenes idyllische Leben führten, von welchem Forster und Cook ganz entzückt waren. Wir müssen also diese unsre Baumeister etwas kennen lernen.

Korallenthiere als Mitgehilfen am Ausbau der Erdrinde.

Mit diesem Kapitel schließen wir unser Thema über die geo= graphische Vertheilung der Geschöpfe, da es zu dem Bau der Erdrinde hinüberleitet. Thiere arbeiten in ihrer Weise an dem= selben mit, graben Höhlen und Gänge, Termiten bauen Häuser, welche Regen und Sturm aushalten, Kolonien der Biber legen Dämme an und regeln dadurch die Flußläufe, verändern die= selben wohl gar und veranlassen das Entstehen von Teichen und Sümpfen, wie z. B. in Englisch Columbien alle Flüsse durch Biberbauten zu Morästen wurden. Andre Thiere wieder bilden durch die Menge ihrer Leichen hohe Erdschichten, wie z. B. die Hälfte des Bodens, auf welchem Berlin steht, aus Panzerschalen mikroskopischer Thiere besteht, die Hälfte des Hafensandes von

Pillau und Wismar, sogar der Sahara Thierleichen enthält. Während die Gewässer die Erdrinde abnagen und zerstören, bauen Schwämme und kaum sichtbare Wesen Riffe, Felsenburgen von Inseln u. s. w. auf, indem sie Kalktheilchen aus dem Meerwasser ansammeln und als Baumaterial verwenden. Burmeister sagt daher: Machen die Bienen aus Blumenstaub und Blumensaft Wachs und Honig, so verwandeln Meerthierchen Gase in festes Land.

Die bekanntesten und thätigsten dieser Baumeister sind die Polypen, von denen es einige hundert Arten giebt. In den tropischen Meeren bauen sie Riffe und Ringinseln, in den gemäßigten Zonen nur baumartige Korallenstöcke. In der Südsee glänzen diese Blumenthiere, wie man die gallertartigen, winzigen Wesen nennt, die nur Magen sind, in allen Farben, namentlich ihre stets beweglichen Fangarme, die sie wie Angelruthen auswerfen, um Beute zu erhaschen. Manche besitzen an 300,000 solcher Angelhaken, sind also die gefährlichsten Raubthiere. Diese Magenthierchen verwandeln den Meeresboden in einen feenhaften Blumengarten, dessen Anblick alle Naturfreunde in Erstaunen setzt. Besonders fleißig im Bauen sind die Madreporen, die nicht unter 50 Meter unter die Meeresoberfläche hinabgehn und ein mattweißes Steingebäude errichten, wogegen z. B. die Meandrinen warzenartige Erhöhungen verfertigen, über welche Linien sich ausbreiten wie die Windungen eines Hirnlappens. Andre erbauen breite regelmäßige Schichten oder bilden Höhlen mit Spitzen, daß ihr Bau wie ein versteinertes Gebüsch aussieht, so daß man am Bau sofort die Art der Arbeiter erkennt, wenn nicht Muschelreste und Korallenbruchstücke wirr von den Wellen darüber ausgebreitet sind.

In jedem noch lebenden Korallenstock nehmen die thätigsten Arbeiter (Meandrinen und Poriten) an der Außenseite Platz, wo die Wellen · anschlagen. Ihre Kalkmauern schützen die schwächeren Polypenarten, welche tiefer in ruhigem Wasser und im Innern der Lagune arbeiten. Es siedeln sich aber auch Muscheln in dem Innern der Kalkburg an und vergrößern mit ihren Leichen deren Dicke. Echinodermen füllen mit ihren Stacheln Lücken, zahllose Foraminiferen wirbeln um diese Steingebilde

Hebt sich der Boden, so treten die Korallenriffe über das Meer mit den Inseln, die ihnen als Untergrund dienen. Dasselbe geschieht aber auch, wenn der Boden sinkt, da diese Thiere nur in einer gewissen Tiefe unter dem Meere leben können und sich empor zu arbeiten suchen. Gelingt es nicht, so verschwinden Inseln, haben sie Zeit und Kraft, so erheben sich neue Inseln. Denn so lange es geht, setzen die Thiere ihre Thätigkeit fort, bauen am Rande versunkener Plateaus ihre Riffs, die zuweilen einige hundert Meilen lang sind, oder errichten um untergegangene Bergspitzen ihre Mauerringe als Atolls, welche dann das stille Wasser einer Lagune umschließen, $\frac{1}{4} - \frac{1}{2}$ Stunde breit und mehrfach durchbrochen sind. Dana zählte mehr als 290 große Koralleninseln mit einem Gesammtumfange von 50,000 Kilometer: die kleinen kann man wegen ihrer Menge und Kleinheit nicht zählen. Der Sultan der Malediven nennt sich daher Herr der 13 Atolls und 12,000 Inseln.

Diese Inseln sind fortwährenden Veränderungen unterworfen. Die Wogen brechen hervorragende Stücken ab, heben schlecht abgelagerte Korallenschichten empor und schleppen sie auf den höchsten Punkt des Riffs. Hier werden diese Bruchstücke mit Sand, Muscheln und Thierresten zusammengestampft von den Wogen, und es entsteht ein Strand. Bald verwittert diese trockne Erhöhung und wird fruchtbarer Boden, wo die Samen, welche das Meer antreibt, wachsen und die graue Wand mit Grün bekleiden. Mit angeschwemmten Baumstämmen kommen auch Insekten und Würmer als Ansiedler an, das Thierleben lockt Vögel herbei, und endlich sucht ein bedrängter, verfolgter Fischer eine Zuflucht auf der einsamen Felsklippe. Nach und nach vereinigen sich dann die einzelnen Mauerstücke zu einem mehr oder minder geschlossenen Ringe, und nun ist die Insel fertig. Gegen die Windseite ist das Atoll meistens offen, nur wenige thun sich gegen die ruhige See auf. Um manche Inseln legen sich Korallenringe so eng an, daß nur ein schmaler Kanal zwischen Insel und Riff übrig bleibt und die Landung erschwert. Andre Inseln sind in weiter Entfernung von einem geschlossenen Klippenkranze umgeben. Ist die Insel verschwunden, so schlingt sich um die Lagune das Atoll wie ein Ring; andre sind doppelt oder vielfach umkreist, wie z. B. die Malediven, wo jedes Riff ein Miniaturatoll ist, welches mit andern gleichgestalteten Atolls ein Gesammtatoll von vielleicht 100 Kilometer Umfang bildet. Manche Atolls sind nur an einigen Stellen fertig, welche dann als Klippen hervorragen und den Umfang des unterseeischen Atolls errathen lassen. Andre Inseln sind, vielleicht in Folge der Meeresströmung, drei- oder viereckig.

Die Madreporen an Florida's Küste sollen in 100 Jahren nur 20 — 30 Centimeter hoch bauen, und doch haben sie hier wie im Rothen Meere und anderwärts Riffe in der Gesammt= länge von 100,000 Kilometer zu Stande gebracht, ja im „Ko= rallenmeere" zwischen Australien und Neu=Guinea bauen sie ein Zukunftsland auf. Denn die Korallenriffs reichen von Queens= land und Kap York bereits 1500 Kilometer weit, und in der Torresstraße wurde die „Große Bank" bereits zu einem Quer= damme, dessen Durchgänge nur geschickte Seefahrer finden. Dieser Madrepren=Wallbau sperrt in einem Raume von 500 Kilo= meter bereits den Zugang zu Australien und der Torresstraße. Die nach dem Sundameere segelnden Schiffe haben daher viel Klippen zu umgehen und ein Labyrinth von Kanälen zu durch= schlüpfen, ehe sie ins offne Weltmeer gelangen. Bald wird eine Landenge aus Klippen Neu=Guinea mit Australien verbinden.

Aehnliche Bauten finden sich im Golf von Mejico. Die Halbinsel Florida (80,000 Quadratkilometer), deren Hügel nur vom Winde zusammen gewehte Sandberge sind, besteht aus Trümmern von Korallen und Kalksand. Hunt hat berechnet, daß die Korallenthiere, um hier von Ost bis West zu gelangen, 864,000 Jahre gebrauchten, um von Nord nach Süd zu kommen, gar 5½ Million Jahre nöthig hatten. Jetzt wächst die Halb= insel wegen des Golfstroms nicht mehr nach Osten, wohl aber nach Westen und Süden. Agassiz und die amerikanischen See= offiziere, die ihm bei seinen naturwissenschaftlichen Seefahrten beigegeben waren, haben ermittelt, daß die Südspitze Florida's in ihrem Bau ein concentrisches Gestade bildet. Denn fern im Meere und am Ufer des Golfstrombettes, ehe diese Flut durch den Bahamakanal geht, entwickelt sich eine Reihe halbrunder Klippen, welche hier und da bis an die Wasseroberfläche hinauf= steigen. Sie sind meist noch im Werden begriffen als das reihe, welche man nur an der Brandung und einigen Felsenspitzen erkennt, dehnt sich die lange Reihe der Keys oder Cayos aus, welche aus Inseln, Inselchen und Felsrücken besteht, die eine fast zusammenhängende Linie bilden. Diese ist das wahre Ufer Florida's, wo man das große Fort Key-West als militärischen Posten und als wichtige Handels- und Marinestation erbaute. Erst 15 Kilometer hinter diesen Keys beginnt das Festland, welches aus Korallentrümmern besteht, und weiter im Lande noch 200—300 Jahr alte Meeresufer erkennen läßt, die durch Sümpfe und Niederungen von einander getrennt sind.

Die Korallenbauten der Bahamainseln bilden eine lange Front, die im Osten plötzlich von tiefem Meere begrenzt wird, wogegen sich im Westen Muscheln und Schlamm des Antillen= meeres anhäufen. Nach dem Meere zu dehnen sich die Inseln als sehr verlängerter Bogen aus, der einem unfertigen Atoll gleicht. Denn die Madreporen, Asträen, Karyophyllen u. s. w. arbeiten gern unter den Wogenschlägen des hohen Meeres und können ihr Werk nur an der Seite vollenden, wo Hochwellen aufschlagen, denn sie bauen nicht Ringmauern wie ihre Kameraden im stillen Meere.

Das Thierleben schließt sich harmonisch dem Leben der Erde an. Was Wasser und Luft zerstören, sammeln Polypen und bauen Meerschlösser daraus als Menschenheim. Insecten hindern das Ueberhandnehmen der Vegetation, Vögel verzehren unge= heure Mengen von Pflanzensamen, und dann vernichten Insecten= arten einander, damit sie nicht durch Uebermenge Wälder ver= nichten. Die Natur hält sich stets im Gleichgewicht. Wälder und Kräuter erzeugen durch verwesende Blätter Humus und nähren mit frischen Blättern und Früchten die Thiere, welche ihnen zum Dank dafür Kohlensäure als Nahrung entgegen athmen. Ohne Rasen und Wald würde der Berg von Luft und Wasser verzehrt, dafür spendet er nahrhafte Quellen und sammelt feuchte Wolken. Ueberall fluthet und kreist ein uner= meßlicher Lebensstrom, indem Eines das Andre ernährt und schützt (Reclus). In solcher Umgebung wohnt und waltet der Mensch und entnimmt ihr die Mittel für sein Kulturleben, welches sich um so reichlicher entwickelt, je mehr Stoffe ihm die Natur bietet, um an deren Benutzung seinen Geist zu kräftigen.

Der Mensch.

In den Schulbüchern, in denen man gern Alles systematisirt, werden auch die Völker der Erde in 4—5 Menschenraffen sortirt als naturgeschichtliche Thatsachen. In der That aber sind die Männer von Fach weder über die Zahl, noch über die Kennzeichen der Raffen einig. Noch mehr wird darüber gestritten, ob die Menschen von einem Paare abstammen, oder ob es von allem Anfange an mehrere Urraffen gab. Selbst die Sprachforscher können keine genügende Auskunft geben, da die Sprachen mancher rohen Völker formenreicher entwickelt sind als die der Hochgebildeten. Man hat es hier also keineswegs mit erwiesenen Thatsachen, sondern nur mit den Theorien von Systematikern zu thun. Nur eines steht fest, daß auch der niedrigst stehende Volksstamm wesentlich vom Thiere sich unterscheidet, wenn er auch Vieles mit demselben gemein hat, ja in Betreff einzelner Organe demselben nachsteht.

Man hat großen Scharfsinn aufgewandt, die Urheimat der Menschen und die Wege ihrer Urwanderungen aufzufinden. So sehr man sich auch des Scharfsinns der Beweise freuen kann, so darf man sich eben nicht zu dem Glauben verleiten laffen, daß jene Vermuthungen mehr sind als gelehrte Forschungen. Haben einige doch behauptet, das Sanscritvolk sei von Deutschland aus nach Asien eingewandert, weil einige Pflanzen und Thiere, welche Sanscritnamen haben, in Indien nicht heimisch sind, sondern nur bei uns. Die Wissenschaft der Menschenkunde (Anthropologie) ist gegenwärtig im Entstehen begriffen und wird tüchtig von unsern zuverläffigsten Gelehrten gefördert, aber bis zu einem unantastbaren System sind noch weite Wege. Ebenso wenig ist es gelungen, unser Geschichtsleben einseitig aus geographischen Verhältniffen zu construiren, dagegen übt das Klima einen maßgebenden Einfluß auf Beschäftigung, Lebensweise, Sitten u. s. w. aus.

Ohne die schwierige Frage nach der Freiheit des menschlichen Willens zu berühren, gedenken wir nur des Einfluffes, welchen große andauernde Kälte oder Wärme auf unser Kultur-

nervös auf, macht leidenschaftlich, hemmt das tiefere Gemüths-
leben und spannt für ernstes Nachdenken ab. Außerdem macht
es die Sorge für warme Kleider und wetterfeste Wohnungen
entbehrlich, erzeugt Nahrungspflanzen in Fülle, verringert den
Arbeitszwang, verführt zu sorglosem Dahinleben und hält die
Menschen auf niedriger Kulturstufe fest. Noth macht erfinderisch,
und Arbeit entwickelt die geistige Fähigkeit. Noth und Arbeit
giebt es in heißen Ländern wenig. Dagegen ist der Mensch in
sehr kalten Zonen von der Sorge um die leibliche Existenz
überbürdet und hat keine Zeit zur Pflege geistiger Beschäftigung.
Unstet zieht er von Küste zu Küste, von Steppe zu Steppe, an-
gewiesen auf Jagd, Fischfang und die Zucht einiger Thiere.
Er hat keine Vorstellung von bleibender, behaglicher Wohnung,
von Garten und Feld, von Wald und geselligem Dorf- und
Stadtleben, von Straßen und geregeltem Verkehr. In seiner
Heimat wandert er ruhelos, erlangt daher kein Vaterlandsgefühl,
keinen Gemeinsinn, hat kein Gemeindeinteresse, sondern bleibt
selbstsüchtig, gemüthlos und hartherzig, weil er täglich den harten
Kampf um das nackte Leben zu bestehen hat.

   In ergiebigen Ländern geben dagegen die Landesproducte
Veranlassung zu vielartiger Beschäftigung, die zu Handwerk,
Industrie, Erfindung von Werkzeugen, zur Ausbildung der
Arbeiterstände, des Verkehrs, der gesetzlichen Gemeinde- und
Staatsordnung, zur Einsetzung einer Obrigkeit, zur Anlage von
Städten, Tempeln und Palästen führen. Die Gespinnstpflanzen
und Spinnthiere regen zu Weberei und Färberei, zu Schmuck
und Handel an, die Ackerbauflächen zu Wasserbauten, Städteleben, Arbeitstheilung nach Kasten, zu Astronomie und Geometrie,
zu Schrift und Malerei. Wo regelmäßig vier Jahreszeiten
wechseln, nöthigen sie die Landesbewohner, sich in Betreff der
Arbeitseintheilung, Kleidung, Wohnung und Lebensweise denselben anzupassen, wodurch das gesellige Leben sich vielseitiger
gestaltet, der Erfindungsgeist vielartiger sich entwickelt. Auch
bei uns ist ja der Winter die Zeit des geselligen Lebens; wogegen unter den Tropen diese Anregung zu gemüthlichem geselligem
Zeitvertreib nach langen Monaten schwerer Arbeit fehlt, und
die Einförmigkeit des Klimas eine Einförmigkeit der menschlichen
Thätigkeit und des Verkehrs bedingt.

Nicht minder bedeutungsvoll ist die Art der Hausthiere, welche uns unterstützen. Wüsten sind ohne Kamel nicht zu bereisen, Steppen ohne Pferd nicht zu durchziehen. Dazu kommen endlich noch hilfreiche Mineralien, welche den Besitzern überlegene Kraft verleihen. Wenige hundert Spanier eroberten große volkreiche Kaiserreiche, weil sie Pferde, Stahlwaffen und Kanonen besaßen. Unsre tapfern Vorfahren erlagen den besseren Waffen der Römer, diese den Kriegselefanten des Pyrrhus. Welchen Einfluß auf Ausbildung der Matrosen haben der Stockfischfang und die Walfischjagd! Ward nicht Holland mächtig durch Heringsfang, das Volk der Phönizier ein Weltvolk durch das Schiffbauholz der Cedern? Was wäre England ohne seine Steinkohlen- und Eisengruben? Die Goldländer verarmten, die Eisenländer schufen Welteroberer. Sind nicht in Australien die feinwolligen Schafe, in Peru die Guanoinseln die Anreger zur Civilisation der Bewohner geworden?

Diese kurzen Andeutungen genügen, um zu weiterem Nachdenken über den Einfluß des Klimas und seiner Producte auf menschliche Kultur anzuregen. Der Einfluß solcher Verhältnisse ist bei rohen Völkern groß, Kulturvölker wissen aber dieselben zu überwinden und sich von ihnen unabhängig zu machen durch Erfindungen. Der Eingeborene Australiens lebt kümmerlich, der eingewanderte Europäer besitzt Großstädte, Theater, Zeitungen, Gasbeleuchtung, Hotels, Eisenbahnen u. s. w. wie in seiner Heimat.

Man hat auch die Menschenrassen nach Klima und Temperatur einzutheilen versucht, doch wollte dies bis heute nicht gelingen.

Um die Leser auf dem weiten Gebiete der Völkerkunde zurechtzuweisen, theilen wir die Endergebnisse der bisherigen Forschungen in der Kürze mit, womit wir das Kapital über Arten und Verbreitung der Geschöpfe abschließen.

Menschenrassen und Volksstämme.

Alle uralten Ueberlieferungen, denen die Urheber derselben gern die Unantastbarkeit religiöser Vorschriften beilegten, beginnen mit der Welt- und Menschenschöpfung. Durch solche Ansichten ward Jahrtausende lang das freie Forschen der Wissenschaft eingeengt und gehemmt. Die christlichen Sprach-, Geschichts- und Naturforscher beschäftigten sich z. B. lange mit den Untersuchungen, wie von dem ersten Menschenpaare des altsemitischen Mythus die Menschenrassen verschiedener Hautfarbe und Schädelbildung entstehen konnten. Endlich riß ihnen die Geduld, und einige leiteten wie zum Hohne des bisherigen Glaubens an die Gottähnlichkeit des Menschen den Ursprung des Menschengeschlechts von dem Affen ab. Eine kurze Zeit machte man im Uebermuthe des Spottes den Glauben an den Affenmenschen zum Modeartikel, bis sich die ernste Wissenschaft ins Mittel legte, und die Spötter verlegen schwiegen. Aeby sagte: Der Mensch ist wie eine einsame Insel, von der keine Brücke zu den Säugethieren führt, und Vogt gestand ein, der Mensch stammt nicht direct vom Affen ab, und die Kleinköpfe sind nur Verkümmerungen der menschlichen Gestalt und Rückfälle in den Affentypus, da die Stammtheile des Schädels menschlich bleiben und nur die Gewölbtheile äffisch werden. Dieser Streit über unsre Affenabstammung hat übrigens insofern viel Gutes gestiftet, als er vielfache Anregung gab, über die uralte Vergangenheit unsres Geschlechtes wie unsrer Erde erfolgreiche Nachforschungen anzustellen. Denn Deutschland besitzt keinen Napoleon I., welcher solche Untersuchungen kurzweg verbot mit den Worten: la recherche de la paternité est interdite. Man kann sogar z. B. den Atheismus als die wahre Wissenschaft verkündigen und im Nihilismus die ächte Philosophie finden.

Es ist gar Vieles, was man in der Uebereilung für Thatsache hält, nur Vermuthung und oberflächliche Abschätzung. Man kennt aus Mangel an zuverlässigen Nachrichten und Volkszählungen z. B. weder die Menge der lebenden Menschen, noch hat man sich über die Zahl der Rassen und ihre Kenn-

zeichen einigen können. Weder die Hautfarbe, noch die Schädelform, noch der Haarwuchs geben sichere Merkmale für die Rassenunterschiede, weil Klima und Temperatur, Lebensweise und
Völkermischungen mit einwirken. Selbst die Sprache bleibt ein
trügerisches Kennzeichen, weil wir einestheils viele Sprachen
noch viel zu wenig kennen, um ihre Verwandtschaft mit andern
nachzuweisen, anderntheils ganze Völker ihre Sprache mit derjenigen der Sieger oder Besiegten vertauschten. Die Gothen,
Longobarden und Franken nahmen z. B. die lateinische Sprache
an, die Kopten die arabische, die Indianer Amerikas die spanische,
die Britten die angelsächsisch-normannische u. s. w.

Halley zählt 370 Millionen Menschen weißer, 345 Millionen gelber, 205 Millionen brauner, 57 Millionen schwarzer
und 8½ Millionen rother Farbe. Balbi schätzt die Menge der
Menschen auf 740 Millionen, Klöden auf 1360 Millionen, und
dazwischen liegen viele ohngefähre Abschätzungen. Pott berechnet
die Zahl der lebenden Sprachen auf 800, von denen 153 in
Asien, 432 in Amerika, 117 in Oceanien, 114 in Afrika, 53
in Europa gesprochen werden, doch kommen andre Sprachforscher
auf viel kleinere Zahlen. Am Kaukasus sollen 300 Sprachen
gebräuchlich sein, doch Pallas unterschied nur 12. In London
wird die Bibel in 150 Sprachen übersetzt, aber Bayster führt
247 Uebersetzungen in fremde Sprachen auf. Jedenfalls unterscheidet man bei solchen Zählungen zu wenig den Hauptsprach-
stamm von den Dialecten, von denen es z. B. in Italien und
Deutschland mehr als je 20 giebt. Der normannische Franzose
versteht den Provençalen ebenso wenig wie der Pommer den
Schwaben, der Andalusier den Kastilianer, und in Dalmatien
hat oft jeder kleine Gebirgsbezirk seinen besonderen serbisch-kroa-
tischen Dialect. Der Menschenrassen zählen Virey und Jac-
quinot 3, Kant 4, Blumenbach 5, Buffon 6, Hunter 7, St.
Bincent 15, Desmoulins 16, Morton 22, Luke-Burke 63, woraus
man ersieht, daß solche Eintheilungen ohne Werth sind.

Gegenwärtig begnügt man sich mit zwei Schädelformen als
Rassenunterschied, mit Kurz- und Langköpfen, die sich je wieder
als grad- und schiefzahnige trennen lassen, so daß also vier
Unterarten entstehn. Dadurch wird die Schädellehre allerdings
sehr vereinfacht. Denn Schädelmessungen und Gehirnwägungen,

so mühsam sie an und für sich sind, haben keinen rechten Erfolg gehabt, weil man noch nicht weiß, welche Thätigkeit die einzelnen Gehirntheile verrichten, ja überhaupt darüber noch nicht einig ist, wie man das Gehirn einzutheilen hat. Unter Langköpfen (Dolichokephalen) versteht man solche Schädel, bei denen sich, von oben gesehen, der Längsdurchschnitt zum Quer= durchschnitt verhält wie 9 zu 7, so daß der Schädel ein schmales Oval bildet und die hinteren Lappen des Großhirns das Klein= hirn überragen. Bei Kurzköpfen dagegen (Brachykephalen) verhalten sich jene beiden Durchschnitte der Länge und Breite wie 8 zu 7, und das Kleinhirn wird von den Großhirn= lappen wohl bedeckt, aber nicht überragt. Sind die Zähne außerdem schräg in den Kiefern eingesetzt, so entsteht die Gesichts= form der Prognaten (Schiefzahnigen), bei denen das Untergesicht hervortritt, wogegen die Orthognaten (Gradzahnigen) ihre Vor= derzähne senkrecht auf einander stellen und daher nicht die schnauzenartig vorgeschobene Mundform zeigen. Es entstehen also vier Hauptabtheilungen der Schädel = und Gesichtsform: 1) Schiefzahnige Langköpfe (Afrikaner), 2) schiefzahnige Kurz= köpfe (Mongolen, Malaien, Polynesier, Papuas, Cordilleren= bewohner vom Oregon bis zum Feuerland), 3) gradzahnige Kurzköpfe (Amerikaner, Basken, Etrurer, Slaven, Letten, Türken, Magyaren), und 4) gradzahnige Langköpfe (Germanen, Kelten, Semiten, Hellenen, Hindus). Natürlich ist hierdurch nichts über die geistigen Fähigkeiten entschieden.

Dies ist der heutige Standpunkt der Streitfrage über die Menschenrassen. Wie weit der Mensch seine Fähigkeiten zu entwickeln vermag, wie weit sein freier Wille reicht, wie weit etwa seine Kulturarbeit Gehirn und Schädel entwickeln und umgestalten, darüber läßt sich bis heute keine sichere Auskunft geben. Wir wissen von den Thätigkeiten und Fähigkeiten der Gehirntheile viel zu wenig, um daraus folgern zu können, ob dadurch das Gehirn gekräftigt und verfeinert wird, ob sich diese vervollkommnete Organisation des Gehirns vererbt, ob das Talent angeboren wird u. s. w. Man muß sich daher jedes abschließenden, fertigen Urtheils enthalten und offen das Nichtwissen eingestehn. Vermuthen dürfen wir, daß Klima, Wärme, Licht, Elektricität, Magnetismus, Wasser= und Luftbestandtheile, die Beschaffenheit des Bodens, Speisen, Lebensweise und Beschäftigung nicht ohne Einfluß sind auf die Gehirnthätigkeit, noch mehr aber der anregende Verkehr mit Nachbarvölkern, geschichtliche Erlebnisse und Erfahrungen u. s. w. Diese Einwirkungen mögen beitragen zur Art des Denkens, die Richtung und den Inhalt der Gedanken beeinflussen, aber sie machen nicht das Wesen des Menschen aus. Der Mensch ist sich noch ein Räthsel, ist sich noch heute die Sphinx, die er vor sich sieht und deren Wesen doch nicht zu begreifen vermag. Wenn auch Uebung und Arbeit die Gehirntheile stärker entwickeln, so fällt diese kräftigende Arbeit doch in ein Alter, in welchem der Schädel bereits fest geformt ist und nicht mehr kann ausgedehnt werden. Der Mann und Greis Kant wird ein sein entwickeltes, wohl organisirtes Gehirn gehabt haben, aber seinen Schädel konnte es nicht mehr abändern. Gesetzt aber auch, daß das Gehirn sich reicher und kräftiger organisirt durch systematisch geregelte Thätigkeit, so wird es wohl ein verbesserter Mechanismus, ein verfeinerter Apparat, aber was dieser nun an Gedanken und Ideen producirt, das setzt ganz andre Bedingungen voraus. In einer Champagnerflasche wird das Wasser nicht zu Champagner, sondern ihn erzeugt erst die Kunst und die Geschicklichkeit des Fabrikanten.

Wir sind daher noch weit entfernt davon, eine wohl begründete, durch ausreichende Thatsachen gesicherte Völker- und Menschenkunde (Ethnographie und Anthropologie) zu besitzen, obschon der unermüdliche Fleiß unsrer Forscher schon ein ansehnliches Material von Vorarbeiten zusammen gebracht hat. Bereits kennen wir die Wege, auf denen wir zum Ziele gelangen können. Die Entstehung der Haut- und Haarfarbe läßt sich andeutungsweise errathen und begreiflich machen. Nach den Untersuchungen des St. Hilaire und Wallace stellte sich heraus, daß die stärkere Entwickelung eines Körpertheiles die Ausbildung der andern hindert. Es mag das Wachsthum der einzelnen Körpertheile in Folge der andauernden Einwirkung von Ursachen, welche einen besonderen Körpertheil zu übergroßer Entwickelung veranlassen, ein andres werden und sich zu einer Verschiedenheit des Körperbaues ausbilden, der dann bei jener Form beharrt, welche wir Rassentypus nennen. Die Theile aber, welche

Organe des Stoffwechsels, der Ernährung und Athmung, welche sich wieder gegenseitig beeinflussen. Diese Ansicht läßt sich durch folgende Thatsachen begründen. Unter den Tropen wird die Haut dauernd anders gereizt und besonnt als im Norden. Daher wird der Neger im Norden bleicher, der Weiße im Süden dunkler. In der That hat der Tropenmensch dunkleres Blut, schwarzes Haar und schwarze Haut, einen cylindrischen Brustkorb und eine große Leber. Gubler will sogar gefunden haben, daß das Negerhirn stark gefärbt sei. Ist aber ein Organ verkümmert, so wirken äußere Reize viel schwächer oder gar nicht auf dasselbe, oder es wird von dem äußeren Einflusse endlich ganz zerstört. Umgestaltung des Rassentypus wird nur bei langsamen Wanderungen möglich, und auch in diesem Falle nur stufenweise in kleinen Abänderungen, die in langen Zeiträumen erfolgen. In Nordamerika hat man beobachtet, daß sich der Negerschädel bei der dritten Generation bereits merklich vergrößert, indem die Stirn mehr hervortritt, die Kiefern dagegen zurückweichen, der Haarwuchs sich ändert und sogar der Geruch sich vermindert, der jeder Negerhaut anhaftet. Huxley endlich behauptet, daß Kurzköpfigkeit, Wollhaar und schiefe Zähne als ursprüngliche niedrigste Rassenform bei jedem geborenen Kinde erscheinen, und daß sich erst nach und nach der Rassentypus entwickele, besonders während der Zeit der reifenden Mannbarkeit. Dann gestaltet sich der Brustkorb um und verändert dadurch die Stimmritze. Hiermit stimmen Engels Schädelmessungen überein, nach denen die Kinder allesammt zu den Kurzköpfen gehören.

Um die Entstehung der Rassen als möglich erscheinen zu lassen, bedarf man also langer Zeiträume, weshalb sich die Alterthumsforscher eifrig mit der Frage beschäftigten, wie alt denn überhaupt der Mensch oder die Menschheit sein möge. Man ist dabei auf ein hohes Alter zurückgekommen, welches man in Zahlen von 20,000 oder 100,000 oder 300,000 Jahren andeutet. Die altsemitische Sage, nach welcher die Erde etwa 6000 Jahr alt sein würde, ist durchaus nicht mehr haltbar. Denn die Riesenbauten im Nilthale, deren Ueberbleibsel wir heute noch anstaunen, setzen ein Alter von 10—15,000 Jahren voraus, in denen Egypten bereits von einem Kulturvolke bewohnt wurde, welches sich vielerlei Kenntnisse, Fertigkeiten und Geld= mittel erworben hatte. Die egyptischen und chinesischen Regenten= tabellen reichen 10—20,000 Jahre v. Ch. zurück, und Natur= forscher schätzen das Alter der bewohnbaren Erde auf 300,000 bis 300 Millionen Jahre ab. Bei New=Orleans fand man fossile Menschenknochen in Schichten, deren Alter an 57,600 Jahre betragen mag. In Brasilien entdeckte man an acht Stellen Knochen von ausgestorbenen Menschenstämmen und von 44 ausgestorbenen Thierarten. In den Korallenriffen Floriba's grub man die Kinnlade und den Fuß eines Menschen aus, der nach Agassiz vor 10,000 Jahren muß gelebt haben. Topf= scherben, die man beim Brunnengraben tief im Boden Unter= egyptens fand, lassen ein Alter von 10—20,000 Jahren vor= aussetzen, wenn man die jährliche Absetzung des Nilschlamms als Maßstab anwendet.

Außerdem giebt es viele Beweise dafür, daß große Länder= gebiete Europas von Gletschern starrten, daß Rennthiere in Süd= frankreich, Süddeutschland und der Schweiz weideten, daß Menschen, die nur Steinwaffen führten, mit den vorsindflut= lichen behaarten Elefanten, Nashörnern und andern ausge= storbenen Riesenthieren zusammen wohnten und auf dieselbe Jagd machten. Die Eiszeit soll nach Croll vor 200,000 Jahren eingetreten sein und 160,000 Jahre gedauert haben. Damals prangten Island, Grönland und Spitzbergen in tropischer Vegetation, deren Ueberreste wir in den Steinkohlenfeldern wieder finden. Die Insel Stanbinavien dagegen trug mächtige Gletscher, deren abgebrochene Enden als Eisberge auf einem arktischen Meere nach Süden schwammen über das heutige Norddeutsch= land hin, bis sie am Erz= und Riesengebirge, der Felsenküste einer Insel, strandeten und jene Granitblöcke ins Meer fallen ließen, die wir Findlinge oder erratische Blöcke nennen, weil sie von Finnland und den Kjölen stammen. Damals hing England= Irland noch mit Frankreich zusammen, und reichte Europa bis Neufundland hinüber, während im indischen Ocean jener Erd= theil lag, auf welchem die Halbaffen, nach Darwin und Häckel die ehrwürdigen Voreltern der Menschen, wohnten. Leider ist er versunken, weshalb man keine Beweise für diese Behauptung aufbringen kann.

13*

In Höhlen und Gräbern der Urmenschen findet man neben Steinwaffen und Halsschmuck von Thierzähnen auch Knochen ausgestorbener Thierarten, an denen die Adams der Urzeit nagten, als das Kochen noch eine unbekannte Kunst war, und die Röhrenknochen spalteten, um das Mark als Leckerbissen zu genießen. Als man diese Funde von Knochen und Stein-messern genauer untersuchte, glaubte man, sogar einen Unterschied zwischen Reich und Arm, Aristokraten und Proletariern zu er-kennen, denn die Vornehmen ließen sich in Steinkisten begraben, einen Grabhügel aufschütten und lebten von Jagdwild wie die englischen Lords, wogegen die Armen nur Austern verzehrten als gemeinste Kost, wie man heute noch in Nordamerika sie als billigsten Fleischbrühstoff an Arbeiter verkauft. Von solchen Austerschalen findet man in Dänemark große Haufen, die man Küchenabfälle nennt. Jetzt freilich sind Austern Leckerei der Feinschmecker. Im Rennthiergebiete bei Macon in Südfrankreich fand man auf Heerdplatten ganze Gerippe Erwachsener und Kinder, wogegen andre in Kisten auf einem Boden liegen, der mit den verkalkten Knochen von 2000 Pferden, die man ein-stampfte, gewissermaßen gepflastert ist. Man will daraus auf das Zusammenwohnen von zwei Urrassen schließen dürfen. Man halte solche Deutungen ja nicht für erwiesene Thatsachen!

Die Dolmen, d. h. im Kreis aufgerichtete Steinblöcke, welche man in der ganzen alten und neuen Welt findet, haben die Vermuthung angeregt, daß das Volk, welches sie errichtete, überall wohnte, sich also über die ganze damalige Erde ver-breitete. Dagegen besaßen die Bewohner der Pfahlbauten, die vor 6—8000 Jahren lebten, bereits Hausthiere und Getreide, buken Brod, spannen und webten Flachs, legten gebahnte Wege an und trieben mit fernen Völkern Handel. Schon in uralten Zeiten verstand man das Brennen gewisser Erdarten zu Topfgeschirr, das Schmelzen und Verarbeiten weicher Metalle, namentlich des Kupfers, selbst Glasbereitung, und stellte gewisse Steinwaaren fabrikmäßig her, wie die Indianer Nordamerika's heute noch Waffen und Geräthe in gewissen Gegenden in Masse und zum Verkauf anfertigen. Manche Forscher muthmaßen, daß steinerne Pfeilspitzen als Münze dienten und ihre bildliche Nachahmung die Anregung zur Erfindung der Keilschrift gab, in welcher die Inschriften an den Palästen der altassyrischen und altpersischen Könige abgefaßt sind.

Wie dem auch fein mag, so viel steht fest, daß die Menschheit sehr alt ist und vielerlei Veränderungen erlebte. „Der menschliche Urschädel aus der Mammuthzeit führt durch die Höhlenbewohner, die man zu Eyzies in Frankreich ausgrub, zu den Langschädeln der skandinavischen Eiszeit, welche nach Virchow's Behauptung den Schädeln der pyrenäischen Basken gleichen, deren man auch in Portugal und auf einem alten Grubenbau Asturiens fand!" Goethe versichert, das Haar der Buschmänner wachse büschelförmig und gleiche vollkommen der Wolle wie das der Negritos und der Bewohner der Andamanen. Außerdem schnalzen die Buschmänner in ihrer Sprache wie die Affen, haben die Hottentotten eine Schnalz- und Gurgelsprache, welche den Uranfang der menschlichen, noch thierartigen Lautsprache zu vergegenwärtigen scheint.

Daher halten Manche die Neger für die älteste Menschenrasse, die in dem rothen Boden der Tropen Afrika's, Asiens und seines Archipels entstand. Höher steht bereits der Asiate Südostasiens oder Turaner, dessen Nachkommen sich über den Norden und die Mitte Europas verbreiteten, in Asien das Hochland bewohnten und bis zum Ocean im Süden vordrangen. Das Volk der Iraner als dritte Rasse zog vom Westrand der Gebirge Hochasiens aus, wanderte nach Indien, Europa, Nordafrika und das östliche Nord- und Südamerika. Denn damals gab es kein Mittelmeer, sondern ein Saharameer hing bei Gibraltar Europa mit Afrika zusammen und dehnte sich dieser Welttheil über die Azoren, Madeira u. s. w. bis Südamerika aus, über Irland und das heutige Telegraphenplateau bis Nordamerika, was man aus der Verwandtschaft der Pflanzen und Thiere der gegenwärtig getrennten Erdtheile folgert.

Dies die neuesten Hypothesen (gelehrte Vermuthungen) über unser Thema!

Indem man den Urvölkern nachforschte, bemerkte man eine auffallende Uebereinstimmung der eingeborenen Thierwelt (Fauna) mit den Bewohnern des Landes, welche Klöden nachwies. Die

ben Eskimo, Lappen, Samojeden und Tschuktschen, denen Rennthier und Hund als halb wildes Haus- und Zugthier dienen.
Die subarktische Zone ernährt in ihren Fichtenwäldern Moos-
thiere und Ochsenarten; in den Wäldern der Kätzchen und Zapfen
tragenden Bäume der gemäßigten kalten Zone findet man pelz-
tragende Raubthiere und Wieselarten, zwischen den Laubwäldern
der wärmeren gemäßigten Zone Obstbäume, Hausthiere und
Getreide. Die subtropischen Länder erzeugen Südfrüchte, sind
reich an Hausthieren, Sumpf- und Wasservögeln und lassen ein
asiatisches, europäisch-afrikanisches und nordamerikanisches Thier-
reich unterscheiden. Der Büffel und Ur entspricht dem Yak,
das Mufflon dem Bergschaf und Argali. In diesem Gebiete
wohnen berittene Mongolen, Kamel züchtende Semiten, Rinder
und Pferde weidende Arier (Kelten, Germanen, Hellenen, Römer,
Slaven), von denen jedes Volk sein Nationalthier und seinen
Nationalbaum verehrt. Dagegen verbreitete sich über die Hochebenen Amerikas, die sich fast ununterbrochen von Norden nach
Süden fortsetzen, eine einförmige Thierwelt mit vielen örtlichen
Besonderheiten und eine einzige Menschenrasse mit vielen kleineren
Stämmen. Im Norden Afrikas wohnen Abessinier und Nubier,
im einförmigen Innern die fast gleichartigen Neger; dazwischen
Gorillas und Schimpanse's, im Süden Hottentotten und Buschmänner, welche den Papuas im alterthümlichen Australien ähneln,
wo Kasuar, Känguruh, Schnabelthiere und andre Seltsamkeiten
sich finden, wogegen in Südasien und den Sundainseln die Ma-
layen und Negritos zum Mitbewohner den Orang Utang haben.
Diese Menschenrassen scheinen seit uralten Zeiten in jenen Ge-
bieten gewohnt und sich wenig verändert zu haben. An den
Wänden der egyptischen und assyrischen Königspaläste sieht man
heute noch die naturgetreuen Abbildungen von Völkern, welche
vor 3060—5000 Jahren lebten und ihren heutigen Nachkommen
noch vollkommen gleichen. Schon damals bewohnte ein gelber,
dünnhaariger Menschenstamm Ostasien, dagegen war ein hell-
farbiges Volk mit rothen Wangen, hellem Haar und blauen
Augen von Skandinavien bis zum Kaspisee, eine schwarzhaarige
und schwarzäugige Rasse von England bis Bengalen verbreitet.
Wie weit sich diese Bemerkung begründen läßt, bleibt dahin-
gestellt, obschon Lyell u. A. dem Menschengeschlecht ein Alter

von mehr als 100,000 Jahren zuschreiben. Denn die Zeitlänge erklärt noch nicht jene Farbenunterschiede.

Wohl kann der Zweifel ausgesprochen werden, ob wir es bei den geringen Sammlungen von Knochen- und Waffenresten, welche dem Forscher zu Gebote stehn, jemals weiter als bis zu Vermuthungen über das Entstehen der Menschenrassen und das Alter des Menschengeschlechtes bringen werden. Dennoch beweisen solche Untersuchungen über die Urzeiten die gewaltige Kraft des Menschengeistes, welcher aus scheinbar geringfügigen Gegenständen nach sorgfältiger Untersuchung Schlüsse und Folgerungen auf Zeiten und Zustände zu ziehen weiß, welche Jahrtausende weit hinter uns liegen. Gar lange Zeit wurden die Regentenverzeichnisse der altegyptischen Könige, die über 10,000 Jahre weit zurückreichten, für Erdichtung und Priestertrug gehalten, bis man die Inschriften der alten Bauwerke lesen lernte und durch dieselben die Angaben der alten Geschichtsschreiber vollkommen bestätigt fand. In neuester Zeit hat man sogar an den Wänden eines assyrischen Palastes einen Bericht über die Sindflut enträthselt, welcher fast wörtlich mit der israelitischen Erzählung übereinstimmt. Weil aber in diesem Bericht bereits das Vorhandensein von Menschenrassen angedeutet wird, so muß deren Entstehen sehr alt sein, wenn man nicht annehmen will, daß von allem Anfange an der Rassenunterschied bestand. Leichter erklärlich wird derselbe, wenn man berücksichtigt, daß in jenen Zeiten die Erdtheile anders vertheilt waren als jetzt, wie im 2. Band ist nachgewiesen worden.

Ur-Völkerwanderungen und Verbreitung der Menschenrassen.

Die uralten Mythen pflegen auch die Heimat der ersten Menschen zu bezeichnen, diese Paradiese aber in so unbestimmter oder veralteter Weise zu beschreiben, daß es selbst umsichtige Forschungen nur bis zu Vermuthungen über die Lage derselben bringen. Außerdem darf man nicht unbeachtet lassen, daß auf der Erdoberfläche damals Land und Meer anders vertheilt waren

ober Seebecken waren, Hochgebirge damals als weniger hohe
Plateaus den wandernden Völkern bequeme Wege vorschrieben.
Da nun die vorgeschichtlichen Menschen von der Jagd lebten,
vielleicht auch einige Früchte anbauten oder einige Hausthiere
züchteten, so konnten ihrer nicht viele bei einander wohnen, vielmehr mußte bei zunehmender Bevölkerung das jüngere Geschlecht
sich neue Wohnsitze aufsuchen, wie ja heute noch die Jagd- und
Hirtennomaden auf steter Wanderung begriffen sind. Noch zur
Römerzeit galt unter den Galliern die Sitte, daß in schlechten
Zeiten die Jugend als ver sacrum auswandern mußte, und die
Phönizier, Griechen und Römer sandten in den früheren Zeiten
sehr häufig Kolonien aus, wenn es ihnen daheim zu enge wurde,
die Weideplätze sich verringerten.

Heer, Lyell u. A. verlegen das Paradies in das tropische
Klima der tertiären Periode der Erdbildung, welche unsrer
heutigen voranging. Dagegen erzählen die Mythen der Arier
von einer Eiszeit, welche zum Auswandern zwang, die Semiten
von einer großen allgemeinen Fluth, die Hellenen vom Durch-
bruch des Schwarzen Meeres in das Mittelmeer. Knochenfunde
bei Ausgrabungen in Griechenland, Italien, Deutschland, Frankreich u. s. w. bestätigen, daß der Mensch damals mit bereits
ausgestorbenen Dickhäutern, riesigen Raubthieren und den Ur-
ahnen unsrer Hausthiere zusammen wohnte und sie als Jagdwild verfolgte. Denn im Drift (abgelagertem Fluß- und Meeres-
schlamm) liegen seine Steinwaffen, steinernen Pfeilspitzen, Stein-
messer und Lanzenspitzen von Knochen. Wie Taylor berichtet,
verfertigen die Australier und Tasmanier heute noch solche
Waffen. Aber man findet auch uralte Topfscherben und Schnitz-
arbeiten an Knochen, auf denen Mammuths und Rennthiere
abgebildet sind. Diese Letzteren bezeichnen ein kaltes Klima, und
in Schwaben fand man bei tiefen Einschnitten der Eisenbahn-
straße Rennthiermoos. In den Zahnlücken der Mammuths an
der sibirischen Nordküste entdeckte Baer Fichtennadeln, von denen
jenes Thier sich nährte, und in Schweden und Dänemark gräbt
man häufig Lappen-, Finnen- und Esthenschädel aus, wogegen
in England zur Zeit der Schliffsteine und Bronzewaffen bereits
Langschädel vorkommen, d. h. eine Menschenrasse, deren Waffen
ganz denen der Pfahlbautenbewohner gleichen.

Zur Eiszeit waren nur die Tropenländer warm, von denen aus die Urvölker auszogen, bis sich höhere Menschenrassen in den gemäßigten Breiten entwickelten, als dieselben bewohnbar wurden. Demnach müßten die Urmenschen südlich vom Sahara= meere gewohnt haben um den indischen und Stillen Ocean herum, wo das sinkende Australien und die in die Meerestiefe gleitenden Sunda=Inseln noch die Reste eines versunkenen Fest= landes bezeichnen. „Neu=Seeland mit seinem subtropischen Klima, seinen bis in die Thäler herabreichenden Gletschern und seinen Palmen, die bis zur Gletschergrenze gedeihen, ist das beste Bild jener Urzeit, in welcher das Mammuth in den Tiefebenen, das Rennthier auf den Hochebenen zugleich einwanderten und der Mensch Beiden folgen konnte."

Diese Urmenschen waren kein langschädeliges, gradzahniges Geschlecht, welches in Afrika farbig, in Südindien und Neu= holland schlichthaarig wurde, weshalb Cuvier das Atlassystem für die Heimat der Neger, das Altaisystem für die der Mon= golen, den Kaukasus für die der Arier hält. Eine zweite Ur= heimat vermuthet man in dem versunkenen Festland des Großen Oceans, welches eine eirunde Gestalt hatte, und glaubt heute noch in den zurückgedrängten Stämmen Dekan's, Beludschistan's und Maskate's Reste jener Urbevölkerung wieder zu erkennen. Ja es scheint schon zur Eiszeit begabtere Völker gegeben zu haben, da der damalige Südfranzose, welcher bereits die Thiere seiner Umgebung abzuzeichnen verstand, dem affenartigen Belgier jedenfalls auch geistig überlegen war. Die uralten Kurzköpfe — in der Entwickelung stehen gebliebene Kinderköpfe — benützten bereits das Feuer, besaßen eine Sprache und aßen Menschen= fleisch. Als sie eine gewisse Kulturstufe erreicht hatten, begannen sie schützende Pfahlbauten in Seen zu errichten, verstanden den Getreidebau, Flachsbau, Spinnen und Weben, Brodbacken, züchteten Bäume und Thiere u. s. w., denn aus dem einsamen Höhlenbewohner war ein geselliger Dorfbewohner geworden.

Um sich die Verbreitung der Menschenrassen zu erklären, nimmt man an, daß kurzköpfige Urmenschen im Nilthale und auf Asiens Hochebenen zwei Mittel= und Ausgangspunkte der Entwickelung fanden, also in jenen Gegenden, an deren Grenze

Bewohner Egyptens eine reiche, vielseitige Kultur, großartige
Kunstwerke, vielartige Industrie. Arbeitstheilung, ein geordnetes,
wohl gegliedertes Staatswesen, Schrift und Literatur. Daher
stürmten die Völker Vorderasiens und der Mittelmeerländer gegen
Egypten an, wanderten Semiten ein und Siculer (1400 v. Chr.)
nach Europa aus, wo im Süden langköpfige Hellenen, im Norden
kurzköpfige Pelasger, im südlichen Italien langschädelige Lateiner
und Griechen, im nördlichen kurzschädelige Ligurer, in Mitteleuropa kurzschädelige Kelten wohnten.

Auf der ausgedehnten Weltterrasse Hochasiens entwickelten
sich die Urvölker und verbreiteten sich nach allen Seiten hin.
Denn das Gangesthal hat sich weder gehoben, noch eine Eiszeit
gehabt, und auf den Hochebenen war die Wanderung leicht.
Damals schied in der Tertiärzeit das Gobimeer, welches jetzt
eine Wüste ist, Nord- und Südasien, welche durch eine Landenge
(Belur, Hindukusch, Himalaja) mit einander verbunden waren.
Asien ward der rassenbildende Continent. Wüstenmeere schieden
die südliche Negerrasse von der nördlichen mongolischen und westlichen kaukasischen ab. Es weideten bemähnte Mammuthsheerden
auf den weiten Strecken in solcher Menge, daß man an Sibiriens
Nordküste Elfenbein zu Hügeln aufgeschichtet findet und es als
Handelsartikel versendet. Aus einem Eishügel grub man Elephanten und Rhinozerosse hervor, welche noch Haut und Haare
trugen und von Eisbären angefressen waren. Sogar die Augen
hatten sich noch erhalten.

Die langschädeligen Höhlenmenschen wanderten nach allen
Richtungen weiter. Ein Theil dieser breitwangigen, schiefäugigen
Völker, aus denen später im Norden kurzschädelige Mongolen,
im Süden Malaien wurden, rückte in historischen Zeiten bis an
den Kaspisee vor, und gründete in Ostasien als Chinesen einen
Kulturstaat. Andre Stämme wanderten nach Norden, Nordosten
und Nordwesten bis Amerika, Lappland und Grönland, und die
dritte Gruppe (Battavölker, Dayaken, Alfurus) wandte sich nach
Süden und Südosten bis über den indischen Ocean. In Amerika
rückten die Einwanderer langsam von Norden nach Süden vor,
wozu sie nach Peschel 11—33,000 Jahre gebrauchten. In der
abgeschlossenen Lage der Hochebene von Mejico und Peru entwickelte sich eine abgeschlossene Kultur. Die Tempel bauenden

Tolteken Mejicos besaßen weise Dichter, Gelehrtenakademien, Museen, Landstraßen, Kanäle, ein stehendes Heer, Bilderschrift und blieben dabei Menschenfresser. Nicht minder reich war das durch die Spanier vernichtete Kulturleben der Völker Mittel-amerikas und des Incavolkes auf den südamerikanischen Cordilleren. Langschädel und nach ihnen Kurzschädel wanderten von Asien über die Beringslandenge nach Amerika, wo sich durch Mischungen ein unentwirrbares Durcheinander von Stämmen und Horden ausbildete. Noch heute wohnen in Mejico verkümmerte Stämme mit magrem Körper, großem Kopfe, breiter Nase, kleinen Händen und Füßen und gelblich brauner Hautfarbe zwischen hoch-gewachsenen Stämmen von derselben Farbe und der andren mit schwärzlich glänzender Haut.

Columbus fand auf den Antillen friedliche Taini, die noch am Orinoco und in Guyana leben, und kriegerische Karaiben, welche Kaufleute, Seeräuber und Menschenfresser waren. Hum-boldt und Martius unterscheiden in Südamerika die gewaltigen Horden der Waldleute (Tupis), Steppenleute und Marschen-bewohner. Die niedrigste Rasse bilden die Botokuden, welche nicht einmal eine bleibende Sprache besitzen. Im Norden schlossen sich die Tupistämme den Karaiben an, welche eine besondre Männer- und Weibersprache unterschieden und die letztere als allgemeine Sprache benutzten. Alte Schädel, die man am Ma-rannon ausgrub, gehören zu den schmalsten und gleichen denen der heutigen Eingeborenen Brasiliens, und in ganz Amerika herrscht die agglutinirende Sprache, welche für die unvoll-kommenste gilt. Nach Morton erhielt Ostamerika von dem ver-sunkenen Ostlande Atlantis seine ersten Bewohner, denn die Botokuden gleichen den Hottentotten und Negern, wogegen in Grönland und Feuerland die Bewohner mongolische Schädel-bildung haben. Es wohnten in Amerika dicht neben einander Völker des Stein- und Bronzealters, denn im Drift am Oberen See fand man Steinäxte eines verschwundenen Volkes. Von Canada bis Mejico sieht man die räthselhaften Erdwälle und entdeckt in den Gräbern kurzköpfige Schädel eines unbekannten Volkes.

Von dem iranischen Hochlande wanderten Arier nach Nord,

und Nordafrika, wobei sie die Turaner nach Norden und Süden zurückdrängten. Diese erobernden Kolonien hatten schwere Kämpfe mit den Turanern zu bestehen, da es sich um einen Rassenkampf handelte, welchen die Zend-Avesta als ewigen Krieg zwischen dem Licht- und Nachtgotte auffaßt, woraus die semitische Mythe eine Feindschaft zwischen Gott und Satan machte. Durch die Steppen Westsibiriens zogen blonde Kelten und stießen auf kurz-schädelige Urbevölkerung. Schwarzhaarige Semiten wandten sich nach Mesopotamien, Arabien, Syrien, ins Nilthal und die Atlas-länder, wo sie auf Urbevölkerung stießen, die bis zu den cana-rischen Inseln wohnte. Denn die Fellahs haben nach Pruner Bey ein Negerhirn und nach Ewald eine negerartige Sprache. Nachdem die Semiten ausgezogen waren, folgten vom südlichen Kaukasus aus in einzelnen Zügen Hellenen und Lateiner nach Südeuropa, wo sie mit Thrakern, Etruskern und Iberern (Basken), also mit nordafrikanischer, vorsemitischer Urbevölkerung kämpften. Im Norden stießen sie auf das kurzschädelige Urvolk der Stein-gräberzeit; doch zogen sie auch nach Nordafrika. Semiten kamen auf Schiffen nach Norden, Arier brachten Bronzewaffen mit in ihr neues Vaterland, und Kelten kannten bereits den Gebrauch des Eisens. Die Slaven sind die höchste Entwickelung der Kurz-schädel, die Arier die der Langschädel, beide Stämme sind grad-zahnig und breitstirnig. Diese Kurzschädel gingen aus höher entwickelten Finnen hervor, die sich an die Slaven anschließen. Die Altslaven in Rußland und Ungarn (Slovenen und Slovaken) sind blond, Kirgisen haben mongolischen Typus; aber es giebt auch schwarzhaarige Slaven mit gradzahnigem Kurzschädel, farbige und weiße, grad- und schiefzahnige Finnen (Tschuden). Natürlich traten gar vielfache Kreuzungen ein, und beide Rassen gingen zuweilen in eine höhere gemeinsame über. Denn die Formen des menschlichen Körpers werden um so verschiedener, je wechseln-der die klimatischen Verhältnisse sind. Dasselbe gilt auch von der geistigen Entwickelung. Denn schon Hippokrates behauptet, daß es die steten Veränderungen sind, welche die Seele des Menschen wecken und aus ihrer Unbeweglichkeit reißen.

So weit man also die Schädelform als Entscheidungsmerk-mal für die Menschenrassen anerkennt, werden ausgegrabene Schädel die Wegweiser, welche uns die Pfade anzeigen, welche die Urvölker zogen, als sie nach und nach von ihrer Erde Besitz nahmen. Aus unscheinbaren Dingen lassen sich weitgreifende Folgerungen ziehen. Wenn also auch die angeführte Uebersicht im Einzelnen manche Berichtigung und Ergänzung erfahren wird, so ist sie jedenfalls die einfachste und naturgemäßeste.

Physiologische Begründung der Rassenkennzeichen.

Wenn man das Vorhandensein verschieden gefärbter und begabter Völkerstämme anerkennen muß als Thatsache, so ergiebt sich die schwierige Frage nach deren Entstehung. In den Stein-brüchen Solnhofens fand man die Abbildung eines Thieres, welches Vogelfüße, Federn und einen Eidechsenschwanz gehabt hat. Thiere und Pflanzen kann man durch Züchtung und Kreuzung umbilden und künstlich neue Arten entstehen lassen, wie ja Blumen- und Braunkohl nur künstlich erzeugte Um-bildungen der Urpflanzen sind. Barry züchtete Pilze, und Kerner bewies, daß Pflanzenarten nur Producte von den Ein-flüssen des Standortes sind. In Kasan verwandeln sich bei andauernder niederer Temperatur Insectenlarven nicht in In-secten, sondern aus der Puppe wird wieder eine Larve.

Hier liegen noch Abgründe des Nichtwissens vor uns. Es genügt daher, das vorzulegen, was neuere Forschungen erwiesen haben, da solche Andeutungen den Weg anzeigen, welchen die Wissenschaft nehmen muß, und das Endziel ahnen lassen.

Das menschliche Knochengerüst scheint dem thierischen gleich zu sein, aber dennoch finden die Anatomen viel wichtige Unter-schiede, namentlich in Betreff der Schädelform. Kulturvölker zeigen eine vorwaltende Stirnentwickelung der Schädelkapsel, weshalb die Schiefkieferigkeit zurücktritt. Lange oder breite Ge-hirne repräsentiren daher nur Rassenunterschiede, beweisen aber noch nicht eine größere Intelligenz, weil das Gehirn sich jeder Schädelform anpaßt. Von Wichtigkeit scheinen die Windungen des Großhirns zu sein, welches man für das Organ des Denkens hält. Dax und Broca behaupten, daß die vorderen Lappen des

Vorderlappens, Organ der Sprachfähigkeit sei, und da den Affen
dieselbe fehlt, so können sie es nie zum Sprechen bringen. Ob
Größe und Schwere des Gehirns von Bedeutung für geistige
Fähigkeiten sind, das läßt sich bis heute nicht entscheiden, weil die
Angaben über die Schwere verschieden ausfielen und man noch
nicht weiß, welchen Werth einzelne Windungen und Lappen
haben. Im Allgemeinen wiegen Menschengehirne 1300—1400
Gramme, das des Byron 2238, des Cromwell 2231, des Cuvier
nur 1829, des Gauß noch weniger. Deutsche Gehirne haben
eine durchschnittliche Schwere von 1400—1521 Gramme, fran=
zösische von 1470, madjarische von 1420, italienische von 1493,
polnische von 1517 Grammen. Indessen scheinen diese Wägungen
Weisbachs nicht umsichtig genug vorgenommen zu sein. Brust=
umfang und sein Verhältniß zur Körperlänge und zum Körper=
gewicht sind für die Arbeitsleistung maßgebend, die Länge der
Wirbelsäule bei den Männern veränderlicher als bei den Frauen,
bei jenen die obere Gesichtsbreite gleichbleibender, bei diesen die
untere, und der Längendurchschnitt bei Beiden veränderlich.

　　Gesicht und Augenhöhlen erhalten ihre Form von den Joch=
beinen; Ohren sind individuell geformt; doch haben Neger kleine
dicke Ohren, Mongolen große dünne. Alle wollhaarigen Völker
sind Langköpfe und bezeichnen die niedrigste Stufe unsres Ge=
schlechtes. Das Becken ist bei den Kaukasiern oval, bei Negern
keilförmig, bei Mongolen viereckig, bei Amerikanern rund. Das
schmale Negerbecken bewirkt einen Hängebauch, dagegen hat der
Brustkorb eines Europäers im Innern die Gestalt eines Kegels
mit der nach oben gerichteten Spitze. Der weibliche Brustkorb
ist runder und geräumiger, weshalb die Lunge weniger entwickelt
ist, Kehlkopf, Luft= und Nasenröhre kleiner sind, und das Weib
weniger athmet. Auch unter den Tropen athmet der Mensch
in verdünnter Luft weniger tief, weshalb der Unterleib sich stärker
entwickelt, der Leib voller, der Brustkorb cylindrisch, der ganze
Bau frauenartig wird. Der Kehlkopf entwickelt sich schwach, und
die dicke Zunge des Kaffern verengt den Schlund. Im Norden
dagegen erweitert die schwerere Luft die Lunge und zwingt zu
tiefen Athemzügen. Die Fußspur des Europäers endlich ist ge=
bogen, die erste Zehe groß, die zweite angedrückt und der Hohl=
fuß bogenförmig. Der Neger hat einen Plattfuß und eine kleine,

weit abstehende erste Zehe. Der Malaie Polynesiens ist fuß-
gelenkig wie ein Affe und gebraucht den Fuß auch wie eine Hand.
Neger und Hindus besitzen lange Hände, der Neger dazu einen
langen Vorderarm. Der Negermagen ist rund, verdaut viel, und
die Leber des Schwarzen wird groß.

Was die Farbe der Haut, Haare und Augen anlangt, so
hat man auch für sie nach physiologischen Gesetzen gesucht. Die
Form des Haares ist von seinen Standorten abhängig, da die
Hautschicht verschieden fest und dicht ist und das weiche Haar
sich schief durchbohren muß. Die Oberhaut als dünne Horn-
schicht ist farblos, doch zwischen ihr und der Lederhaut als dem
Organe des Tastsinnes liegen Schichten junger Zellen als Schleim-
haut, in welcher sich Farbstoff ablagert. Fehlt dieser letztere,
so sieht die Haut weiß aus, seine Gegenwart aber macht die
Haut dunkel, und je mehr Farbstoff vorhanden ist, um so dunkler
wird die Haut. Lichtwirkung macht die Negerhaut blauschwarz,
und Farbenunterschiede finden sich in allen Zonen, weil dieselben
von der Kreuzung der Völker, von Waldschatten, fetter Nahrung
u. s. w. verursacht werden. Der Europäer hat dunkle Stellen
am Körper, der Neger helle, selbst die Negerlaus sieht schwarz
aus. Da die Negerhaut sich kühl anfühlt, so bezahlen Türken
die Gallasmädchen für ihren Harem theuer, obschon jeder Neger
in der Haut einen bockartigen Ammoniakgeruch trägt, welchen
Reinlichkeit nur wenig mildert. Selbst dunkle Europäer und
fette Personen leiden an stark riechender Ausdünstung. Cana-
dische Indianer und Araucaner erkennt man an ihrem eigenthüm-
lichen Geruch, denn dieser und das färbende Pigment bedingen
einander, weil sie beide von den Talgdrüsen der Haut her-
stammen.

Auch die Farbe der Regenbogenhaut des Auges rührt vom
Pigment her. Die farblose Iris erscheint auf tiefschwarzem
Hintergrunde blau, fehlt das schwarze Pigment auch in der
Gefäßhaut, so scheint das durchfließende Blut roth hindurch
(Albinos), und dann sind Haar und Haut weiß. Schwefel soll
das Haar roth färben, außerdem erhält es von Pigmenten die
Farbe. Das Negerhaar ist nicht drehrund, wie das europäische,
welches aber auch oval, bohnenförmig oder dreikantig werden
kann, sondern wird flach elliptisch mit Kanten, die sich zweimal

spiralig drehen. Da es keinen Marktanal hat, so schnurrt es
auf der Kante zusammen. Uebrigens beweisen blondes Haar,
blaues Auge und weiße Haut Mangel an Pigment, und nach
der Behauptung einiger Beobachter werden sie in Mitteleuropa
seltener, und macht das Städteleben Haar und Iris dunkel.
Norddeutsche Kinder haben oft weißes, süddeutsche weißgelbes
Flachshaar wie Cimbern und Gallier. Vielleicht bewirken dies
trockneres, milderes Klima und veränderte Nahrung.

Je größer der Temperaturunterschied zwischen der Eigen-
wärme und der Luft ist, um so größer werden, wie Mayer versichert, die Farbenunterschiede der beiden Blutarten des Körpers.
Denn „dieser Unterschied ist ein Ausdruck für die Größe des
Sauerstoffverbrauchs, d. h. der Kraftproduction oder der körperlichen und geistigen Leistungen. Die geringere Aufnahme von
Sauerstoff in der heißen Zone macht das Arterienblut schwärzer,
so daß es dem Venenblute gleicht.“ Acclimatisirte Nordländer
haben in der heißen Zone weniger Blut, zugleich vergrößerten
Andrang desselben zu den Organen des Unterleibes und der
Haut. Der arterielle Blutstrom eines Organes bestimmt dessen
Thätigkeit. Der Unterschied in der Gefäßanfüllung eines ruhen-
den und eines thätigen Körpertheiles ist ein sehr großer, denn
jedes thätige Organ befindet sich in einem Congestionszustande,
was im höchsten Grade bei den Organen des Unterleibes und
der Haut stattfindet, die bei erhöhter Temperatur nur 10—20fach
größere Blutmenge aufnehmen.“ Geringere Jahrestemperatur
bewirkt geringere Nervenerregung und geringere Thätigkeit des
Gehirns. Aeußere Einwirkungen beeinflussen also das seelische
und vegetative Leben. In Nordamerika werden die Europäer lange,
magre, dünnhalsige Yankees mit trockner Haut, hartem, straffem
Haar und unruhigem Geiste, weil die trocknen Westwinde sehr
erregend auf die Nerven wirken.

Auch besteht zwischen Haut-, Haar- und Zahnbildung eine
Wechselbeziehung, und die Zahnbildung bedingt wieder die Gestalt
des Unterkiefers, welche mit der Bildung des Schädelgrundes
parallel geht, wie denn auch harte oder weiche Schädel in die
Muskelbildung eingreifen. „Die hinteren Theile des Unterkiefer-
bogens, welcher die Backenzähne enthält, wächst vom achten Jahre
bis ins Alter der Reife viermal mehr als die vorderen mit den

Schneidezähnen und wird um ein Fünftel breiter. Der Ober-
kiefer thut dasselbe und mit ihm gehn die Gelenkflächen am
Schädelgrunde in die Breite. Während des Wachsens der hinteren Backzahnpartie drängt der Theil mit den Schneidezähnen
nach vorn. So treibt Alles und wird getrieben, die Knochen
des Schädelgrundes und die des Gesichtes bedingen einander
fortwährend. Daher betreffen die niederen und höheren Rassenunterschiede des Menschen mehr den Gesichtstheil als den
Schädeltheil des Kopfes." Indessen sind hierüber die Anatomen,
z. B. Virchow, Arby, Davis, Engel u. s. w. sehr verschiedener
Ansicht.

Bei den Untersuchungen über die Entstehung der Rassen
muß man aber auch die Morphologie berücksichtigen. Denn in
jedem Individuum kämpft das Beharrungsvermögen (Erblichkeit)
mit dem Abänderungsbestreben (Variabilität). Es treten Rückfälle in frühere Formen ein, aber auch Verbesserungen, gewissermaßen glückliche Mißbildungen (Monstrositäten), mit denen sich
die Forscher von Aristoteles bis Darwin beschäftigten. Dareste
vermochte es, in einem Ei absichtlich Mißbildungen zu erzeugen.
Schwache elektrische Ströme wirken auf die Elemente des organischen Lebens ein, nicht aber auf die fertigen Organe. Es ent-
scheidet also die Zelle den ganzen Typus, und Settegast meint:
„Die Macht des Individuums, die potenzirte Vererbungskraft
ist und bleibt individuell, läßt sich nicht erzüchten, kann nicht
Rassencharakter werden." Brücke nennt die Zellen Elementar-
organismen, welche alle Eigenschaften eines lebendigen Organismus haben, sich nähren, bewegen, wachsen und durch Theilung
fortpflanzen.

„Jeder zusammengesetzte höhere Organismus ist eine An-
sammlung von Zellen in den verschiedensten Ausbildungsstufen.
Die im Saftstrom kreisenden sind doppelter Art, theils sich noch
bewegende, sich nährende und durch Theilung vermehrende, den
Amöben ähnliche Organismen (weiße Blutzellen in Thieren),
theils schon durch eine Hülle abgeschlossene, nicht mehr der Fort-
pflanzung fähige Zellen, welche im thierischen Körper die Zufuhr
des Sauerstoffs vermitteln, und deren Zerfall das Pigment
liefert, oder es sind endlich an einander gefesselte, durch den sie

Die ersteren können durch die unverletzte Gefäßhaut auswandern und fortleben, die letzteren wieder frei und beweglich werden." Die Ursache der Erblichkeit liegt also in den Zellen selbst als autonomen Centren des organischen Lebens.

Bei der Morphologie spielen wieder physikalische und chemische Kräfte eine wichtige Rolle, denn man will in den Eiern chemische Verschiedenheiten gefunden haben, und His hält Gestaltung und Wachsthum für mechanische Ergebnisse. „Die primitiven Lagerungsverhältnisse der organischen Elemente sind die entscheidenden Motive für die Ausbildung der Gestalt. In der ersten Faltung walten schon die späteren Proportionen vor, und Druck und Lage wirken auf das mechanische Schema. In der Natur berühren sich Geist und Zahl. Die Ordnung der Welt ist Zahl, und unsre Vorstellungen sind Larven von Zahlen, unsre Deductionen nur eine unbewußte Statistik, unsre höchsten Leistungen sind über Zahlengerüsten aufgebaut. Die Musik ist tönende Zahl, die Architektonik Lapidarstil der Mathematik, der organische Bau der Geschöpfe eine Architektonik der Zellen." Selbst die Hautlinien haben ihr mathematisches Gesetz. Engländer essen mehr phosphorhaltige Nahrung und sind daher kräftiger, die Römer fütterten die Gladiatoren mit Fleisch, Erbsen und Bohnen.

Hiermit brechen wir ab, weil die angestellten, sehr interessanten Untersuchungen über unser Thema noch nicht zum Abschluß gekommen sind. Man wird viel Vorgänge, welche uns jetzt noch wunderbar erscheinen, als Wirkungen mechanischer oder chemischer Prozesse erklären können, wenn wir erst die Eigenthümlichkeiten mancher Verhältnisse würdigen lernen. Der Fötus z. B. hat das meiste Wasser im Gehirn, der Mann mehr als die Frau. Alle niederen Landsäugethiere haben einen mächtigen Riechlappen, auch bei menschlichen Embryonen und Neugeborenen ist er größer als bei Erwachsenen. Kleinköpfige zeichnen sich durch einen gewaltigen Riechlappen und eine große Nase aus, haben dagegen ein kleines Großhirn und bezeichnen eine Hemmungsstufe nach Ansicht Virchow's, der die Lappen und verwandte Völker für erblich und national gewordene Krankheitsgestalten hält.

Die physischen Organe und die Schädelbildung.

Es kann nicht unsre Aufgabe sein, die schwierige Frage zu lösen, was der Geist ist, ob sich Thierseele und Menschengeist unterscheiden lassen u. s. w., vielmehr kommt es hier nur darauf an, den Standpunkt anzugeben, von welchem aus man die Frage betrachten muß. Wir wissen, Alles, was da ist und geschieht, muß seinen Grund haben, daß es grade so ist und so geschieht. In vielen Fällen vermögen wir die Ursache nicht anzugeben, weil es uns an ausreichenden Kenntnissen und Erfahrungen fehlt, aber trotzdem dürfen wir nicht zweifeln, daß nichts ohne Grund und Ursache geschieht. Naturgesetze sind nur die nothwendigen Wirkungen vorhergegangener Ursachen, Zustände und Umstände, und keineswegs besonders existirende Wesen, wofür wir gar zu gern auch die Naturkräfte halten. Wer mehr ißt, als er ver- dauen kann, wird krank, weil er das Gleichgewicht der Stoff- aufnahme und Stoffumwandlung gestört hat. Er greift zur Arznei. Was wirkt diese? Sie regt die Organe zu erhöhter Thätigkeit, zu stärkerer Stoffausscheidung an. Denn die Krank- heit ist kein Ding für sich, kein besondres Wesen, sondern ein gestörtes Verhältniß der auf einander einwirkenden Organe und ein dadurch bewirkter abweichender Zustand.

Wir wissen, ein frierender, hungernder Mensch leistet das nicht, was ein warmgekleideter, gut genährter vollbringt. Dar- win behauptet daher, daß dasselbe psychologische (die Seele be- treffende) Gesetz von der niedrigsten bis zur höchsten Stufe aus- reicht, daß sein Grund im Nervenbau muß gesucht werden, wes- halb man jede Fähigkeit der Seele sich nur stufenweise erwerben kann. Carus und Wundt stellen die Thierseele neben die Menschenseele, und selbst Fechner und Perty stimmen dem bei. Denn die Natur hat den Zweck in sich, nicht außerhalb ihrer selbst. Sie will sich erhalten und schmiegt sich den gegebenen Existenzbedingungen bis zu einem gewissen Grade an, je nachdem es die Organe gestatten. Wundt wies nach, daß sich Eiweiß- körper gegen Licht grade so verhalten wie Krystallösungen, organische und anorganische Stoffe sich also nicht unterscheiden,

14*

und Berthelot erzeugte durch hohe Temperatur und Druck
Pflanzensäure und Pflanzenfette.

Will man also vom Menschengeiste sich eine klare Vorstellung bilden, so muß man den Nerven- und Hirnbau kennen
lernen. Wir wollen hier nicht des Breiteren in diese Untersuchungen eingehn, sondern nur die neuesten Forschungen mit-
theilen, um zu eigenem Nachdenken und Beobachten anzuregen. Denn diese Forschungen sind und bleiben für uns die
wichtigsten.

Das Großhirn ist maßgebend für das Maß der geistigen
Kraft, wie Meynert dies faßlich entwickelt und an Experimenten
nachweist. „Man muß Stirn-, Schläfen-, Scheitel- und Hinter-
hirn unterscheiden, denn sie bestimmen die psychischen Thätigkeiten. Bestimmte Theile des Hirnmantels verrichten zwei funda-
mentale Leistungen: die Sinneswahrnehmungen, aus denen Zeit-
Raum- und Ursächlichkeitsvorstellungen entstehen, und die Muskel-
gefühle des eignen Leibes, aus denen die Bewegungsvorstellungen
und Willensakte entspringen. Die Aufnahme der Seh-, Riech-
und Empfindungs (Haut-) Einstrahlungen geschieht im Schläfen-
und Hinterhauptsgehirn. Hier liegen ausschließlich die Organe
des Bewußtseins der äußeren Welt. Das Stirnhirn ist das
Hauptorgan der psychomotorischen Impulse (des Willens), hier
strahlen die Muskelempfindungen (Bewegungsgefühle) ein, hier
bilden sich alle Bewegungsvorstellungen. Von hier strahlen sie
als Antriebe aus, und Streifenhügel sammt Linsenkernen sind die
einzigen Wege, durch welche hindurch alle bewußt motorischen
Impulse des Stirnhirns nach außen wirken können. Die Sprache
ist die höchste Leistung dieser Impulse. Das Thier, der Affe
ausgenommen, hat kein Stirnhirn in dem Sinne wie der Mensch.
Ganz andre Theile liegen hier, auch das Stirnhirn des Affen
ist unvergleichlich geringer. Die Zelle wird im Hirn Nerven-
zelle für geistige Verrichtungen. Je größer an Zahl, desto voller
ist das geistige Leben, desto größer unser Vorstellungsreichthum,
und von den 500 Millionen Hirnzellen befindet sich fast die
Hälfte im Stirnhirn. Wenn der Mensch also geistig fortschreitet, so wird er deshalb äußerlich kein anderer.

„Empfindung und Bewegung sind die einfachsten Elemente
des thierischen Lebens. Die ursprüngliche, uranfängliche Empfin-

dung unterfcheidet nicht die äußere Natur vom eigenen Körper, fie ist vielmehr unwillkürliche Richtung nach dem, was die Empfindung hervorrief, und Nervenfäden vermitteln zwifchen Empfindung und Bewegung, indem fie die Muskeln zufammenziehn oder ausdehnen. Je höher das Thier organifirt ist, ein desto complicirterer Apparat wird eingefchaltet, welcher im menfchlichen Gehirn fich zur höchsten Stufe entwickelt hat und jene ungeheure Welt von geistigen Thätigkeiten erzeugt, welche wir Vorstellungen, Gedankenreihen, Gefühle, Gemüth, Ketten von Willensäußerungen und als Ganzes menfchliche Seele nennen.

„Die anatomifchen Bahnen der Empfindungs- und Bewegungsnerven leiten die äußeren Reize weiter wie Telegraphen, begegnen einander in gewiffen Centralbüreaus (Ganglien), wo fie ihre Erregung austaufchen, die Bewegung zur Bewegungsvorstellung wird und wieder Bewegungsnerven zur Willenshandlung anregt. Mit den Sprachorganen stehn die Gehörsorgane anatomifch in Verbindung, und von ihnen gehn Nervenbahnen nach dem Kleinhirn als dem Centralorgane für Bewegungsthätigkeiten, fo daß Gehör, Gefang, Sprache, rhythmifche Bewegung, Geberden und Tanz anatomifch möglich werden. Es steht aber die Entwickelung der Nervenbahnen des Haut- und Empfindungsorganes und der Beckenglieder im Gegenfatz zu jener der Brustglieder, und begegnen einander auf gleiche Weife im Gehirn. Brust und Baucheingeweide stehn daher in Wechfelbeziehung im Gehirn und bewirken dort jene unerklärlichen Stimmungen des Aufgelegtfeins oder Unaufgelegtfeins, des Behagens und Unbehagens, die uns zu unfrem eignen Verdruffe fo oft unwiderstehlich beherrfchen.

„Jeder einzelne Nerv ist ein Strang aus höchst zahlreichen, neben einander laufenden Fafern, welche am Anfange und Ende des Stranges fich pinfelförmig ausbreiten. So ist das ganze Nervenfystem befchaffen, mit Ausnahme des Hirnmantels. Es folgt dann auf jede Empfindung eine Reflexbewegung, wenn ein erregter Nerv auf den verwandten die Erregung überleitet, weil die Nervenstränge nur die Leiter der Erregungen find. Der Hirnmantel als Nervencomplex nimmt alle Rapporte in fich auf und überwacht fie durch Gruppen von Auffehern, die durch das ciren. Betrachtet die Seele als Aufsichtsgruppe im Centrum, dem Hirnmantel, die Rapporte als Localzeichen, so wird sie, durch Erfahrung belehrt, jede Veränderung an jedem Punkte an den Ursprungsort verlegen. Von den Localitäten wird das Seelenorgan nichts gewahr, sobald keine Nerven von ihnen ausgehn. Die, welche nur Einen Nerven gemeinsam haben, veranlassen keine Detailwahrnehmung. Senden einzelne Organe viel Nerven, so brauchen sie im Schädel mehr Raum; verkümmerte Nervensträuge schränken sich ein. Je mannichfaltiger also der Körper ist, um so reicher wird der Hirnstamm entwickelt. Je mehr Empfindungen erzeugt und angezeigt werden, um so größer wird die Zahl der ins Seelenorgan eintretenden Vorstellungen. Den Umfang der Seele zeigt die Zahl der Vorstellungen an, das Gewicht des Hirnmantels ist das Aequivalent dieser Zahl, Sprache, Geberde und Handlung sind das Maß derselben, der Reichthum dieser ist also von der Größe des Hirnmantels abhängig. Der Hirnmantel des Menschen wiegt 70 bis 80 Gramm, der des Affen höchstens 70, der des Pferdes 67, der des Hundes 66. Je reicher der Vorstellungsinhalt einer Seele nach einer besonderen Richtung ist, um so mächtiger wird die Entwickelung eines besonderen Theiles des Hirnmantels. Hat ein Thier nach einer Seite hin mehr Vorstellungen als der Mensch, so wird der entsprechende Theil der Hirnhalbkugeln größer. Bei Hunden und Füchsen ist der Riechlappen ein Theil des Hirnmantels selbst, beim Menschen ist dieser Riechlappen zu zwei Fäden verkümmert, dagegen wölben sich ganz andre Vorstellungsorgane der Halbkugeln darüber hervor, und so wird es beim Haut- und Tastsinn, beim Gemeingefühl sein, worin uns viele Thiere weit übertreffen.

„Bei dem Menschen geht der Hauptreichthum der Seele von Gesichts- und Lautvorstellungen aus, von dem Klangfelde der Insel, welche so mächtig entwickelt ist, daß sie die Schläfenbreite bedingt, sowie die Schläfenwölbung und Stirnwölbung sammt der darüber liegenden Urwindung. Aber wenn auf dem Hirnstamme, welcher das Material zu der gesammten Vorstellungs- und Willenswelt liefert, der Hirnmantel mit seinen Windungen in überquellender Fülle mit ungeheurem Zuschuß neuer Zellen und Bogensystemen überwölbend sich ausdehnt, so liegt darin eine gewisse Abhängigkeit. Denn im Hirnstamme liegen ja die Repräsentanten der gesammten übrigen Organisation, und das Bestehen einer vorwaltenden oder mangelnden Ent= wickelung des Hautsystems, des Unterleibes und der Brust drückt sich in ihm aus. Die Verhältnisse des Gesichtsskeletts treten in dieselbe Reihe. In der Insel werden die das Zuleitungssystem vertretenden Faserbündel von den Bogenbündeln, welche das Associationssystem darstellen, an Zahl weit übertroffen; die Be= deutung der Schläfenentwickelung tritt dadurch in das rechte Licht. Die Insel ist daher einerseits ein Bild der autonomen Entwickelung des ganzen Gehirns wie andrerseits seiner Ab= hängigkeit. Ihr Zuleitungssystem betrifft die höheren Sinnes= organe und die damit verbundenen Bewegungsbezirke, d. h. Sehorgan und Bewegungsbezirk des Antlitzes erzeugt Mimik, Gehör= und Laut erregendes Organ die Sprache.

„Diesem Centralorgane gegenüber haben wir in den Nerven= ausbreitungen der Haut ein Symbol des ganzen äußeren Or= ganismus. Diese Nervenverästelungen sind nicht nur der Ausdruck seiner Oberhautparzellen, es liegt darin auch die ganze Ent= wickelungsgeschichte des Thieres, die bestimmte Anordnung seiner äußersten Bedeckung (Schilder, Federn, Haare), so daß durch eine den Fäden des äußeren Mosaikbildes analoge Anordnung im Centrum auch die Aufnahme dieses Bildes im Vorstellungs= gebiete möglich wird. Wir strecken unsre Nervenfäden der Außenwelt entgegen, und tauchen sie in das Innere unsres Körpers. So weit Beides geschieht, können wir Wahrnehmungen haben. Was von ihnen ununterbrochen im Centrum auftaucht (zugeleitet wird), ist Grundlage des Innern, der Vorstellungen. So viel von diesen mit einander verknüpft werden kann, so groß ist der Reichthum dieser inneren Welt. Jene peripherischen wie diese centralen Bahnen können kräftiger werden, zahlreicher sein, verkümmern oder ausfallen. Alles dieses kann vererbt, er= worben, verloren werden in der Oberflächen= und Massenent= wickelung der niederen Theile wie in den Massen und Bahnen des Seelenorganes.

„Der Weg des gesunden Menschenhirns führt zur Sprache. Bleek hält die Ursprache der Menschen für unwillkürliche Empfin=

Ihr Organ ist die Insel; Sehstrahlungen gehn in die Spindel-
windung des Schläfen- und Hinterhauptshirn und sind von den
Nachbarwindungen der Insel durch die dritte und zweite
Schläfenwindung getrennt. Dagegen entwickelt Scherer, daß
jeder Dialekt aus einem bestimmten Vocalismus und Consonan-
tismus und besonderer Organisation des Rassenschädels hervor-
geht, welcher dem Baue der Sprachorgane entspricht. Daher
der Nasalismus der Franzosen, der Dentalismus der Engländer,
der Gutturalismus der Semiten u. f. w. Es wirkt aber auch ein
die Leidenschaft, d. h. das Verweilen in einem einzigen Vor-
stellungskreise. Die Laute sind Atome, die Stammworte der
Elementarorganismus der Sprache. Dort liegt die Entstehung,
hier beginnt die Geschichte der Sprache. Die bestimmt geschaute,
oder empfundene Stellung der Sprachwerkzeuge ist als die
älteste Vorstellung zu betrachten, von welcher die Entwickelung
der Bedeutung ihren Anfang nahm.

„Das Kind, das sich zuerst unwillkürlich bewegt und
schreit, sodann mit seinen eigenen Gliedern spielt, sich des
Körpers und der Bewegungen bewußt wird, verlangende und
abwehrende Bewegungen macht, spielt ebenso mit seinen Empfindungslauten, Schnalz-, Schlürf- und Sauglauten. Jauchzen,
Singen, Schreien sind ihm Zeitvertreib, sowie es sich der Ver-
schlußlaute (Consonanten) und Singlaute (Vocale) bewußt wird.
Nach dem Spielen mit den Empfindungslauten tritt die Nachahmung gehörter Laute der Umgebung ein. Dann spielt es mit
Worten, erfindet sich solche und kommt auf Laute wie pa und
ma. Durch Saugen und Schlürfen lernt es m, t, p, f, bei
Ungeduld verdoppelt es die Worte (ma-ma, papa). Kaffern
und Hottentotten haben noch Schnalzlaute, andre südafrikanische
Völker Spucklaute, Chinesen Singlaute, und bei den alten
Griechen bedeutete Rede auch Gesang. Affen haben am Kehl-
kopfe Luftsäcke, welche das Springen erleichtern, aber das
Sprechen hindern. Junge Affen weinen, schreien und geberden
sich, aber ihr Gehirn erzeugt keine Gedanken. Dennoch behaupten
Südafrikaner, die Affen könnten sprechen, wenn sie wollten, aber
sie thun es nicht, weil sie fürchten, dann eingefangen und als
Sclaven verkauft zu werden.“

Man kann also aus der Schädelform nicht die Rassen-

unterschiede entwickeln, da sie höchstens den Grad des Kultur-
lebens andeutet. Das Gehirn eines Nomaden z. B. wird bei
allen Rassen auf gleiche Weise entwickelt, mußte demgemäß auch
den Schädel gleichartig formen.

Diese Auszüge aus Meynert können nicht erschöpfend sein,
weil es dazu an ausreichendem Materiale fehlt, aber sie geben
eine orientirende Perspective auf unser Gehirn- und Gedanken-
leben. Was nun die Ursprache anlangt, so zählt man als solche
die sogenannten Wortstämme auf, indessen diese sind Erfindungen
der Sprachforscher, die ihnen vielerlei Bedeutung beilegen.
Sprachen verändern sich mit den Zeiten, die Wörter nehmen andere
Formen und Bedeutung an. Unser Gothisch müssen wir wie eine
fremde Sprache lernen, wie der Engländer das Angelsächsische.
Sprachen sind das Produkt der Bildung. „Der menschliche
Gedanke arbeitet sich heraus in dem Maße, als die Intelligenz
Fortschritte macht; sie kann nicht stehen bleiben, sondern entwickelt sich, wächst, kräftigt sich, altert und stirbt", sagt Wilh.
v. Humboldt. Jede Sprache hat daher ihre Geschichte, und
Bunsen bemerkt: „Durch die Einwirkung des Volksgeistes ändert
sich die Sprache, und dies schließt einen Prozeß der Bildung
von Formen nnd Beugungen der Wurzeln und neuer abgeleiteter
oder zusammengesetzter Wörter ein. Es geschieht ein unaufhörlicher
Fortschritt in den Worten und Ausdrücken vom Substantiellen
zum Formalismus, oder von der Natur zur Metapher, von dem
Physischen zum Intellectuellen, vom Concreten zum Abstracten."

Die Ursprache der Menschen war jedenfalls eine Laut- und
Empfindungssprache, die er auch in Geberden ausdrückte und
durch dieselben verständlich machte. Später verband man mit
den Lauten gewisse Vorstellungen und Begriffe ganz zufällig,
weshalb diese Wurzeln, die aus 2—3 Lauten bestehn, verschiedene
Bedeutung hatten. Nun wählte man aus der Ueberfülle das
bequemste Wort aus und entwickelte es durch Anfügung anderer
zu einem langen Worte, welches einen ganzen Satz enthielt, wie
es die Indianer noch thun, und wie die Chinesen ihre unver-
änderlichen einsilbigen Wörter durch Zusammenschieben zu neuen
Begriffsausbrücken erweitern. Endlich suchte man die Aehnlichkeit
und Gleichheit der Dinge und Erscheinungen durch dieselben

mäßig sich entsprechende Abänderung der Bocale und Consonanten zu bezeichnen, wie die indogermanischen Sprachen verfahren, indem sie decliniren und conjugiren, Ableitungssilben vorsetzen oder anhängen. Bei weiterer Ausbildung der Sprache endlich begann man die Silben zu kürzen, abzustumpfen, einfache Formen in aufgelöste zu verwandeln. Sprachen sind daher ein unsichres Mittel, die Unterschiede der Rassen zu finden.

Es wird jedem Beobachter auffallen, daß wir beim Sprechen auch Blicke, Mienen, bei Erregung Hand und Fuß mitreden lassen, in freudiger Stimmung singen, daß sich im Zorn Brust und Kehle zusammenschnüren, kurzum wir eine Geberdensprache reden, die oft viel aufrichtiger ist als die Wortsprache, die wir gern gebrauchen, um Gedanken und Gefühle zu verbergen. Boshafte, verlogene Menschen sehn nie dem ins Gesicht, mit welchem sie reden, sondern heften die Blicke auf den Boden, damit man ihnen nicht aus den Augen ablesen kann, daß sie ganz anders denken als sie reden. Bekanntlich besitzen Thiere eine sehr deutliche Geberdensprache: sie sträuben Federn und Haare, ducken sich, heben oder senken Ohren und Schweif, knurren, winseln, zischen u. s. w., und ebenso hat jedes Volk seine besondre Geberdensprache. Der Deutsche nickt, wenn er bejahen will, der Italiener wirft den Kopf zurück, wenn er sich einverstanden erklären will. Die Fidschibewohner beschnuppern sich als Begrüßung, Lappen und Neuseeländer reiben sich zu demselben Zwecke gegenseitig die Nasen an einander, die Indier winken durch fortweisende Bewegung heran u. s. w.

Solche Bewegungen sind nicht willkürliche, wie es scheint, sondern liegen in dem anatomischen Bau der Nerven und Muskeln. „Das Entstehen aller Bewegung ist beim Menschen wie beim Thiere abhängig von den empfindenden Organen, welche innerhalb des centralen Nervensystems mit den Bewegungsorganen in Verbindung gesetzt sind. Dadurch entstehn alle mimischen Bewegungen, welche also für die Ausläufer der erregten Nervenbewegung gelten müssen. Sie leiten die von außen gekommene Erregung aus dem Körper heraus, indem sie von den Empfindungsnerven auf die Bewegungsnerven übergehn und dadurch das physiognomische Geberdenspiel veranlassen. Jene centralen Verbindungen können zahlreicher werden, können aber auch verarmen. Eigenthümliche, bei verschiedenen Raffen verschieden, vorwaltende Entwickelung innerer Organcomplexe bedingt vorzugsweise Gruppen von mimischen Bewegungen. Neigung zu gewissen Bewegungen vererbt sich, wie ja Söhne oft Schritt, Gang und Körperhaltung des Vaters wiederholen, und vor allen sind es die Gesichts- und Handmuskeln, deren große Mannichfaltigkeit die außerordentliche Beweglichkeit bedingt. Wie Empfindungen in Bewegungen ausbrechen, so gehn sie auch in Laute über. Denn der Mund ist dazu bestimmt, und die Sprache wird zur Mimik der Tonwerkzeuge, weshalb man die Sprache sehen kann. Der Taubstumme hört mit dem Auge, und Lautsprache entstand mit der Geberdensprache, entwickelte sich aber später."

Wir brechen hier ab und schließen mit den erhebenden Worten eines namhaften Forschers: „Das Streben der Civilisation, die möglichste Beherrschung der äußeren Natur und die freieste Entwickelung unsres Wesens zu einem gemeinsamen Gute zu machen, wird sicherlich noch undenkbare Fortschritte in der Erkenntniß des Zusammenhanges und der Ursachen der Erscheinungen zur Folge haben, aber unsre Triebe stets dieselben bleiben, und die Bedingungen des Lebens sind nicht unerschöpflich. Das Gefühl der Vergänglichkeit, welches im Vollgenuß des Glücks erwacht, die schöne Melancholie, welche die Griechen ihren idealsten Götterformen aufprägten, stimmen zu dieser Anschauung, welche in der deutschen Wissenschaft zum hellsten Bewußtsein kam und als dunkler Keim schon im urgermanischen Geiste lag als Mythe von der Götterdämmerung."

Klima und Kulturgeschichte.

Ueberblicken wir die Ergebnisse der Forschungen über den Menschen und seinen Nervenbau, so tritt seine Geschichte unter eine ganz andre Perspective. Die Abstammung der Menschen von Einem Menschenpaare galt lange für einen unantastbaren Glaubenssatz; dennoch trugen die glaubenseifrigen Spanier kein durch besonders abgerichtete Bluthunde zerfleischen zu lassen, weil Heiden ihnen nicht für Menschen, für Ebenbilder Gottes galten. Der bibelfeste Engländer und Anglo=Amerikaner, der Sonntags keine Arbeit zu verrichten wagt wegen der Sabbath=heiligung, trieb Sclavenhandel und versagte den schwarzen kraus=haarigen Menschenbrüdern menschliche Rechte, führte sogar einen grauenvollen Bürgerkrieg der Sclaven wegen. Neuere Forscher leugnen gar das Dasein des Menschengeistes und Gottes, machen die ganze Schöpfung zu einem bewußtlosen Mechanismus, welcher auch den Menschen beherrscht und keine Freiheit des Willens gestattet. Klima, Temperatur, Boden, Berge, Flüsse, Luft, Wasser u. s. w. bedingen nach dieser materialistischen An=sicht unser Kulturleben. Sauerstoff, Stickstoff u. s. w. sollen die schaffenden Mächte der Weltgeschichte sein. Solche Ansichten führen uns auf unser Thema, die Luft, zurück, weshalb wir sie zum Schluß berücksichtigen und ihre Einseitigkeit nachweisen müssen.

Die Gase organisiren sich im Krystall nach geometrischen Figuren, in der Pflanze entwickeln sie sich zu Stamm, Rinde, Blättern, Früchten, im Thiere gewinnen sie willkürliche Bewe=gung, Empfindung, Vorstellung, Willen, um in Menschen zum Weltbewußtsein, zum Ideal, zu Religion und Gesellschaftsord=nung zu gelangen, und in der Sprache das unermeßliche Reich der Begriffe und Ideen zu entwickeln als das wahre Menschen=heim. Dem Geschichts = und Kulturleben liefert die Natur nur das Material für Gedanken, sie dient nur als Coulisse für die wechselnden Scenen und Acte der Weltgeschichte. Die Nahrungs=stoffe, durch welche der Mensch sich leiblich und geistig lebendig erhält, entnimmt er den Gasen der Luft, der Pflanzen, des Kalkes, Thons, der Kieselerde, des Schwefels, Eisens u. s. w., er lebt also von dem Boden, auf welchem er wandelt, verzehrt sein Vaterland, und insofern wird er von Erde, Wasser, Berg und Feld abhängig, stellt aber zugleich eine höhere Harmonie zwischen Natur = und Menschenleben her als Grundbedingung seines Lebens. Der Mensch steht nicht außerhalb der Natur, sondern mitten in derselben. Pflanzen und Thiere besitzen nur bis zu einem gewissen Grade die Fähigkeit, verschiedene Klimas zu ertragen, der Mensch aber durchreist alle Klimas, steigt

meilenhoch in die Luft empor, gräbt sich tiefer in die Erde ein
als je ein Thier, und weiß sich überall die Existenzbedingungen
zu verschaffen, indem er Pflanzen und Thiere züchtet und sie
zur eigenen Lebenserhaltung benutzt. Unsre Freiheit besteht nicht
in Willkür, in raufluftiger Autonomie von Eroberern oder im
Faustrecht, sondern in der freiwilligen Unterwerfung unter Natur-
und Menschengesetze, unter Sitte und Recht. Die sogenannten
höheren Stände entarteten in den Ländern, wo sie unnatürlich
lebten zum Unterschied von den bürgerlichen Ständen; jene
Völker, die ihren Boden nicht angemessen zu bewirthschaften verstehen, wie Indianer, Spanier, Magyaren, verarmen mitten in
einem reich ausgestatteten Lande. Wir sind „Erzeugnisse der
Erde, Atome ihres Gesammtlebens, und können uns nur behaupten, wenn wir uns mit der Natur in Harmonie setzen.
Das geographische Theater bestimmt die Rollen und deren Ausgang, welche die Völker als Weltgeschichte aufführen." Unsre
persönliche Freiheit muß also freiwillige Abhängigkeit von gegebenen Bedingungen und Verhältnissen sein. Dies zu erkennen,
heißt Vernunft besitzen, und in Befolgung dieser Gesetze beruht
die wahre Sittlichkeit, sagt Reclus, ohne die weiteren Schluß-
folgerungen zu ziehen.

Unsre Kulturgeschichte entwickelt sich aus dem Gegensatze
zur Natur, um endlich zur Harmonie mit derselben zu gelangen,
welche unser leibliches Dasein beherrscht und dadurch das geistige
bestimmt. In der Natur- und Menschenwelt gilt als alt-
beherrschendes Gesetz die unveränderbare Wechselwirkung zwischen
Ursache und Folge. Ein ungebildetes Volk hat schlechte Gesetze,
Vorurtheile und unzweckmäßige Einrichtungen. Dabei ver-
schlimmert sich das gesellschaftliche Leben, das Volk wird demo-
ralisirt, dünkelhaft, roh und gewaltthätig, weil es sittliche Zucht
für Knechtschaft hält, daher dieselbe haßt und sich ihr widersetzt.
Bei den Magyaren und Neugriechen werden Räuber populäre
Nationalhelden, denen man gar gegen die Polizei Beistand
leistet. Ein gebildetes Volk dagegen vermehrt die Productions-
fähigkeit des Bodens, regelt Flußläufe, bewässert und entwässert,
legt Straßen und Kanäle an und gewinnt durch solche Arbeiten
und Naturstudien an geistiger Kraft. Ihm dienen Knochenhöhlen
als Archive der Urgeschichte, und Feuersteine, Rennthiergeweihe,

Moose und Käfer werden zu lesbaren Berichten über eine Jahr-
tausende alte Vergangenheit. Unsre ältesten geschichtlichen Erinnerungen verdunkelten sich
nach und nach zu deutungsschweren Götter- und Heldensagen,
in denen Götter und Helden eben nur Natur- und Kultur-
perioden bezeichnen, die dann in höheren Töchterschulen als
Mythologie gelehrt werden. Das poetisch gestimmte Volk aber
gestaltete jene Sagen in Volksmärchen um, die endlich zu Aber-
glauben wurden, als man die heidnischen Götter, Zwerge und
Geister in Gespenster und Teufel umwandelte. Schon die Urmenschen Europa's besaßen Kunstsinn, denn sie zeichneten auf
Rennthiergeweihen die Thiere ihrer Umgebung und ihre Kämpfe
mit dem Höhlenbären ab. Der kleine Urmensch in Dänemark,
Belgien und im Elsaß, der affenartigen Schädel, schwächliche
Knochen und kleine Hände hatte wie der heutige Lappe, besaß
bereits im Hund einen dienstbaren Begleiter, tödtete also nicht
nur Thiere, sondern züchtete sie.

Daß ganze Volksstämme von Europäern ausgerottet sind,
lehrt die Geschichte der Entdeckungen und Eroberungen. Darwin
will dieses Aussterben durch die Theorie der Zuchtwahl erklären
und durch den Kampf ums Dasein. Die Fortschritte unsrer
Civilisation haben ihre dunkeln Schlagschatten, aber wir miß-
billigen sie, entfernten viele derselben und fahren in dieser Kulturarbeit fort. In der freien Republik der Vereinigten Staaten
galt es früher als ein Sonntagsvergnügen, einige herrenlose
Rothhäute niederzuschießen; dann ward man tugendhaft, kaufte
gegen Branntwein, Uniformen, Regenschirme und alte Flinten
große Landstrecken, trieb die Indianer aus ihrem Vaterlande in
büffelarme Gebirgsgegenden, wo sie verkümmern und verhungern
mußten. Die tugendhaften Engländer, die so viele Missions-
anstalten unterhalten, führten wegen des Leib und Seele ver-
derbenden Opiums Krieg mit dem souveränen Kaiser von China,
welcher diesen Gifthandel verbot, und schossen gefangene Hindus
mit Kartätschen massenweise nieder, als sie sich nicht mehr von
habgierigen Beamten wollten ausbeuten lassen. Dagegen empfahl
England dem heiligen Rußland Schonung der rebellischen Banden
in Polen, die im Namen der adeligen Freiheit Dörfer und
Bauern ausplünderten. Die Kulturgeschichte ist also unabhängig

von der Beschaffenheit des Landes, denn sie folgt den Antrieben
des berechnenden Willens, und humane Grundsätze finden mit
jedem Jahre mehr Anerkennung und Verbreitung.

Die Menschheit führt nicht einen Kampf ums Dasein, der
wahre Mensch opfert sich vielmehr für die Wahrheit, für Recht
und Pflicht. Es ist nur eine beschönigende lügenhafte Phrase
der Unterdrücker, wenn sie vom Kampfe ums Dasein reden da,
wo sie mit Uebermacht der Waffen und Macht über Schwache
und Wehrlose herfallen. Rum und Syphilis, diese Geschenke
der europäischen Civilisation in Afrika und auf den Inseln der
Südsee, sind kein Kampf ums Dasein, sondern künstliche Ver-
giftung. Trieb zur Lebenserhaltung ist kein Kampf ums Dasein.
Wer Ackerbau treibt, Brodfruchtbäume, Dattelpalmen und Kartoffeln pflanzt, denkt an keinen Kampf, ebenso wenig der Rennthier züchtende Lappe, der Pferde weidende Kirgise u. s. w.
Der Kampf ums Dasein würde nur ein zum Gesetz erhobenes
Faustrecht, die Verhöhnung der wahren Civilisation sein, welche
friedliche Mittel zur Beglückung Aller sucht. Völker führen
Kriege, um ihre nationale Unabhängigkeit gegen herrschgierige
Nachbarn zu sichern; dies ist ein Ausnahmszustand, dessen Be-
seitigung die Humanität anstrebt. Alle gebildeten Völker streben
vereint nach Veredelung der Menschheit und Menschennatur,
nach sittlicher Freiheit, die auch den Schwachen schont und
schützt, sie verbünden sich im Geiste edler Humanität gegen den
Kampf ums Dasein, der zur Barbarei und zum Kannibalismus
führt.

element

Druck:
Customized Business Services GmbH
im Auftrag der KNV-Gruppe
Ferdinand-Jühlke-Str. 7
99095 Erfurt